LE SECRET DE LA MAISON AU BORD DU LAC

Elle révélera le secret…
Même au prix de sa vie.

JUDE BAYTON

**TRADUIT DE L'ANGLAIS
PAR CHRISTOPHER BAYTON**

Le Secret de la Maison au Bord du Lac

Traduction: Le Secret de la Maison au Bord du Lac

ISBN imprimé 978-1-955441-07-0
ISBN numérique 978-1-955441-08-7
Publié par Redbus llc

Note du Traducteur

Christopher Bayton, le traducteur de ce livre, est le cousin de Jude Bayton. Il est traducteur indépendant et vit à Nice, en France. Il tient à remercier son époux Michel Albert ainsi que sa chère amie Muriel Peyrard, pour leur relecture attentive de son texte.

I

Mercredi 6 mai 1885

C'ÉTAIT UNE JOURNÉE IDÉALE POUR FLÂNER ET CUEILLIR DES FLEURS SAUVAGES. Mais la découverte d'un homme mort gisant sur les berges du lac Windermere n'avait pas été prévue à mon programme. Au début, j'ai pensé à un mouton ou un gros animal de ferme qui s'était empêtré dans les épais joncs verts. En m'approchant de l'eau, je découvris, à ma plus grande horreur, deux yeux humains fixant le ciel d'un regard éteint. Une sorte de mousse de bave s'échappait de sa bouche ouverte et il y avait un vrombissement effroyable émanant des mouches en train de festoyer frénétiquement sur la plaie ensanglantée de sa poitrine.

Le peu que j'avais avalé au petit-déjeuner commença à gronder dans mon estomac chaviré, si bien que je me détournai avant d'être terriblement malade. Je respirais par à-coups et mon cœur battait la chamade.

Je regardai autour de moi fiévreusement dans l'espoir de voir une autre âme vivante que j'aurais pu appeler à mon secours. Je jouais de malchance : pas le moindre signe de vie alentour. Je n'attendis pas un instant de plus. Je partis en courant pour aller chercher un gardien de la paix au village.

Deux heures passées au poste de police, et je ne pouvais toujours pas admettre ma macabre découverte. Un corps ! Seigneur ! J'avais vu le corps d'un homme décédé ! Je me révoltai à l'idée de ce souvenir mais je savais que la vision de cette misérable créature serait à jamais gravée dans mon esprit ; mes mains tremblaient encore, bien que le policier m'ait déjà apporté deux tasses de thé arrosées de cognac.

Comme j'aurais aimé que mon oncle Jasper soit là ! Même si un messager avait été envoyé depuis trente minutes à notre maison pour le chercher, je les avais prévenus de ne pas perdre leur temps. Mon oncle devait encore être en train de glaner dans les collines, alors que j'étais assise là, la tête détraquée par les images de l'homme mort, la plaie et ces horribles mouches. Mon estomac se révolta une fois de plus, et je chassai la vision de mes pensées. Qui était ce pauvre homme ? L'agent de police ne l'avait pas encore identifié, et je ne pouvais certainement pas le faire, car je ne vivais à *Ambleside* que depuis un mois environ ; je ne connaissais presque personne.

— Mademoiselle Farraday…

L'agent Bloom était de retour, le visage rose d'avoir gravi les escaliers raides du commissariat.

...Il semble que votre oncle, le professeur Alexander, soit introuvable. Y a-t-il quelqu'un d'autre qui puisse venir vous chercher ?

J'ai secoué la tête.

— Non, personne.

Madame Stackpoole, notre gouvernante, rendait visite à une amie pour l'après-midi.

Je me suis redressée.

...Agent Bloom. Je me crois suffisamment reconstituée pour rentrer chez moi.

Mais il n'avait pas l'air convaincu.

— Un moment, mademoiselle. Ne soyez pas si pressée.

Vous avez reçu un sacré coup et je ne veux pas que vous tombiez dans les pommes ou un truc dans le genre...

— Je vous en prie.

Interrompis-je.

...Je vous assure que je vais plutôt bien. Je pense que je serais mieux à la maison, si vous le voulez bien.

Le policier acquiesça à contrecœur.

À l'extérieur du commissariat, l'air frais fut un baume bienvenu pour mes sens ébranlés, et j'en remplis mes poumons ; le soleil brillait dans le ciel de mai, et j'inclinai mon visage pour capter sa chaleur. Après un moment, cependant, je commençai à me sentir plutôt bizarre ; le coupable était probablement le cognac versé dans mon thé et bu sur un estomac vide. Ma tête tourna, ma vision se troubla et je quittai le trottoir d'un pas chancelant pour me retrouver directement dans la rue.

Une calèche passa devant moi, les jantes des roues si près de mon corps que je fis instinctivement un bond en arrière, perdant l'équilibre. Je culbutai au sol, atterrissant sur le dos assez brutalement pour me couper le souffle. Je restai un moment assommé, jusqu'à ce qu'un homme se précipite à mon secours et m'aide à me remettre sur pied.

— Vous êtes blessée, mademoiselle ?

Demanda l'aimable inconnu tout en gardant une prise ferme sur moi.

Je fus dans l'incapacité de parler. Rien ne semblait cassé, mais mon dos et ma tête en avaient pris un coup. Curieusement, le vertige se calma, mais mon crâne palpitait furieusement.

L'attelage s'arrêta rapidement non loin dans la rue et un cocher en livrée se précipita pour évaluer les dégâts.

Mon sauveteur se tourna vers le conducteur avec une mine renfrognée.

— Nom de Dieu, mon gars ! Tu devrais faire attention où tu vas. Cette pauvre femme aurait pu être tuée !

— ...Elle est passée droit devant moi...

Objecta le conducteur, le visage blanc comme un linge.

Je commençai à dire quelque chose, mais je fus distraite par la porte de la voiture qui s'ouvrit : un passager en descendit, se dirigeant dans notre direction.

Elle portait un costume de voyage d'un bleu saphir éclatant, sa masse de cheveux blonds savamment relevée en un chignon élaboré, sous un élégant chapeau de feutre assorti. Malgré ses yeux bleus comme des myosotis, elle arborait l'expression d'une réelle inquiétude.

— Ah, mon Dieu !

Elle me faisait face, scrutant mon visage comme un artiste étudierait son sujet.

— Comment ça va ? Ça va aller ?

— Oui.

Dis-je de manière peu convaincante.

...Du moins, je le saurai une fois que j'aurai repris mon souffle...

Je me sentais encore essoufflée et mes jambes tremblaient – mais ce n'était guère surprenant après la matinée que j'avais déjà subie.

— Venez.

Elle saisit mon bras fermement et interpella son cocher.

...Nous devons aller dans un endroit à proximité où la dame pourra se détendre et peut-être prendre un rafraîchissement.

Congédiant l'étranger avec un merci poli, et avant que je puisse protester, elle me conduisit dans un salon de thé un peu plus loin dans la rue. En vérité, je fus plutôt soulagée de m'asseoir. J'étais nauséeuse et ma colonne vertébrale me faisait mal là où elle avait pris tout le choc de la chute.

La dame passa commande à l'hôtesse et me guida vers l'intérieur de l'établissement. Nous nous installâmes, et, peu de temps après, une serveuse apporta un plateau avec un pot de thé et une assiette de crêpes épaisses chaudes et beurrées.

— Ah, regardez-moi ça.

Dit la jeune femme.

...Cela devrait vous remettre d'aplomb, j'en suis persuadée.

Je ne répondis pas et la regardai me verser une tasse de thé, ce dont je lui fus extrêmement reconnaissante. J'observais les crêpes avec une grande attention. Peut-être qu'elles aideraient à calmer ma nausée...

— Puis-je ?

Demandai-je avec audace, en montrant la nourriture.

— Certainement, je vous en prie, servez-vous.

Dit-elle.

Je n'hésitai pas. Je pris une bouchée et aussitôt mon estomac qui avait été dérangé décida qu'il était affamé.

— Pour l'amour de Dieu, vous devez me trouver si impolie !

Dit la dame pendant que je mangeais.

...Nous voilà en train de prendre le thé ensemble, et je ne me suis même pas encore présentée. Je suis Evergreen LaVelle. Puis-je vous demander votre nom ?

J'avalai promptement et tamponnai mes lèvres avec la

serviette.

— Jillian Farraday, mademoiselle.

Elle me fit un joli sourire.

— Vous êtes nouvelle à *Ambleside* ? Je ne vous y ai jamais vue.

— Oui. Je viens de déménager du Devon.

— Vraiment ?

Ses yeux bleus pétillaient. Elle ressemblait à une poupée de porcelaine, lisse et délicate, pas un cheveu de travers. Je frissonnai en pensant à mon apparence.

— Je ne suis jamais allée dans le Devon.

Poursuivit-elle.

...Je vous en prie, racontez-moi. Qu'est-ce qui vous amène dans notre Région des Lacs ?

Elle retira d'élégants gants de coton blanc, les posa sur la table, puis se servit un morceau de crêpe. Elle le plaça délicatement dans sa bouche, et je devins inconfortablement consciente qu'en comparaison j'avais dévoré la mienne comme un animal affamé.

— J'ai déménagé ici pour travailler avec mon grand-oncle. Il vit à *Ambleside*.

Mademoiselle LaVelle haussa les sourcils.

— Ah oui ? Que faites-vous ?

Je crus qu'elle me prenait pour sa bonne ou sa gouvernante.

— Je suis son assistante. L'oncle Jasper est un universitaire. Il fait beaucoup de recherches sur les lichens et la flore. Je transcris ses études qui sont envoyées à divers établissements d'enseignement supérieur agronomique du pays.

Aussitôt, son visage changea d'aspect. Apparemment, je venais tout juste de grimper dans son estime.

— Serait-ce le professeur Alexander, à tout hasard ?

Elle prit une autre gorgée de thé.

— Oui, effectivement. Vous le connaissez ?

— Pas vraiment, mais mon père le connaît.

Mademoiselle LaVelle replaça sa tasse de thé sur la soucoupe et prit un air pensif.

...Mademoiselle Farraday, je suis sincèrement désolée de ce qui est arrivé à cause de notre calèche. Êtes-vous sûre de ne pas avoir besoin d'un médecin ?

— Certaine, merci. J'aurai quelques courbatures, mais je m'en remettrai.

Je ne mentionnai pas ce dont j'avais été témoin plus tôt ce matin-là. Ces blessures-là laisseraient quelques cicatrices...

Elle ne semblait pas rassurée.

— Mais cet accident est une chose épouvantable pour moi ! Je me sens si mal à l'aise ! Vous me permettrez tout de même de vous raccompagner avec la calèche ?

Une idée alluma ses jolis yeux.

...Et vous viendrez déjeuner vendredi. De cette manière, je pourrai m'assurer de votre complet rétablissement.

— Oh, ce ne sera pas nécessaire.

Balbutiai-je, perturbée par sa proposition.

Elle fouilla dans son réticule et récupéra une petite carte en relief.

— Alors, s'il vous plaît...

Elle toucha mon avant-bras et me fit un sourire implorant.

...J'aimerais tellement vous parler à nouveau, et ce serait bien plus confortable à *Hollyfield*. Dites que vous viendrez.

J'hésitai. Je n'avais aucune envie d'accepter ce qu'elle me demandait, mais quelque chose dans son visage me fit changer d'avis. Pouvait-elle se sentir seule ? Je fus prise par l'incertitude. Pourtant, alors que je passais en revue toutes les raisons pour lesquelles je devais refuser, je me suis entendue accepter à la fois sa carte et son invitation.

Ce soir-là, quand oncle Jasper revint enfin de son périple à travers les collines, il me trouva dans la cuisine avec Madame Stackpoole, la gouvernante. Je tenais entre mes mains une tasse de bouillon de bœuf, qu'elle avait insisté pour préparer après avoir écouté l'effroyable nouvelle. Je n'arrivais toujours pas à chasser l'image du mort de mon esprit.

La journée avait été chaude, mais après le coucher du soleil la soirée apporta avec elle une légère fraîcheur ; alors nous nous assîmes devant le poêle pour nous réchauffer.

— Quoi de neuf ?

L'oncle Jasper posa sa sacoche et retira ses bottes dans le débarras. Il entra à grands pas dans la cuisine, laissant une traînée de terre séchée sous ses épaisses chaussettes de laine.

...Bonsoir, mesdames. Suis-je en retard pour le dîner ?

Ses maigres cheveux gris se dressaient sur sa tête à des angles bizarres, son visage était rougi par une journée de vent et de soleil et ses lunettes rondes menaçaient de glisser de son nez retroussé.

— Professeur ! Faites gaffe ! J'ai balayé ce maudit sol aujourd'hui même !

Madame Stackpoole se leva d'un bond et jeta un regard accusateur dans sa direction. Elle remit la bouilloire sur le feu pour faire bouillir de l'eau.

— Pardonnez-moi, Madame Stackpoole. J'avais l'esprit ailleurs. J'ai fait une très longue randonnée.

Il prit un siège.

— Vous souvenez-vous de la missive qui est arrivée avant le déjeuner ?

— Bien sûr, je m'en souviens, qu'est-ce que vous croyez ?

S'énerva-t-elle.

…C'est moi qui vous l'ai filée quand je partais.

Il me regarda pour la première fois.

— Eh bien, laisse-moi te dire, Jilly, que c'était d'une importance capitale. Ma chère, j'ai été invité par Lord Mountjoy à participer à une soirée de conférences présentées par nulle autre que la *Royal Pharmaceutical Society*. Je dois faire un exposé détaillé sur la grande variété de lichens et de mousses que l'on trouve dans la Région des Lacs.

Son visage rayonnait de plaisir. J'ai souri. C'était difficile de faire autrement, car il avait l'air terriblement heureux.

— Je suis heureuse de l'apprendre, mon oncle. Félicitations !

Bien que je n'aie pas vécu longtemps avec lui, j'étais déjà attachée au vieil homme. C'était mon seul parent vivant, après tout.

Ses sourcils broussailleux se sont rapprochés.

— Je n'ai que jusqu'au vingt-et-un, j'aurai donc grand besoin de toi ces deux prochaines semaines, Jilly. Il est impératif que mes notes soient à jour et impeccables.

Madame Stackpoole s'approcha de la table et posa une tasse de thé devant lui, ainsi qu'un épais sandwich jambon-fromage. Elle plaça ses mains habiles sur ses larges hanches et secoua la tête en signe de réprobation.

— Ça suffit pour aujourd'hui avec vos fichus champignons, professeur. Quand vous vous arrêterez pour respirer un peu, vous pourriez demander à votre pauvre nièce comment elle se porte après la journée épouvantable qu'elle vient de passer ! La pauvre a subi un choc très éprouvant, avec, en plus, une vilaine chute.

L'oncle Jasper fit une pause, remonta ses lunettes sur son nez et prit une grande bouchée de son sandwich. Une fois qu'il eut avalé, ses yeux bleu pâle se fixèrent sur mon visage.

— Eh bien, allons-y Jilly, raconte. Que s'est-il passé ?

Je posai mon thé et soupirai, redoutant le récit.

— Je me promenais ce matin au bord du lac et j'ai eu le malheur de découvrir un cadavre flottant dans l'eau.

L'oncle Jasper me regarda fixement, momentanément perdu et muet, puis il reposa sa nourriture sur l'assiette et passa la main par-dessus la table pour prendre mes mains froides dans les siennes.

— Oh, Seigneur ! Ce n'est pas possible, ma chère fille ! Un corps ? Mon Dieu ! Tu l'as signalé à la police ?

— Oui, bien sûr. J'ai couru chercher l'agent Bloom. Puis il m'emmena au poste de police jusqu'à ce que je sois assez bien pour rentrer à la maison.

L'oncle Jasper scruta mon visage.

— Ma pauvre, pauvre chérie.

Dit-il doucement.

...Cela a dû être abominable. Il est rare qu'une telle chose se produise ici, mais avec un lac aussi grand que Windermere, il arrive que des noyades se produisent. Surtout quand des touristes sont dans les parages.

Je secouai la tête.

— Non, mon oncle. Ce n'était pas un accident. Il y

avait une profonde blessure dans la poitrine de l'homme. L'agent Bloom a dit que l'homme avait été poignardé.

Au moment où les mots quittaient mes lèvres, ma voix vacilla. Et puis, à ma grande consternation, je me mis à pleurer.

II

Ce soir-là, Madame Stackpoole me prépara un bain de sel d'Epsom qui, après un long trempage, apaisa mon dos douloureux ; alors que je me mettais péniblement au lit, elle m'apporta un petit verre de cognac « médicinal » pour m'aider à trouver le sommeil.

Au matin, je me sentais beaucoup moins confuse, même si j'avais été réveillée par des cauchemars plusieurs fois dans la nuit. Mon corps me faisait mal et il me fallut plus de temps que d'habitude pour m'habiller, car mes épaules et mon cou étaient bien raides. Lorsque je descendis à la cuisine, Madame Stackpoole avait déjà posé la bouilloire sur la plaque de cuisson et du pain tranché était prêt à être grillé.

— Comment ça va ce matin ? Bien dormi ?
Me demanda-t-elle quand j'entrai dans la pièce.
— Un peu. Le bain et le cognac m'ont beaucoup aidée. Merci, Madame Stackpoole.
— Je vous en prie, ma pauvre petite puce.
Dit-elle en piquant une tranche de pain pour la tenir au-dessus de la flamme du poêle.
...Vous avez meilleure mine qu'hier soir. Vos joues ont repris des couleurs.
Elle tourna le pain pour le faire griller de l'autre côté.
...Votre oncle a déjà pris son petit-déjeuner et il est parti chercher des spécimens. Il est tellement excité par sa sacrée conférence qu'il passait la porte presque en volant.
J'ai souri, puis j'ai eu une pensée qui m'a fait réfléchir.
— Pensez-vous qu'il soit prudent pour lui de sortir seul,

après ce qui s'est passé hier ?

Je ne pouvais pas m'empêcher de m'inquiéter.

— Bien sûr !

Lâcha-t-elle.

…Cet homme saura prendre soin de lui.

Elle posa le morceau de pain grillé sur une assiette et me fit signe de venir le prendre.

...Le seul péril qui le menace, c'est de se fracasser le cou en vadrouillant dans les collines.

J'ai étalé du beurre sur ma tartine. Elle avait raison. Je voyais très bien le vieux professeur, étonnamment vif pour quelqu'un à la fin de la soixantaine.

— C'est merveilleux d'avoir une passion dans la vie, Madame Stackpoole. Je crois que c'est ça qui maintient Oncle Jasper jeune.

— Je n'en sais rien.

Elle versa de l'eau bouillante dans une théière et l'apporta à table. Ses généreuses boucles grises s'échappaient de son bonnet blanc et sa prodigieuse poitrine se balança lorsqu'elle s'assit. La gouvernante servit notre thé et mon esprit revint sur l'horreur que j'avais vue la veille. Je la chassai rapidement. À la place, je pensai à la jeune femme que j'avais rencontrée.

— Madame Stackpoole… connaissez-vous bien les LaVelle ?

Hier soir, je lui avais raconté comment leur voiture m'avait renversée, mais je n'avais pas développé plus que cela.

Elle avala une gorgée de thé.

— Eh bien, autant que les gens du village peuvent en savoir sur une famille comme celle-là, je suppose.

Pourquoi demandez-vous cela ?

— Après l'accident, j'ai rencontré Mademoiselle Evergreen LaVelle. Elle s'est excusée et s'est inquiétée de savoir si je n'étais pas gravement blessée. Elle m'a invitée à la rejoindre pour le déjeuner demain.

Je fouillai dans ma poche pour en extraire sa carte.

— Elle m'a donné ceci et m'a dit que la voiture viendrait me chercher à midi.

Je me penchai en avant et la passai à la gouvernante.

Madame Stackpoole l'étudia et me la rendit.

— C'est très aimable.

Déclara la gouvernante sur un ton sarcastique.

...C'est le moins qu'elle puisse faire, après vous avoir pratiquement écrasée ! J'imagine qu'elle va faire préparer un vrai festin pour vous, et c'est normal. Je pense que c'est mieux que vous y alliez. Vous aurez une chouette occasion de voir la maison des LaVelle. La maison *Hollyfield* est au bord du Lac. Oh, c'est un endroit charmant, je le pense depuis toujours.

Elle leva un sourcil.

...Vous allez voir, lorsque votre oncle en entendra parler. Il sera aux anges de savoir que vous êtes invitée là-bas.

J'aurais aimé ressentir la même chose, car je n'étais pas particulièrement enthousiasmée par la perspective de dîner avec une inconnue. En fait, j'avais la tête dans les nuages. J'étais nerveuse et déstabilisée. Je rangeai la carte.

— Il se pourrait que j'envoie mes regrets et que je n'y aille pas.

Madame Stackpoole posa son toast et me regarda fixement.

— Alors-là, Jillian !

Houspilla-t-elle.

...Il n'y a pas de mal à être en bons termes avec la noblesse locale. Les LaVelle ont vécu à *Ambleside* de temps en temps pendant plusieurs années. J'admets que c'est une drôle de famille, avec ce type oriental qui vit sous le même toit, mais Monsieur Victor LaVelle, c'est un type bien.

Elle tapota un côté de son nez.

...Et il y a beaucoup de pognon là-bas, je peux vous le dire. Si vous n'y allez pas, on vous croira ingrate, et ça rejaillira sur votre oncle. Eh... C'est vrai non ?

Je gémis.

— Mais je n'ai rien de convenable à porter, Madame Stackpoole. Je n'ai pas l'habitude de prendre le thé avec des gens de la haute société.

Je possédais quelques robes, mais elles avaient toutes connu des jours meilleurs et mes occasions de sortie étaient trop rares pour justifier l'achat de nouveaux vêtements. Maintenant, j'étais plus que consciente de mon manque de toilettes, sans parler de la maladresse que j'avais pour arranger mes cheveux bruns indisciplinés. Je pensai à Evergreen LaVelle, avec ses magnifiques cheveux blonds et ses vêtements sur mesure. Comme j'étais envieuse d'une personne aussi jolie qu'elle ! Sa peau était de l'albâtre par rapport à mon visage brûlé par le soleil, et ses beaux yeux si bleus... Les miens étaient verts comme ceux d'un chat.

— À vrai dire, je préférerais rester ici.

Dis-je sur un ton plaintif.

Madame Stackpoole me fixa d'un regard dur :

— C'est comme vous le souhaitez. Mais je me permets de vous rappeler que votre comportement affecte non seulement votre réputation, mais aussi celle du professeur. C'est un joli signe de reconnaissance que Mademoiselle Evergreen vous fait, et vous devriez plutôt faire attention à vos façons et aller déjeuner avec elle.

Elle sourit pour adoucir ses paroles.

…Quel mal y aurait-il à cela ? Au moins, vous aurez quelque chose de bon à manger.

Après le petit-déjeuner, je partis faire une course et acheter des timbres pour l'oncle Jasper. En passant devant la boucherie, je remarquai des gens rassemblés en petits groupes qui discutaient. En m'approchant, une ou deux personnes regardèrent dans ma direction. Je devinai pourquoi et me dépêchai.

J'arrivai au bureau de poste d'*Ambleside* et, au moment où je posai ma main sur la poignée, celle-ci s'ouvrit soudainement pour laisser apparaître un jeune homme tellement occupé à lire une lettre qu'il me percuta de front. S'excusant sincèrement, il sourit et me tint la porte ouverte afin que je puisse entrer. Je jetai un œil sur son visage alors qu'il étudiait le mien avec attention et je réussis à dire un discret :

— Merci.

Monsieur Bonfield me gratifia d'un sourire édenté de derrière son comptoir.

— Bonjour, Miss Jillian.

Ses yeux chassieux louchaient à travers d'épaisses lunettes. Il s'était lié d'amitié avec moi car je venais régulièrement poster les travaux de l'oncle vers plusieurs établissements éducatifs du pays.

— Bonjour, Monsieur Bonfield. Puis-je acheter trois

timbres de première classe s'il vous plaît, ainsi qu'une bouteille de votre encre de Chine bleu foncé ?

Le vieil homme ouvrit un tiroir et en sortit les timbres qu'il glissa dans un morceau de papier froissé. Puis il disparut un instant dans la réserve et revint avec une petite bouteille d'encre. Il me tendit les deux et je les plaçai dans mon panier. Il inclina la tête :

— Comment vous sentez-vous, Miss Jillian, si je peux me permettre de le demander ?

— Je vais bien, je vous remercie.

— Une histoire affreuse, si vous voulez mon avis.

Dit-il sobrement.

Je compris ce qui le préoccupait. Je regardai par la fenêtre l'endroit où les villageois étaient toujours rassemblés.

— Oui. C'est affreux. Je suis terriblement désolée pour cet homme et pour ses proches.

Son image apparut de nouveau dans ma tête mais je la chassai.

— Par chance, il n'avait pas de famille, juste sa vieille mère. Et elle est hors d'elle avec le chagrin, pauvre chérie.

— Vous le connaissiez alors ?

Mon pouls s'accéléra.

— Mais oui, Miss Jillian. Tout le monde le connaissait. C'est Jareth Flynn, le forgeron de notre village, que vous avez retrouvé flottant là-bas dans le lac.

Je laissai échapper un glapissement de surprise. Mais la porte derrière moi s'ouvrit et un autre client entra dans la boutique. Reculant rapidement, je cherchai à me ressaisir et à supprimer la nausée qui montait de mon estomac. En serait-il toujours ainsi, avec le souvenir de l'événement tragique d'hier ? Je tournai mon attention vers un tourniquet présentant des cartes postales. Je voulais éloigner mon esprit de l'horrible souvenir du *Lake Windermere* en forçant mon regard sur les jolies vues.

Elles reproduisaient des petits tableaux de la région. Je les étudiai et les trouvai particulièrement charmants. Il y avait des scènes avec le lac et des voiliers à l'horizon, des peintures de collines vertes comme du velours avec des chemins de randonnée et des champs parsemés de moutons. Mon préféré était une magnifique représentation d'une chute d'eau. L'artiste qui les avait créés était vraiment talentueux.

Je quittai la poste en prenant une autre direction pour éviter la foule, toujours plus nombreuse, de personnes qui bavardaient au coin de la rue. Je fis un détour pour passer devant le moulin, car j'adorais ce vieux bâtiment. Bien qu'arrivée récemment, cette partie du village était ma meilleure découverte jusqu'à présent. J'aimais me tenir sur l'ancien pont de pierre, en regardant l'énorme roue du moulin en bois tourner dans la rivière étroite. Le mouvement constant transformait l'eau vive en petites vagues mouchetées d'écume. Étant donné que je suis née à proximité de la mer, je ressens un calme tranquille dès que je me trouve près d'une étendue d'eau. Je restai immobile un moment afin de chasser mes pensées.

— C'est un endroit charmant, n'est-ce pas ?

Une agréable voix de baryton écourta ma méditation. Je sursautai et me retournai. C'était le jeune homme de la poste. Je retins un souffle nerveux prisonnier dans ma gorge.

— Pardonnez-moi…

Dit-il avec un sourire agréable.

...Je ne voulais pas vous faire peur.

Je le regardai et, sur le moment, j'analysai tous les détails de son visage. Ses yeux étaient d'une extraordinaire nuance d'ambre frôlant l'or. Des mouchetures sombres autour de l'iris les rendaient saisissants. Il y avait les traces d'une barbe sur son visage, et elle était un soupçon plus foncée que ses cheveux bruns épais et ondulés.

— Mademoiselle ?

Dit-il avec une expression préoccupée.

Je sortis de ma transe, contrariée d'avoir été si absorbée par mon étude impertinente.

— Oh, excusez-moi !

Croassai-je.

...J'étais perdue dans mes pensées.

Il se mit à mes côtés afin de regarder en amont de la rivière, tandis que mon regard s'attardait sur son beau profil. Quels traits classiques il possédait ! On aurait pu en trouver de pareils sur n'importe quelle statue grecque. Je me maîtrisai et détournai mon regard pour fixer le paysage depuis le pont, même si, à cet instant, je savais très bien quelle perspective je préférais...

— C'est la meilleure vue du village.

Dit-il en se tournant vers moi.

...Au fait, je suis Dominic Wolfe. Je crois vous avoir croisée en sortant du bureau de poste il n'y a pas dix minutes !

Je hochai la tête, me forçant à retrouver mon sang-froid. Pourquoi étais-je si affectée ?

— Oui, en effet, monsieur. Je m'appelle Jillian Farraday.

— La nièce du professeur Alexander ?

Et avec ma confirmation, il tendit une main pour serrer la mienne. J'obtempérai. Sa prise était ferme, sa main chaude et sèche.

— Jasper est un type formidable ! Un vrai universitaire s'il en est, sans oublier le plus grand expert de la flore locale du *Lake District*. Vous êtes nouvelle dans la région, si j'ai bien compris !

Cet homme avait manifestement entendu parler de moi.

— Oui.

Acquiesçai-je.

...Je suis arrivée chez mon oncle récemment. Et vous, êtes-vous d'ici ?

Il appuya un bras sur le rebord en pierre du pont.

— Je suis né et j'ai grandi à *Ambleside*. Je vis à la ferme Wolfe, la propriété de ma famille depuis deux cents ans.

Ses yeux sauvages brillèrent de gaieté.

...Je pense que cela me classe dans la catégorie des gens du coin, Mademoiselle Farraday.

Ce fut à mon tour de sourire.

— En effet, un bel endroit où vivre, Monsieur Wolfe. Bien que j'en aie peu vu, *Ambleside* est un endroit agréable pour y avoir un foyer.

Une brise bruissait dans l'air chaud et taquinait sa mèche.

— Votre oncle dit que vous l'avez rejoint depuis le Devon...

Il fit une pause,

...et il m'a parlé de la perte récente de votre famille. Veuillez accepter mes sincères condoléances.

Son ton était compatissant, et j'appréciai sa sollicitude. J'étais toujours bouleversée par la mort de ma mère.

— Ça a été une période difficile.

Dis-je avec gravité.

...Mais être ici avec l'oncle Jasper l'a rendue bien plus supportable.

Ma voix vacilla et rapidement je cherchai à retrouver mon calme.

Son sourcil se fronça.

— Pardonnez-moi. Je vous ai fait de la peine.

— Ne vous excusez pas, cher monsieur. Je suis heureuse de parler à quelqu'un de nouveau, quel que soit le sujet. Je me suis liée d'amitié avec peu de personnes depuis mon arrivée ici.

Ses yeux pétillèrent de plaisir.

— Alors je me considère comme pardonné ! Maintenant, permettez-moi de vous raccompagner chez vous - si telle est votre destination ! Il est rare que je rencontre moi-même de nouveaux amis.

J'acceptai son aimable proposition et nous commençâmes à retourner à pied à travers le village, discutant amicalement comme si nous nous étions rencontrés plusieurs fois auparavant et non pas quelques minutes plus tôt seulement. Pendant que nous marchions, chaque personne qui passait saluait Monsieur Wolfe en inclinant sa casquette, ou, si par hasard il s'agissait de femmes, elles gloussaient comme des jeunes filles pourraient le faire à la vue d'un beau garçon. Leurs regards sur moi étaient d'une autre nature : celle de la curiosité. Je ne m'en souciais pas, car mon esprit s'élevait, s'épanouissant comme un bouton de rose sous un ciel ensoleillé grâce à ses délicieuses attentions. Monsieur Wolfe était d'une bonne compagnie, rafraîchissante. Nous parlâmes de mon oncle et de sa prochaine conférence. Je lui parlai de l'amitié de Madame Stackpoole à mon égard, en omettant de dire que je soupçonnais son intérêt sentimental pour l'oncle Jasper. Monsieur Wolfe me régala ensuite d'une brève histoire d'*Ambleside* et de ses progrès au cours de la dernière décennie. Alors que nous passions devant le *Queen's Hotel*, il ralentit le pas et salua d'un signe de tête un jeune couple qui passait, bras dessus, bras dessous.

— Dites-moi, Mademoiselle Farraday...

Demanda-t-il

...Vous êtes-vous déjà aventurée à Londres ?

Je jetai un coup d'œil à un carrosse entouré de laquais en livrée garé devant la porte du grand hôtel.

— Je n'y suis jamais allée, non, Monsieur Wolfe. Mon voyage ici dans le *Lake District* marque ma première aventure hors du Devon. Je ne suis malheureusement pas une voyageuse. Mais j'imagine que Londres est une ville immense et fabuleuse. Pourquoi me demandez-vous cela ? Connaissez-vous bien notre capitale ?

Il me sourit gentiment, et une fois de plus je fus séduite par ses beaux traits. Je pris une inspiration et me forçai à arrêter cette sottise.

— J'y ai vécu il n'y a pas trois ans, bien qu'en vérité cela me semble une éternité. Londres est un endroit merveilleux et vital.

— Pourtant, vous êtes revenu à *Ambleside*.

— En effet… mais j'ai toujours de l'affection pour ce séjour et j'aime en parler lorsque je rencontre d'autres personnes qui connaissent l'endroit.

D'emblée, je me sentis inintéressante et excessivement consciente de mon manque d'expérience. Je n'avais été nulle part, je n'avais rien fait et, au très grand âge de vingt-quatre ans, je devais être considérée comme plutôt ennuyeuse. Monsieur Wolfe sembla avoir lu dans mes pensées.

...Ne vous méprenez pas sur ce que je veux dire, Mademoiselle Farraday. Je ne juge pas une personne en fonction de ses voyages. J'étais simplement curieux.

Il s'arrêta de parler et je réalisai avec une certaine surprise que nous étions déjà arrivés au portillon de la maison. Avant que je puisse bafouiller un mot d'adieu, la porte d'entrée s'ouvrit. L'oncle Jasper se tenait sur le perron, la cravate de travers.

— Te voilà, Jilly !

S'exclama-t-il avec étonnement, comme s'il découvrait une pièce perdue au fond de sa poche. Ses yeux s'allumèrent en voyant mon compagnon.

...Eh Dominic ! C'est toi, mon garçon ? Entre, entre.

Monsieur Wolfe répondit d'un bonjour amical et m'ouvrit le portillon, me suivant jusqu'à la porte où il s'arrêta alors que je passai devant Oncle Jasper et que je pénétrai dans l'entrée de la maison.

— Je ne peux pas rester, Professeur.

Dit-il.

…Je dois retourner à la ferme et prendre des nouvelles de Billy. Mais j'ai eu le plaisir de me présenter à votre nièce et de la raccompagner.

Il tourna la tête pour me regarder.

...Ce fut un plaisir de faire votre connaissance, Mademoiselle Farraday. J'espère que nous nous reparlerons bientôt.

— De même, Monsieur Wolfe.

Dis-je poliment.

Mon visage rougit, et je fus heureuse d'être dans l'ombre de mon oncle.

— Eh bien, revenez une autre fois pour le thé, Dominic.

J'ai envie de discuter d'une nouvelle variété de lichen que j'ai repérée la semaine dernière sur *Compton Hill*.

Dominic remercia l'oncle Jasper en me regardant directement.

— Vous pouvez compter sur moi, monsieur.

Répondit-il.

III

Je passai la matinée suivante à examiner les dernières pages des notes que l'oncle Jasper m'avait données la veille, et je me retrouvai rapidement complètement absorbée par mon travail. Lorsque l'horloge de la cheminée sonna onze heures, je mis de côté les papiers et montai à l'étage pour me rafraîchir. J'avais une mine affreuse. Ma vieille robe avait connu des jours meilleurs, le tissu bleu foncé étant devenu presque gris par l'usure. Cependant, mes cheveux étaient brossés et attachés en chignon, et je me trouvais propre et soignée ; cela devrait suffire. Madame Stackpoole me jugea présentable et lorsque la calèche des LaVelle arriva, à midi pile, je lui dis au revoir.

Le conducteur était celui qui m'avait renversée. Il ouvrit la porte et m'aida à monter dans le véhicule tout en ayant la courtoisie de présenter une attitude embarrassée. Je lui fis un sourire aimable dans l'espoir que cela le rassurerait.

La calèche descendit la ruelle et tourna sur *Lake Road*, l'artère principale qui serpentait vers le *Lake Windermere*. C'était le début du mois de mai, les tulipes et les jonquilles étaient en pleine floraison de jaunes éclatants, d'orange et de rouges éblouissants. Nous passâmes devant une petite ferme et j'admirai les somptueux prés verts où pâturaient des brebis paisibles et leurs agneaux folâtres. La panoplie de la nature m'éblouissait avec son éventail de nuances. Il n'était pas surprenant que le printemps soit ma saison préférée. Les arbres et les buissons éclataient de couleurs ;

d'élégants érables rouges, de vifs forsythias citron, partout où mes yeux se posaient, il y avait une nouvelle vie en abondance.

Nous prîmes un virage en gardant le lac calme et bleu droit devant nous et je détournai mon regard de l'endroit où je m'étais aventurée hier. Je pensai à la mère du forgeron, accablée par le chagrin, mais j'écartai rapidement cette idée. Je venais moi-même de vivre une perte et il m'était impossible d'imaginer la douleur d'une mère. Madame Stackpoole avait bien décrit là où je devais aller. J'identifiai donc facilement la grande maison située sur ce qui ressemblait à une petite péninsule, là où la terre se jetait dans le lac. Lorsque la calèche tourna dans l'allée, je passai la tête par la portière pour mieux voir. *Hollyfield House* était située de telle sorte que l'avant et l'arrière du bâtiment faisaient face à l'eau. Elle n'était pas du tout ostentatoire, mais de taille modeste, avec une courte allée conduisant vers l'entrée. Construite en pierre, sa structure était accentuée par de vieilles et solides charpentes anciennes qui encadraient les nombreuses fenêtres réparties sur les deux étages ; les tresses robustes d'un lierre y ajoutaient des sortes de tentacules géants. C'était un bâtiment noble où régnait néanmoins un merveilleux charme rustique. Des vignes vertes enchevêtrées s'accrochaient vigoureusement aux murs, leurs vrilles s'enroulant dans tous les sens. Tout en haut du toit en pente, je repérai une girouette en forme de yacht.

La calèche me déposa devant la maison et je descendis l'allée en admirant les parterres bien entretenus, regorgeant de fleurs printanières. Une jeune adolescente répondit lorsque je toquai à la porte. Elle fit une révérence déférente que je trouvai extrêmement embarrassante socialement, car il me semblait que nous venions toutes les deux du même milieu. Je lui fis un signe de tête amical, entrai à son invitation et la suivis dans le salon. Evergreen LaVelle se leva d'une banquette de fenêtre, pareille à une chimère en soie bleu pâle. Elle glissa vers moi tel un cygne avec un large sourire qui s'étendait sur tout son joli visage.

— Mademoiselle Farraday ! Je suis si heureuse que vous soyez venue !

Ses yeux pétillaient. Elle me prit la main et me conduisit à la fenêtre.

...Asseyons-nous ici en attendant que le déjeuner soit servi. Dites-moi... comment vous sentez-vous ? Mieux, j'espère ?

— Oui, en effet.

La rassurai-je, car je me sentais réellement beaucoup mieux.

...Je vous prie de ne pas vous inquiéter, Mademoiselle LaVelle. C'était juste un accident et il aurait pu être plus grave.

— Oh, appelez-moi Evergreen, et j'aimerais aussi vous appeler par votre prénom. Après tout, nous serons de bonnes amies, j'en suis certaine.

Je sais que mon expression exprima de la surprise, mais elle n'y prêta pas attention et continua :

...J'ai appris aujourd'hui seulement que vous étiez la malheureuse personne qui avait découvert l'homme mort dans le lac. Je ne suis pas étonnée que vous ayez été dans tous vos états lors de notre première rencontre ! Mon pauvre poussin, vous avez eu bien des tourments ces jours derniers. Je ne peux imaginer quel choc terrible cela a dû être...

— S'il vous plaît…

Protestai-je.

...J'apprécie vos aimables paroles, mais je préférerais ne pas revenir sur cette expérience. En fait, je préférerais que nous n'en parlions pas du tout. Je n'ai pas accepté votre invitation pour discuter de ce drame qui m'a bouleversée. Parlons plutôt de sujets plus agréables, voulez-vous ?

Elle hocha la tête en signe de compréhension et l'épisode de la veille fut abandonné.

— Dites-moi… vos amis du Devon vous manquent-ils ?

Demanda Evergreen.

Mais avant que je puisse formuler une réponse, elle continua :

...Tous mes proches, à Londres, me manquent. Nous nous y sommes toujours tellement amusés. En vérité, je m'ennuie beaucoup ici à *Hollyfield*. Il n'y a rien de tel que la ville, et je partirais d'ici sur-le-champ si je le pouvais.

Elle poussa un soupir de désespoir. J'étais quelque peu déconcertée par cette sortie soudaine. Nous venions de faire connaissance et elle me parlait comme si j'étais une confidente. Je ne répondis pas.

...Mon père reste en ville, mais il insiste pour que Perry et moi passions plusieurs mois ici.

Elle fit un geste de la main.

...Dans cet horrible endroit au milieu de nulle part !

— Perry ?

— Mon jumeau. Il est en formation sous la responsabilité de Monsieur Nicholas Sneed, le comptable de mon père. Perry doit travailler avec papa, et il insiste pour que mon frère comprenne toutes les facettes de l'entreprise. Actuellement, c'est la tenue des livres et la comptabilité qu'il doit étudier.

— Quel genre d'entreprise dirige votre père ? Demandai-je.

Je regrettai instantanément mon ignorance, car elle me sourit comme si je venais d'un autre monde et que j'étais le seul être vivant à ne pas le savoir.

— Eh bien, il construit des navires ! Dites-moi... N'avez-vous jamais entendu parler de LaVelle Shipping ?

Je secouai la tête :

— Non, je n'en avais jamais entendu parler...

Evergreen gloussa.

— Comme c'est amusant ! Mon père est maintenant millionnaire et il s'est fait lui-même comme on dit. Jillian, je crois que vous êtes la première personne que je rencontre qui ne le connaisse pas. Il est considéré comme un véritable héros issu de la classe ouvrière, s'exclama-t-elle avec une note de dédain. Mon père n'a évidemment pas une goutte de sang aristocrate dans les veines, il a construit habilement sa fortune et pour finir, il est devenu indécemment riche.

Elle haussa les épaules.

...Je suis donc suffisamment fortunée pour ne manquer de rien et cependant mon père veut me marier à un misérable - probablement doté d'un titre, et sûrement en quête d'un investissement financier solide. Je ne suis qu'un simple outil de négociation qu'il vendra aux enchères à la plus haute pairie !

J'étais à court de mots. Je n'avais rien à mettre en balance avec la déclaration d'Evergreen, tant ma vie me semblait aux antipodes de la sienne. Cherchait-elle ma compassion ? Je m'éclaircis la voix.

— Maemoiselle LaVelle... j'ignore quelle réponse vous attendez de moi. Suis-je censée avoir de l'empathie pour une personne aussi chanceuse que vous ?

Je poursuivis, ignorant sa réaction à mes paroles :

...Je viens d'une classe sociale dont les principales préoccupations sont de savoir si on pourra s'offrir un repas chaud par jour ou si on pourrait perdre la vie à cause de la tuberculose. Votre souci de savoir quel mari fortuné vous aurez le malheur d'épouser semble insignifiant en comparaison. J'en suis désolée, mais si c'est mon apitoiement que vous recherchez, sincèrement, je ne puis le donner.

À mon grand étonnement, elle éclata de rire.

— Oh dites donc ! Comme vous êtes originale, Jillian Farraday ! Je suis constamment entourée d'individus trop pressés d'être en parfait accord avec chaque mot qui tombe de ma bouche.

Son visage rayonnait de plaisir

...Dieu merci, vous avez eu le malheur d'être renversée par ma calèche. Quand je pense que...

Elle saisit une de mes mains,

...Je ne vous aurais jamais rencontrée autrement !

— Evergreen ?

Une grande femme aux cheveux bruns entra dans la pièce. Tout de soie noire, ses habits lui donnaient une allure raide et bien trop sévère pour une personne qui semblait être en fin de vingtaine - pas beaucoup plus âgée que moi en somme.

— Marabelle !

Evergreen se leva, et je fis de même.

— Jillian Farraday, voici ma cousine, Marabelle Pike.

Elle vit ici à *Hollyfield* et elle gère la maison. Cousine, voici ma nouvelle amie d'*Ambleside*.

Elle m'évalua de ses yeux noirs comme la poix et pas très amicaux. Je souriai et hochai la tête pour saluer.

— Ravie de vous rencontrer, Mademoiselle Pike.

— De même.

Sa voix dénotait un désintérêt flagrant. Elle reporta son attention sur Evergreen.

...Le déjeuner est servi pour vous et votre...

Elle hésita et me regarda

...nouvelle amie.

La nourriture avait l'air délicieuse, mais je ne tirai aucun plaisir des sandwichs délicats ni des petits fours fantaisie. J'étais bien trop mal à l'aise, assise en face de Mademoiselle Pike qui levait de temps en temps les yeux pour me regarder, une expression de curiosité sur son visage. Evergreen monopolisait toute la conversation, ce qui me convenait. Je passai mon temps à étudier les deux femmes à chaque occasion.

Mademoiselle Pike ressemblait à son nom. Mince et sérieuse, le visage maussade, en contraste direct avec sa cousine Evergreen qui était tout ensoleillée et brillante. Nous faisions décidément de drôles de compagnes ! Je fus soulagée lorsque la table fut débarrassée et que Mademoiselle Pike se leva la première et s'excusa. Je ne fus pas triste de la voir s'en aller ! Evergreen m'invita à faire un tour dans les jardins, ce qui me donna l'occasion de présenter les activités de mon oncle.

— C'est intéressant d'avoir un scientifique dans sa famille, dit-elle.

...J'aimerais rencontrer cet homme - on dirait qu'il est

plutôt amusant.

— Oh, il est tout cela et plus encore.

Souris-je.

...Je ne le connaissais pas bien ; c'était l'oncle de ma mère. Mais quand elle est décédée, l'oncle Jasper m'a invitée à vivre avec lui car je n'avais pas d'autres parents. Je n'ai jamais rencontré un homme aussi gentil. Je serais perdue sans lui – et dans une maison pour nécessiteux, à coup sûr.

Nous empruntâmes un petit sentier qui s'éloignait de la maison et menait à un petit bosquet d'arbres à côté d'un hangar à bateaux, et au-delà, au lac. Je fus séduite par la beauté de l'endroit. Le lieu était serein et tellement paisible. Nous nous approchâmes du lac et de ses eaux sombres qui clapotaient doucement sur le rivage sablonneux. Bien que ce ne soit pas le son continu de la marée de l'océan, je fus néanmoins tranquillisée par le bruit du lac. J'étais née et avais été élevée près de la mer, et il n'y avait rien que j'aimais plus que le son de la marée. Une brise légère soufflait, chatouillant les nouvelles feuilles des arbres, et, au loin, je distinguai le cri d'un cygne.

— Je trouve l'eau d'ici dégoûtante ! Elle est si boueuse et sale ! Je préfère de loin la mer et Brighton.

Evergreen continua à se plaindre.

...L'air iodé est tellement plus vivifiant, vous ne trouvez pas ?

— C'est certainement différent. Je ne suis jamais allée à Brighton, mais j'ai toujours vécu près de l'océan.

— Oh oui, je me souviens. N'avez-vous pas dit que votre famille venait du Devonshire ?

— Oui. Sauf que l'oncle Jasper est parti pour ses études bien avant mon arrivée dans ce monde. Ma famille était installée dans le Devon car mon père travaillait dans les mines d'étain.

Nous avons regardé l'eau et les petits yachts qui dansaient sur le lac. Je pensais à mon père et imaginais ce qu'il aurait pu dire s'il s'était tenu à côté de moi.

— Votre père est mort quand, Jillian ?

— Il a été tué dans un accident minier quand j'avais huit ans.

Son visage défila dans ma tête… une image si chère…

— J'en suis désolée.

Dit Evergreen.

…Je sais ce que c'est que de perdre un parent quand on est jeune.

Elle fit une pause.

…Venez. Assez de larmoiement. Voulez-vous marcher encore un peu ?

— Je ne pense pas.

Lui-dis-je, l'humeur assombrie par les souvenirs. Je n'étais pas habituée à une telle compagnie et j'étais restée assez longtemps pour être polie.

… Je dois rentrer chez moi, Mademoiselle LaVelle. J'ai de nombreuses choses à terminer avant le retour de mon oncle.

Son visage traduisait sa déception.

— Oh, appelez-moi Evergreen, je vous en supplie. J'aimerais que vous restiez un peu plus longtemps, Jillian. Mais vous êtes dans l'obligation de revenir…

Ses yeux bleus imploraient

….Je n'accepterai pas de refus !

Je supposais que Mademoiselle LaVelle obtenait souvent ce qu'elle voulait, et en vérité, il devait être difficile de dire non à une personne aussi amicale et engageante.

— Peut-être…

Je ne voulais pas répondre directement à sa demande, mais je voyais qu'elle s'attendait à ce que j'acquiesce…

— S'il vous plaît, Jillian, je vais devenir folle si vous ne le faites pas ! Dites que vous reviendrez une autre fois, ou bien je rentre chez moi avec vous.

Elle sourit, un regard sournois dans les yeux.

Je cédai.

— Très bien, Evergreen, je reviendrai, mais pas avant plusieurs jours car j'ai du travail à faire.

Je pris congé d'Evergreen LaVelle.

Je ne me doutais pas que ma vie ne serait plus jamais tout à fait la même.

IV

Madame Stackpoole était une vraie matrone. Mère une seule fois, elle avait bon caractère avec, toutefois, une propension à caqueter. À mon retour de *Hollyfield*, elle me trouva fatiguée et pâle. Je fus donc gavée de thé et de tarte à la confiture jusqu'à ce que je me sente de nouveau moi-même. Elle me dit qu'il était naturel d'être encore bouleversée après ce que j'avais vu.

— Cela s'estompera avec le temps !

Furent ses sages paroles.

L'oncle Jasper était en pleine forme lorsqu'il apparut au coucher du soleil, le visage souillé de terre et portant un sac rempli d'échantillons moisis. Il entra par la porte de derrière, apportant avec lui l'odeur de la vallée, terreuse et humide. Je l'incitai à enlever ses bottes boueuses ainsi que ses chaussettes. Pendant qu'il se changeait, Madame Stackpoole fit chauffer une casserole de soupe de queue de bœuf et je coupai la miche de pain qu'elle avait fait cuire l'après-midi même. L'oncle Jasper revint et nous nous assîmes pour manger.

— La soupe est délicieuse, Madame Stackpoole. Je crois que vous êtes en train de me transformer en un vieux et gros bonhomme, avec tous ces plats merveilleux.

— Ce n'est tout de même pas une tarte sophistiquée, rétorqua-t-elle, les yeux pétillants de plaisir à son compliment.

... Mais ça devrait faire l'affaire.

Je pris une bouchée de pain.

— Comment s'est passé la cueillette aujourd'hui, mon oncle ? As-tu trouvé ce dont tu avais besoin pour la conférence ?

— J'y suis presque, Jilly. Plein de choses à montrer à ces grosses têtes de l'horticulture.

J'ai gloussé à son allusion, car il était probablement la plus grosse tête de toutes les autres réunies.

— Je suis allée à *Hollyfield House* aujourd'hui pour déjeuner avec Evergreen LaVelle.

— Sans blague ?

Il me jeta un regard, puis un à la gouvernante :

... Et comment cela se fait-il ?

L'autre soir, je n'avais pas expliqué l'accident de calèche, car nous n'avions parlé que du meurtre du forgeron. Je racontai rapidement les événements qui avaient conduit à l'invitation.

— Incroyable, Jilly ! Cela ne fait pas cinq minutes que tu es là et tu côtoies déjà la haute société ! Et comment était-ce, ma chère ? Avez-vous mangé du caviar et bu du champagne ?

— Bien sûr que non…

J'ai rigolé.

…Minuscules sandwichs, gâteaux fantaisies et thé Oolong.

J'avalai une cuillerée de soupe.

…Mais je préfère notre bonne soupe et notre bon pain à tout cela. Même si j'envie leur maison. Elle a énormément de charme.

— Hummm… Le père fait quelque chose dans les bateaux si je ne me trompe pas !

Dit l'oncle Jasper, un peu comme s'il était dans le flou.

— Navires !

Le corrigeai-je.

…Construction navale. Oh… et il possède une grande fortune.

— En effet.

Il avala une autre cuillerée de soupe et se réinstalla sur sa chaise.

— Victor LaVelle... Un type sympa. Il a donné un gros chèque à notre association l'année dernière. Il a un fils, un grand garçon si je me souviens bien, mais je ne l'ai jamais rencontré.

— Victor LaVelle est un homme bon et généreux, continua Madame Stackpoole pour ne pas rester à l'écart de notre conversation.

— Ça, c'est vrai !

Reconnut mon oncle.

...Mais il passe la plupart de son temps en ville. Cela fait longtemps que je ne l'ai pas aperçu à *Ambleside*. Je ne pense pas qu'ils s'intéressent beaucoup à l'horticulture car leurs jardins sont assez ordinaires. Par contre, ils sont bien entretenus et bien ordonnés, je leur accorde ça.

Il revint à son repas, et j'en conclus que c'était là tout l'intérêt que portait mon oncle à la famille LaVelle. S'ils avaient été verts et avaient possédé un système de racines, je suis sûre qu'il aurait connu toute l'histoire de leur vie...

— Avez-vous rencontré le fils ?

Demanda Madame Stackpoole.

— Non. Dis-je

...Bien que Mademoiselle LaVelle ait dit qu'elle avait un jumeau. Cependant, j'ai rencontré la cousine. Une certaine Mademoiselle Pike.

La gouvernante se hérissa.

— Voilà une bien piètre femme, si je puis dire. Elle a une tête à gâcher le lait ! Elle est trop hautaine et imbue de sa personne pour parler à qui que ce soit au village.

Je me souviens, quand les LaVelle sont arrivés à *Ambleside* et ont acheté la maison du vieux Monsieur Morecombe…

Elle s'arrêta pour réfléchir

….Cela doit faire quinze ans…

Ses yeux noisette me regardèrent directement

….La femme est morte en Inde, si je ne me trompe pas. Victor LaVelle a amené les enfants ici afin d'entamer un nouveau départ. Ils passent la plupart de leur temps à Londres. À bien y réfléchir, cette fois-ci ils sont là depuis plus longtemps que d'habitude.

— Oh, ai-je répondu rapidement, le fils est en formation avec le comptable de la société, un certain Monsieur Sneed. Du moins, c'est ce qu'Evergreen a dit.

— On se tutoie déjà, alors ?

Madame Stackpoole sourit. Elle se tourna vers mon oncle :

…Il serait peut-être temps pour Mademoiselle d'acheter une nouvelle robe ou deux, si elle doit fréquenter le gratin, maintenant !

Le samedi est arrivé et le temps était positivement glorieux. Madame Stackpoole ouvrit toutes les fenêtres et aéra la maison tandis que l'oncle Jasper disparut pour collecter les derniers échantillons destinés à la conférence prochaine. Les oiseaux chantaient joyeusement dans la brise fraîche et l'odeur du printemps était vivifiante. Il faisait trop beau pour s'asseoir à la table et travailler. Je pris donc exemple sur Madame Stackpoole et décidai de nettoyer ma chambre. Je défis le lit, époussetai les meubles et balayai le tapis. Mon regard se dirigea vers l'armoire où j'avais placé mes affaires lors de mon arrivée chez mon oncle. Elle était poussiéreuse et aurait eu besoin d'une bonne dose d'huile à bois. Je posai mes maigres possessions sur le lit, et grâce au soleil qui brillait par la fenêtre ouverte, je pus constater à quel point le vieux meuble était sale. Je commençai à le nettoyer avec un chiffon imbibé d'huile de citron ; le bois l'absorba comme une éponge assoiffée. Je terminai la zone principale où mes vêtements étaient habituellement suspendus, puis je portai mon attention sur l'étagère du dessus. Comme j'avais du mal à l'atteindre, j'éloignai ma petite chaise de la table de toilette et grimpai dessus. J'enduisis l'étagère d'huile, et, alors que j'essuyais des années de poussière, je heurtai quelque chose tout au fond. Je tendis le cou vers l'intérieur et plissai les yeux. Pratiquement invisible pour un œil non averti, une boîte de couleur sombre était cachée dans un recoin. Je me rapprochai et tendis mon bras aussi loin que possible. Mes doigts touchèrent la boîte et avec quelques efforts, je réussis à la déplacer. Elle était crasseuse, couverte d'une épaisse couche de poussière et n'avait probablement pas vu la lumière du jour depuis de nombreuses années. Je descendis de ma chaise et apportai ma trouvaille, tout en essuyant son couvercle, vers la fenêtre éclairée par le soleil. C'était une vieille boîte à tabac dont les couleurs étaient délavées et les caractères presque illisibles. Intriguée, je commençai à faire travailler le couvercle, puis j'hésitai. Après tout, la boîte ne m'appartenait pas ! Devais-je d'abord la montrer à mon oncle ? Il était à peine plus de midi et il était encore dans les collines. La curiosité me rongeait. Que pouvait-il y avoir à l'intérieur ? Je pris ma décision et appuyai sur tous les bords du couvercle, mais il était bien coincé et ne voulut pas se détacher. Je poursuivis mes tentatives jusqu'à ce que, finalement, il commence à céder, puis s'entrouvre entre mes doigts. Une légère odeur de tabac doux s'éleva de la boîte, toujours parfumée après toutes ces années. À l'intérieur reposait une épaisse chute de velours rouge sang. Je dépliai délicatement l'étoffe et restai bouche bée. Enveloppé à l'intérieur du tissu se trouvait un magnifique pendentif en forme de larme de la taille d'une pièce d'un penny. Je le soulevai, le tenant dans la lumière. Il était magnifique. Les facettes taillées de la gemme d'un cristal laiteux captaient les rayons du soleil et projetaient des éclats de lumière étincelante dans la pièce. Était-ce un diamant ? Je regardai de près le bijou. Il semblait un peu trop opaque pour un diamant, et surtout trop grand. Alors… qu'est-ce que cela pouvait être ? Je le replaçai dans la boîte et remis le couvercle. D'où venait-il et à qui appartenait-il ? Je réfléchis longuement. Pour autant que je sache, Oncle Jasper avait toujours vécu seul ici. Peut-être la boîte était-elle déjà dans le meuble lorsqu'il l'avait acheté ? Perplexe, je la glissai dans le tiroir de ma table de nuit, bien décidée à lui en parler lorsqu'il rentrerait.

Cet après-midi-là, une invitation arriva pour que nous dînions à *Hollyfield House* le prochain dimanche soir. Je renâclai immédiatement à cette idée, supposant que l'oncle Jasper aurait la même réaction, puisque Madame Stackpoole m'avait dit qu'il n'aimait pas les mondanités

— Il préfère parler à ses fichus champignons, avait-elle commenté lorsque je lui avais lu la carte.

Mais à mon grand dam, lorsque je lui en parlai au souper, il sembla ravi de la missive, car il existait une mousse particulière poussant sur les terres de *Hollyfield*. Un spécimen vaudrait bien tous les désagréments qu'il pourrait avoir à endurer !

Pour ma part, je ne comprenais pas l'intérêt manifesté à notre égard. Après tout, *Ambleside* était un village assez grand pour compter dans sa communauté d'autres familles plus adaptées au rang des LaVelle. Peut-être Evergreen LaVelle nous considérait-elle comme un divertissement ! Nos vies sans importance lui semblaient sans doute bien différentes de la sienne et elle devait probablement s'ennuyer. Après avoir mangé, Madame Stackpoole déclara qu'elle avait mal à la tête et s'excusa pour aller se coucher tôt. J'attendis patiemment que l'oncle Jasper s'installe dans son fauteuil pour la soirée, puis je récupérai la gemme dans ma chambre et le rejoignis dans le salon.

— Oncle Jasper, je nettoyais ma garde-robe aujourd'hui, et j'ai trouvé ceci...

Ses épais sourcils se soulevèrent derrière les lunettes lorsque je lui passai le petit coffret.

— Qu'est-ce que c'est ?

— Pour moi, ça ressemble à une boîte de tabac.

...Ouvre-la.

Lui demandai-je, en m'asseyant en face de lui.

Il retira le couvercle et fronça les sourcils en voyant le tissu en velours. Lorsqu'il découvrit le pendentif, son expression se détendit brusquement et il s'adossa à la chaise avec un grand soupir. Je remarquai l'absence de surprise sur son visage.

— Rappelle-moi où tu l'as trouvée ?

Ses mots étaient chargés de mélancolie.

— Dans l'armoire, au fond d'une des étagères.

...Tu l'avais déjà vue ?

Il hocha doucement la tête, enleva le pendentif de sa boîte et le tint au creux de sa large paume. Il caressait la pierre du gras du pouce et leva les yeux vers moi. À ma grande surprise, je vis qu'il avait les yeux pleins de larmes.

— Oncle Jasper, qu'est-ce qui ne va pas ? Tu ne te sens pas bien ?

Cette fois, il secoua sa tête.

— Ne t'inquiète pas, Jilly, je vais bien.

Il ferma son poing sur la gemme.

…Ce n'est qu'un moment de mélancolie passagère. Ce pendentif me rappelle de vieux souvenirs.

— Alors tu connais cette pièce ?

— Oh oui, je la connais.

Dit-il solennellement.

... Aussi belle soit-elle, elle n'a jamais apporté aucune joie.

Perplexe, j'allai poser une question, mais il reprit la parole avant que les mots ne quittent ma bouche.

…Certains ne connaissent peut-être pas cette pierre, car elle est peu commune en Angleterre. On peut souvent la confondre avec une opale, voire un diamant…

Il la tint là où elle captait la lumière de la lampe à gaz.

…Mais ceci, ma chérie, est une pierre de lune. Et cette pièce particulière vient probablement d'Inde ou du Népal.

— Comme la pierre dans le roman de Wilkie Collins ? Dis-je avec nostalgie, la pierre précieuse étant maintenant plus exotique en raison de son origine.

Mon oncle ne lisait pas de fiction et ne fit donc pas de remarque sur ma déclaration. Il était concentré sur l'explication géologique de la pierre.

— Elles sont assez communes. Pas aussi précieuses que d'autres pierres précieuses, mais restent singulières et belles par elles-mêmes.

Il réfléchit un moment.

— Si ma mémoire est bonne, la pierre de lune est un minéral d'un groupe nommé « feldspath ». Elle est populaire en raison des couches alternées qu'elle possède à l'intérieur, ce qui fait que la lumière se diffracte à travers la gemme.

...Tu vois ?

Il la tint plus haut, et je vis exactement ce qu'il voulait dire.

...L'éclat de la pierre donne l'apparence d'une lune en forme de croissant, d'où le nom.

Il la replaça à l'intérieur de la boîte et referma le couvercle. J'étais captivée. Les connaissances de mon oncle sur cette pierre précieuse étaient bien plus intéressantes que son sujet habituel : les fougères et la flore.

— Où l'as-tu eue, mon oncle ?

Il s'éclaircit la gorge.

— Oh, Jilly, elle ne m'appartient pas ! Non, ma chérie. C'est quelqu'un d'autre qui m'a donné ce pendentif il y a beaucoup d'années, et qui m'a demandé de le garder en sécurité jusqu'au jour où son propriétaire viendrait le réclamer.

— Comme c'est mystérieux !

M'exclamai-je.

...Depuis combien de temps le gardes-tu ?

— Oh, assez longtemps pour l'avoir perdu, jusqu'à ta découverte d'aujourd'hui...

Ses yeux pâles regardèrent directement mon visage.

...Vingt-quatre ans.

Je souris.

— Mon Dieu ! C'est aussi long que tout ce que j'ai vécu depuis que je suis née !

— En effet, ça l'est, Jilly.

La voix de l'oncle Jasper était devenue un quasi murmure.

— Pourquoi le propriétaire ne l'a-t-il pas réclamé… Je me le demande !

— Parce qu'elle a cessé de vivre…

Dit-il doucement.

Je le regardai alors et je vis le chagrin s'imprimer sur son visage. Peut-être que la femme qui avait possédé la pierre de lune était quelqu'un pour qui il avait des sentiments romantiques… Un amour non partagé ? C'était trop tragique !

— Qui était cette femme, Oncle Jasper ?

Demandai-je avec audace, ne m'attendant pas à ce qu'il la nomme.

L'oncle Jasper tendit la main vers moi et plaça la boîte dans ma paume.

— La pierre appartenait à ta mère. Et maintenant, Jilly, elle est à toi.

Mon visage dut trahir de l'incrédulité au fur et à mesure que je réalisai tout ce que cela signifiait. Je jetai un coup d'œil à la boîte dans ma main et levai à nouveau les yeux vers lui.

— C'était à maman ? Je ne comprends pas ! Pourquoi aurait-elle été propriétaire d'une aussi belle pièce sans vouloir la garder près d'elle ? Elle possédait si peu de choses ! Je suis certaine qu'elle l'aurait conservée précieusement. Mon oncle, je suis déconcertée…

Il fit un sourire compatissant.

— Oui Jilly, cela doit te paraître étrange, mais c'est

pourtant vrai. Ce pendentif représentait une période, dans l'histoire de ma nièce, qui comptait beaucoup pour elle. Mais quand sa vie avança sur un chapitre différent, elle se détourna du passé, tout en m'en confiant ce témoignage.

— Quoi ?

Demandai-je

...Cela n'a aucun sens ! Quel passé ? Quel chapitre ?

Son regard croisa le mien.

— Avant que ta mère ne se marie, il y eut un autre homme dans sa vie. Quelqu'un qui n'a pas pu rester auprès d'elle, quelqu'un qui lui a brisé le cœur.

— C'est absurde !

Répondis-je, très irritée.

...Ma mère n'a jamais aimé personne d'autre que mon père, et pour lui c'est pareil. Il n'y a eu personne avant lui. Elle me l'aurait dit. Nous avons toujours été très proches.

— Ma chère fille... bien sûr, tes parents étaient amoureux. Ce dont je parle, c'était avant leur rencontre, quand ta mère était jeune et impressionnable. Je ne peux pas en dire plus car elle ne m'a jamais donné de détails sur ce qui s'est passé, elle m'a seulement confié le pendentif pour que je le garde jusqu'au jour où elle pourrait en avoir besoin. Je rendais visite à ta grand-mère à ce moment-là, et ta mère a insisté pour que je le prenne avec moi à mon départ. Et, Jilly, elle n'a visiblement pas eu besoin de récupérer la pierre car elle ne me l'a jamais réclamée.

— Non, ceci n'a aucun de sens ! Aucun sens du tout !

Je n'appréciais pas son raisonnement. Ma mère n'avait éprouvé de l'amour pour personne d'autre que mon père, point final !

— Ce n'est pas la peine de te tracasser, ma chérie. C'est un souvenir de jeune femme, un peu comme une lettre d'amour ou la carte d'un admirateur, quelque chose qu'elle voudrait que tu aies. Il suffit de le ranger dans un tiroir et de l'oublier.

J'ai ouvert la boîte et regardé la pierre de lune. C'était une belle pierre, mais en quelque sorte entachée par ce que l'oncle Jasper venait d'évoquer. Je n'étais plus très sûre de ce que je devais croire, maintenant.

— Tu penses que ça a de la valeur ?

Demandai-je.

— Je n'en suis pas sûr.

Répondit-il.

...J'imagine qu'elle pourrait valoir quelque chose, pourtant les pierres de lune ne sont pas rares, ni aussi chères que les émeraudes, les saphirs ou les rubis. Nous pourrions la faire estimer pour en savoir davantage.

Je hochai la tête et me levai.

— Je vais la ranger pour l'instant.

J'allai vers lui et je l'embrassai sur le haut du front. Sur ce, je quittai la pièce pour gagner le refuge de mon lit.

Mais le sommeil m'échappa, cette nuit-là. Je me tournai et retournai dans mon lit. Le pendentif apparaissait chaque fois que je fermais les yeux, ainsi que des images de mon père - son beau sourire et son visage heureux. Que ma mère ait pu s'intéresser à un autre était plus que rebutant, et je ne voulais pas accepter qu'elle ait pu le faire. Pourquoi le pendentif était-il ici ? Mes parents n'avaient jamais été riches, et ma mère aurait pu vendre le bijou et se servir de l'argent pour améliorer leur situation à tous les deux ! Pourtant, elle ne l'avait pas fait... Je n'arrivais pas à savoir si la pensée de son égoïsme m'irritait plus que le fait de réaliser qu'elle avait pu aimer mon père en tant que substitut.

V

Le soir du dîner, la porte s'ouvrit pour nous laisser entrer, mon oncle et moi, à *Hollyfield House*, et ce qui fut horriblement visible était l'aspect défraîchi de nos tenues très formelles... Le costume noir de l'oncle Jasper empestait la naphtaline malgré les efforts de Madame Stackpoole qui l'avait mis à aérer sur la corde à linge tout l'après-midi. Ma robe était une robe du dimanche ou d'autre grande occasion, vert foncé, exhumée du coffre enfermant le trousseau de jeune mariée de ma mère. J'avais enroulé un châle de soie dorée autour de mes épaules, mais cela n'atténuait guère mon embarras. On nous fit entrer dans le salon où j'avais déjà pénétré plus tôt dans la semaine, et Evergreen se leva immédiatement, m'accueillit d'une accolade peu féminine et fit un signe de tête amical à l'oncle Jasper.

— Bonté divine, Evie, laisse-les entrer avant de les dévorer !

Une voix masculine et des rires jaillirent d'un des fauteuils, et tandis qu'Evergreen nous conduisait vers la banquette, un grand jeune homme s'approcha, une main tendue.

...Bonsoir à vous deux.

Il sourit, et je remarquai des traits communs évidents avec Evergreen. C'était le frère dont elle m'avait parlé. Bien qu'ils ne soient pas de vrais jumeaux, leur ressemblance était troublante.

...Permettez-moi de me présenter

Ajouta-t-il.

...Peregrine LaVelle. Le frère extrêmement patient

d'Evergreen ! Bienvenue à *Hollyfield*. Nous sommes ravis que vous ayez pu venir dans un délai aussi court.

Mon oncle lui serra vigoureusement la main.

— Heureux de me retrouver ici avec vous, mon garçon. Tout le plaisir est pour nous.

Nous prîmes place sur un grand canapé en satin tandis que le frère et la sœur s'installaient face à nous dans deux fauteuils rouge écarlate. Je les étudiai. Tous deux étaient blonds, mais les yeux de Peregrine étaient plus clairs, contrairement au bleu-violet éclatant de ceux de sa sœur. Son visage avait la même forme agréable, en cœur, mais les angles y étaient plus durs. Ils formaient une paire saisissante. Un homme entra dans la pièce. Il portait un plateau d'argent en équilibre sur sa main ouverte. Je faillis sursauter de surprise, car il semblait surgir d'une page des *Nuits d'Arabie*. Sa peau était de la couleur d'un café serré, avec des yeux d'obsidienne soulignés par le pourpre profond d'un turban. Vêtu d'une longue tunique blanche, d'un pantalon ample, avec des sandales aux pieds, c'était une vision exotique et flamboyante au milieu des accessoires formels d'un salon anglais impassible. Il devait s'agir de « l'oriental » dont Madame Stackpoole avait parlé en passant.

— Ah, Marik, vous êtes là !

Peregrine se leva.

...Permettez-moi de vous présenter notre ami d'Inde, Marik Singh.

...Il fait partie de la famille, mais insiste pour jouer cette comédie lorsque nous avons des invités - bien que ce ne soit pas absolument indispensable.

Le gentleman indien s'approcha de chaque convive en

offrant un verre du plateau. Il maintenait son beau visage inexpressif, son dos rigide. Je compris immédiatement qu'il s'agissait d'un homme qui avait une grande maîtrise de lui-même.

— L'Inde… commença mon oncle sur un ton nostalgique.

…Voilà un endroit que j'aimerais explorer.

Le visage de l'oncle Jasper rayonnait comme celui d'un petit garçon.

…J'aimerais beaucoup aller batifoler dans la jungle. Je pense que la végétation y serait fascinante à étudier.

— Sans parler des tigres…

Ajouta Evergreen, et tout le monde éclata de rire.

…Et des cobras, dit-il en prenant un verre de sherry sur le plateau de Marik Singh.

… Avez-vous déjà été aux Indes orientales britanniques, monsieur ?

Mon oncle secoua la tête.

— Ça n'a jamais été le cas. Le point le plus approchant où je sois allé est le Caire, juste après l'ouverture du canal de Suez. J'ai attrapé une fièvre à Port Saïd et j'ai été renvoyé directement en Angleterre. Sage précaution, sinon je ne serais plus de ce monde.

Ses mots réveillèrent un vague souvenir d'enfance. Un télégramme à ma grand-mère, son inquiétude quant au sort de son frère.

— L'Inde tiendra toujours une place particulière dans mon cœur.

Dit doucement Peregrine. Et ses yeux rencontrèrent ceux de sa sœur.

…Mais le moment que nous vivons actuellement à *Ambleside* est...

Il fit une pause lorsque la porte s'ouvrit pour révéler la

silhouette solennelle de la femme que j'avais rencontrée lors de ma dernière visite : Marabelle Pike. Ce soir, elle semblait moins formelle. Sa robe était d'un brun rougeâtre, dépourvue de volants ou de dentelle, ce qui ne parvenait pas à servir son allure, mais plutôt à la faire paraître encore plus maussade. Je me blâmai d'avoir eu des pensées aussi peu aimables. D'ailleurs, qui étais-je pour critiquer, moi qui portais une robe du dimanche, la meilleure que j'avais trouvée et aussi la plus défraîchie par les années !

— Le dîner est servi, Peregrine.

Annonça-t-elle laconiquement.

Je n'avais pas été élevée avec une cuillère d'argent dans la bouche, cependant je louai silencieusement les femmes de ma famille de m'avoir enseigné les bonnes manières et la politesse à table. Ma grand-mère était issue d'un milieu distingué, mais elle avait été mise à l'écart lorsqu'elle avait choisi d'épouser mon grand-père, un pêcheur à son compte. Son quotidien était devenu dur et difficile à supporter, mais elle n'en montrait rien. Le respect scrupuleux des bonnes manières était une seconde nature pour ma grand-mère, et elle avait été très fière de transmettre ce qu'elle savait à ma mère et à moi-même. Le ciel soit béni… au moins je savais quelle fourchette utiliser en premier et je pouvais afficher à table ce que j'espérais être des manières décentes ! À côté de la nourriture simple de la table de mon oncle, le dîner qui nous fut servi était tout simplement à vous mettre l'eau à la bouche. Il y eut de la soupe de cresson avec du saumon poché, suivie d'un rôti de bœuf et de légumes. La conversation fut animée essentiellement par mon oncle et Peregrine LaVelle, leur intérêt mutuel pour le *Lake District* étant un riche sujet. Lorsqu'arriva la tarte de framboises à la crème, les deux hommes confrontaient leurs opinions divergentes pour le livre controversé de Darwin, *De l'origine des espèces.*

— Mais, Professeur Alexander, insistait Peregrine, comment pouvez-vous croire que la race humaine descende du singe ! C'est une notion absurde !

Mon oncle resta imperturbable.

— Pas plus absurde qu'un être céleste ayant le pouvoir de créer la vie. Et si vous voulez mon avis, mon garçon, les êtres humains ne sont pas très éloignés des dits « singes ».

Telle une lame aiguisée, la voix de Mademoiselle Pike trancha soudain la conversation :

— C'est facile d'y croire, Professeur, si l'on considère les atrocités que les hommes infligent à leurs semblables. Notre propension à la violence en est un parfait exemple. Que pensez-vous du meurtre de notre forgeron ?

Tout le monde se tut et les regards convergèrent vers elle. Je sentis le début d'un rougissement sur mon visage et redoutai ce qui allait suivre.

...J'ai cru comprendre que c'était vous, Mademoiselle Farraday, qui aviez eu l'infortune de découvrir le cadavre de Flynn ?

Ses yeux sombres de fouine se posèrent sur moi tandis que les autres se tournaient vers ma personne.

— Bon sang !

Dit Peregrine.

...Est-ce vrai ?

Je hochai la tête gravement, assez peu désireuse de me laisser entraîner dans la conversation.

...Ma chère Mademoiselle Farraday, c'est absolument atterrant !

Dit Perry, sidéré.

...Vous avez dû être terrifiée !

— Je n'aurais pas aimé voir quelque chose d'aussi odieux. Mais j'ai entendu dire qu'une arrestation avait été effectuée.

Poursuivit Marabelle.

Je la regardai et vis une lueur malveillante dans son œil. Elle profitait de mon malaise.

Je levai le menton.

— Voilà qui me soulage !

Dis-je en forçant ma voix à paraître confiante.

...Je ne supporterais pas l'idée que quiconque a commis un meurtre ne soit pas retrouvé et puni.

— Marabelle ! Est-ce vraiment nécessaire ?

Evergreen lança un regard furieux à sa cousine qui s'empressa de détourner les yeux.

...Je ne pense pas que cette conversation soit appropriée à table, ni à n'importe quel autre moment, en fait. Nos invités sont venus pour dîner et profiter de notre compagnie. Il est de mauvais goût d'agresser Jillian en lui posant des questions désagréables sur une expérience qu'elle préférerait oublier, j'en suis sûre.

Elle se leva brusquement de sa chaise.

...Venez mesdames, retirons-nous au salon pour prendre le café.

Marabelle et moi nous levâmes instantanément et suivîmes notre hôtesse hors de la pièce, laissant les hommes à leur porto et à leurs cigares. Le salon apporta un répit bienvenu après la conversation de la salle à manger. Je pris place sur le canapé rouge qui m'était désormais familier et les deux jeunes femmes s'assirent en face de moi. Comme précédemment, Marik apparut tel un génie et déposa un petit plateau sur une table incrustée d'ivoire près de Marabelle. Avec un visage empreint de sérieux, celle-ci versa le café. Alors que nous sirotions le délicieux breuvage, elle prit la parole pour la troisième fois depuis que nous nous étions assis pour dîner.

— Partagez-vous l'intérêt de votre oncle pour la vie botanique, Mademoiselle Farraday ?

Sa voix grave était froide et son expression atone.

— Hélas non…

Je souris, même si j'étais encore sous le coup de ses commentaires précédents.

…Autant j'aime les fleurs et les jardins potagers, autant son obsession pour les mousses et les lichens me dépasse un peu.

— Je ne peux rien imaginer de plus ennuyeux.

Précisa Evergreen.

…Pour moi, les plantes se ressemblent toutes, sauf la lavande que j'aime bien. Elle est si parfumée et fait une si belle parure pour mes chapeaux !

Ses jolis yeux bleus étaient candides et naïfs, pourtant je n'étais pas bête au point de croire cette fille sotte. Elle jouait avec nous.

…Marabelle me trouve frivole, moi et mon penchant pour les robes et les bibelots, poursuivit-elle.

…Cela va à l'encontre de son éducation catholique stricte, de porter des costumes voyants.

Elle eut un rire assez désagréable et j'évitai le regard de Mademoiselle Pike. Contrairement à elle, je ne prenais aucun plaisir de la gêne d'autrui.

…En fait, continua Evergreen, ma chère cousine croit que mon âme sera éternellement damnée pour avoir badigeonné un peu de rouge sur mes joues et mes lèvres, sans oublier la touche d'eau de Cologne.

Mademoiselle Pike reposa sa tasse sur sa soucoupe qui émit un son fêlé. Elle se leva, ignorant sa cousine, et me regarda directement :

— Veuillez m'excuser. Il y a une question que je dois régler avec *Cook*, avant que je l'oublie.

Sur ce, elle s'empressa de quitter le salon.

— Merci, Seigneur !

Soupira Evergreen.

...Je suis désolée qu'elle vous ait embêtée au dîner. Marabelle est une telle garce ! Vraiment, je ne comprends pas pourquoi Papa lui permet d'habiter dans cette maison. Elle est toujours si déprimante ! Pouvez-vous croire que cette femme n'a que vingt-huit ans, Jillian ? Je crois bien que lorsqu'elle est née, c'est comme si elle en avait déjà quarante !

Elle éclata de rire, et cette capacité à être méchante enleva un peu de vernis à la bonne opinion que j'avais d'elle...

Elle continua à bavarder sur des sujets sans importance jusqu'à ce que la porte mitoyenne de la salle à manger s'ouvre et que Peregrine entre dans la pièce avec mon oncle à sa suite.

— Mesdames, je vous en supplie, éblouissez-moi de paroles frivoles, car j'ai suffisamment consacré de temps à écouter toutes les complexités de l'horticulture. Mon cerveau est épuisé !

Il se tourna vers mon oncle, qui prit place à côté de moi sur le canapé.

...Monsieur, toutes ces choses savantes me font tourner la tête.

Tout le monde riait, et cela me faisait du bien de voir

l'oncle Jasper passer un moment aussi agréable.

— Jilly…

Rayonnait-il.

…Qu'est-ce que tu en dis ? Peregrine a accepté que je prélève un spécimen de son *Lycopodium annotinum*. Ce sera un superbe complément à la collection.

Je fis un signe de tête reconnaissant à mon hôte, même si je n'avais aucune idée de ce dont parlait l'oncle Jasper.

— Monsieur LaVelle, c'est très gentil de votre part. Mon oncle vous sera à jamais reconnaissant.

— Heureux d'aider la cause !

Peregrine sourit et s'assit sur la chaise laissée vacante par Mademoiselle Pike.

…Professeur, sentez-vous libre de vous promener et de collecter ce que bon vous semble. Je vais prévenir Billy pour qu'il ne vous chasse pas s'il vous aperçoit dans les jardins.

— C'est du jeune Billy Wolfe dont vous parlez ? Demanda mon oncle, et mon attention s'accrut à la mention de ce nom de famille familier. Ce Billy devait sûrement avoir un lien de parenté avec Dominic Wolfe, le jeune homme que j'avais rencontré au bureau de poste.

— Lui-même ! Répondit Peregrine.

…Il a repris la responsabilité des jardins à la mort de son père. Il est très doué avec les plantes, me dit-on. Il a la main verte pour tout faire pousser. Je lui parlerai demain matin.

— Billy est-il apparenté à Dominic Wolfe ? Demandai-je, faisant taire toute curiosité dans ma voix et me demandant pourquoi je ressentais un intérêt si soudain pour la famille Wolfe.

— Oui.

C'est Evergreen qui répondit.

...Dominic est l'aîné. Un merveilleux artiste. Papa lui a commandé son portrait il y a quelques années, à l'époque où Dom était étudiant au *London College of Art*.

Ses yeux étincelaient.

...Il est vraiment superbe. Les artistes sont tellement romantiques...

— Oh, s'il te plaît, dois-tu vraiment...

Peregrine roula des yeux à l'attention de sa sœur.

— Dominic Wolfe est un brave type, en effet. J'ai beaucoup de respect pour cet homme, avec les sacrifices qu'il a dû faire !

Ceci m'intrigua. Et comme mon oncle semblait partager la déclaration, je devins impatiente de savoir de quoi ils parlaient.

— Qu'a sacrifié Monsieur Wolfe ?

— Sa potentielle carrière d'artiste à Londres.

Répondit Peregrine.

...L'homme était le protégé du grand John Everett Millais lui-même. Il a tout laissé tomber lorsque ses parents sont morts de la scarlatine il y a quelques années, et il est revenu à *Ambleside* pour s'occuper de la ferme familiale. Maintenant, tout ce que ce garçon peint, ce sont des cartes postales qui sont vendues aux touristes.

Je me souvins des magnifiques petits tableaux que j'avais admirés au bureau de poste. Avec cette nouvelle information, différentes pensées me traversèrent l'esprit. Plusieurs questions se bousculaient, et je posai la première qui se pointa.

— Billy Wolfe n'aurait-il pas pu s'occuper de la ferme

sans l'aide de son frère ?

Cela me semblait logique, surtout s'il avait le don de faire pousser les choses. Evergreen rit. On aurait dit le son d'une clochette.

— Alors là, non ! Billy est peut-être doué avec les plantes, mais il peut à peine tenir une conversation ou boutonner correctement sa chemise. Ce garçon est perturbé, si vous voulez tout savoir.

Je fronçai les sourcils, incertaine de ce qu'elle voulait dire. Peregrine dut lire ma confusion car il sourit gentiment :

— Billy Wolfe n'est pas un jeune homme normal, Mademoiselle Farraday. Il est atteint de mongolisme.

Je reçus ce terme tout en continuant à fixer mon hôte d'un regard vide.

Evergreen intervint :

— Vous savez sûrement ce que cela signifie ? Ce garçon a la compréhension d'un gamin. Il est retardé.

On nous proposa d'utiliser la calèche des LaVelle pour le retour, mais oncle Jasper refusa poliment.

Il déclara :

— La nuit est agréable, c'est la pleine lune, et une promenade aidera à digérer le repas gargantuesque que j'ai consommé.

Bien que fatiguée et très peu attirée par la perspective de rentrer à pied, je dus me ranger à son choix.

L'oncle Jasper garda un rythme régulier. Sans doute ses jambes étaient-elles habituées par toutes ses randonnées dans les collines. Au fur et à mesure que nous avancions, notre conversation revint sur les échanges de la soirée. J'avais plus que tout envie d'en savoir davantage sur la famille Wolfe. Même si je n'en connaissais pas la raison, des pensées liées à Dominic Wolfe flottaient de-ci de-là dans ma tête. Qu'est-ce qui suscitait mon intérêt pour cet homme ?

— Mon oncle, connaissez-vous bien la famille Wolfe ? Demandai-je alors que nous atteignions *Lake Road*, qui était calme à cette heure de la nuit.

— Je connaissais les parents avant qu'ils soient emportés. C'étaient des gens bien. Si je me souviens correctement, nous nous sommes rencontrés pour la première fois lorsqu'ils m'ont donné la permission d'examiner une espèce d'hépatique poussant dans l'un de leurs champs, à l'ouest. C'était un merveilleux spécimen. Je l'ai toujours dans mon bureau.

— Comment étaient-ils ?

L'oncle Jasper se tut, rassemblant ses pensées. Il s'éclaircit la gorge.

— Eh bien... Arthur Wolfe avait en réserve une bière plutôt bonne, et je crois me souvenir d'une délicieuse part du gâteau aux prunes de Madame Wolfe qui...

— Mon oncle, gémis-je, je veux dire : quel genre de personnes étaient-ils ?

— Humm...

Je me rendis compte que la question n'était pas facile pour lui. Mon oncle pouvait décrire un champignon avec des détails poétiques, mais ses semblables appartenaient à une espèce quasi extra-terrestre !

— Je ne me souviens pas qu'ils étaient particulièrement remarquables, Jilly. Juste des fermiers qui travaillaient dur. Mais maintenant que j'y pense, c'était un couple mal assorti. Arthur était un ancien du village, respecté, un gars sérieux, jamais très bavard. Mais sa femme, c'était une femme remarquable. De jolis yeux... je me souviens, et une stature élégante. Violet Wolfe était très au fait des remèdes à base de plantes et autres. Nous avons eu plusieurs discussions intéressantes sur les vertus curatives des lichens, surtout lorsqu'ils sont utilisés en cataplasme sur des plaies infectées. Bien qu'elle ne soit pas une adepte de l'utilisation des sangsues...

— Mon oncle ! Je te demandais de me parler d'eux ! Quel genre de personnes étaient-ils ?

Il haussa les épaules.

— Ni meilleurs ni pires que la plupart, Jilly. Je ne les connaissais pas bien, tu sais. En fait, je suis plus proche de Dominic. Ses parents étaient de bonnes personnes qui ont malheureusement succombé à la scarlatine et confié le soin de leur jeune garçon à son frère aîné, plus capable. Ils ont une petite ferme en activité et semblent bien s'entendre, tout bien considéré.

Il fronça les sourcils et sembla diriger ses pensées dans une autre direction. Je savais que c'était là toute l'opinion qu'il avait des Wolfe et qu'il n'en sortirait rien de plus. Il reprit son bavardage sur la prochaine conférence. Mon esprit glissait, telle une feuille sur le lac, et dans le courant de l'onde de mes pensées apparut l'image d'un bel homme brun - avec des yeux couleur de tigre.

VI

Je me réveillai inhabituellement grincheuse. La perspective de la journée était peu attrayante.

J'avais dormi d'un sommeil agité, mes rêves avaient formé une cavalcade d'événements étranges. J'avais rêvé de la pierre de lune et de ma mère, de Marabelle et du forgeron, mais je ne me souvenais de rien sauf d'avoir été perturbée.

Tout au long de la journée, je pensai à ma mère. À son beau sourire et à sa douceur. Je me surpris à faire des pauses dans la transcription des notes de l'oncle Jasper pour regarder dans le vide. Mes pensées tourbillonnaient sans que je ne puisse rien y comprendre. Même si cela m'était pénible, je me faisais à l'idée que ma mère ait eu une relation avec un autre homme que mon père. Cet inconnu lui avait sûrement offert la pierre de lune, car elle n'aurait pas eu les moyens d'acheter ce fichu bijou ! Alors, qui était cette personne mystérieuse, et où l'avait-elle rencontrée ? Pourquoi leur relation avait-elle pris fin ? J'avais trop d'interrogations et pas d'explications. Celles-ci, maman les avait emportées dans la tombe. Il me fallait à nouveau interroger oncle Jasper. Il en savait sans doute davantage sur ce qui s'était passé avant ma naissance.

Madame Stackpoole était partie au village, chez le boucher. Peu de temps après son départ, j'entendis un coup à la porte d'entrée, suivi du bruit des pas de l'oncle Jasper qui avançait dans le couloir. Je l'entendis parler, lui, puis le timbre plus aigu d'une femme. Qui diable était ici ? Je posai mon stylo et me rendis dans son bureau. Evergreen LaVelle était assise là, au beau milieu de la pièce qui était encombrée par des documents empilés un peu partout. La raison pour laquelle mon oncle ne l'avait pas emmenée au salon m'échappait. Je me sentais envahie par la honte, compte tenu de la pauvreté de notre foyer, et angoissée à l'idée qu'elle nous trouverait dans une situation assez peu digne de recevoir des visites.

— Et la voici, Mademoiselle LaVelle.

L'oncle Jasper fit un geste dans ma direction, alors que je restai sans voix dans l'embrasure de la porte.

...Entre, Jilly. Regarde, nous avons de la visite.

Son visage rayonnait de plaisir et je savais qu'il ne se doutait pas à quel point Evergreen LaVelle paraissait déplacée, assise sur notre fauteuil élimé près de l'âtre.

— Jillian !

S'exclama-t-elle, un sourire sur le visage.

...J'espère que vous me pardonnerez d'arriver à l'improviste, mais je suis venue vous demander de me rendre un énorme service !

Je m'approchai et pris la chaise opposée. L'oncle Jasper marmonna quelque chose à propos « d'aller au potager » et quitta la pièce.

— Un service ?

— Absolument !

Evergreen soupira et se renfonça dans le fauteuil. Son manteau gris tourterelle impeccable accentuait encore davantage l'aspect ancien et usé de nos meubles.

...J'ai demandé à Dominic Wolfe de peindre mon portrait comme cadeau d'anniversaire pour mon père.

— C'est un beau cadeau !

Dis-je.

…Mais en quoi cela me concerne-t-il ?

Elle gloussa.

— Jillian… vous êtes si directe dans votre façon de parler. C'est un peu déconcertant parfois.

Elle secoua la tête,

...Pourtant, je suis sûre que vous n'êtes pas mal intentionnée. J'ai une demande à vous faire. Accepterez-vous de venir à la maison pendant que je pose pour le tableau ? Il n'est pas convenable pour moi d'être seule avec un jeune homme, et avec un artiste encore moins…

Je secouai la tête tant je trouvai sa demande insensée.

— Je suis désolée, mais c'est impossible. J'ai beaucoup trop de travail ici pour me rendre disponible. Ne pouvez-vous pas demander à votre cousine, Marabelle ? Elle vit avec vous, après tout !

— Il est hors de question qu'il en soit autrement ! Grogna Evergreen, et toute douceur déserta ses jolis yeux.

...Je déteste cette femme ! De plus, elle me trouve vaniteuse parce que j'ai demandé que l'on peigne mon portrait…

Serrant mes mains sur les genoux, je croisai les doigts et m'efforçai de trouver une réponse.

— Mademoiselle LaVelle…

— Evergreen.

Corrigea-t-elle.

— Evergreen… vous comprendrez sûrement que je ne suis pas dans la même position que vous pour faire ce que je veux. Mon oncle a besoin de mon travail, et je ne peux pas laisser mes responsabilités pour passer du temps avec vous, surtout quand on attend beaucoup de moi ici.

Mes mots semblaient faibles, même à mes oreilles, car si j'avais de nombreuses tâches, c'était Madame Stackpoole qui s'occupait du nettoyage de la maison et de toute la cuisine.

— Jillian, s'il vous plaît...

Sa voix se fit suppliante.

...Je vous serais tellement reconnaissante si vous pouviez trouver le temps de m'aider dans cette affaire ! *Hollyfield* est un endroit si terne et ennuyeux. Je deviendrai folle si l'on me laisse toute seule.

— Je suis vraiment désolée de votre malheur, répondis-je, mais je ne puis laisser mon oncle...

— Que disiez-vous ?

L'oncle Jasper nous rejoignit. Il tenait un petit chou dans la main tandis que des petits morceaux de terre atterrissaient sur le sol.

— Professeur Alexander...

Evergreen se leva. Ses yeux bleus brillaient avec sérieux.

...J'ai demandé à Jillian de m'assister dans une petite affaire à *Hollyfield* pendant que Dominic peint mon portrait pour faire une surprise à mon père. Non seulement cela m'aiderait, mais j'aimerais aussi apprendre à mieux la connaître. Cependant, elle insiste sur le fait qu'elle ne peut pas quitter ses fonctions ici avec vous.

L'oncle Jasper posa le chou sur son bureau.

— Qu'est-ce que c'est, Jilly ? Tu ne devrais pas refuser une demande d'aide, ma fille ! Ce ne serait pas poli ! Non, pas du tout...

Je refoulai le gémissement qui resta coincé dans ma poitrine.

— Oncle Jasper, ce n'est pas que je ne veuille pas aider,

mais mon temps est limité avec tout ce que je dois faire chaque jour. Et tes notes de cours ?

Je savais que cela le rallierait à ma façon de penser.

— Madame Stackpoole peut aider...

Suggéra-t-il.

— Comment ?

J'étais stupéfaite ! Aussi intelligente que soit la gouvernante, elle n'était pas compétente pour interpréter les travaux techniques de l'oncle Jasper.

— Peut-être pas...

Il était apparemment parvenu à la même conclusion.

...Mais tu devrais aider Mademoiselle LaVelle, Jilly. C'est ce qu'une amie ferait !

Je regardai la femme nantie qui nous jetait des coups d'œil dans l'attente d'une réponse définitive.

— Ce serait seulement en semaine, et un jour sur deux, pendant trois heures le matin, pour les prochaines semaines, Jillian.

...Et je vous en serai à jamais reconnaissante !

Evergreen tourna son séduisant sourire vers l'oncle Jasper.

...Mon père sera si heureux de ce portrait ! Et je lui ferai part de votre gentillesse, professeur. Bien sûr, vous pourrez accompagner votre nièce chaque fois que vous désirerez passer du temps dans nos jardins et notre parc. Non seulement pour les spécimens que Perry vous a accordés, mais pour vous procurer tout ce qui vous fera envie.

Avec ça, mon destin était scellé ! L'oncle Jasper était complètement sous le charme.

— Quelle excellente idée, Mademoiselle LaVelle, et une proposition généreuse, en effet. Je serais ravi que Jilly passe du temps avec des personnes de son âge.

Cela lui fera le plus grand bien. Considérez que vous avez mon accord.

...Tu es d'accord, n'est-ce pas ?

Me demanda-t-il, sur une pensée d'après coup.

Je sentais toute l'attention d'Evergreen peser sur moi. Je n'avais pas d'autre choix que d'obtempérer, même si je n'étais pas du tout satisfaite du dénouement.

L'oncle Jasper fit la conversation jusqu'à ce qu'Evergreen prenne congé, avec ma promesse de la rejoindre le lendemain matin à dix heures. Elle poserait pour son portrait pendant deux heures, puis on déjeunerait et je rentrerais chez moi. Je la regardai monter dans sa calèche, puis je fermai la porte d'entrée. Cette nouvelle responsabilité était un vrai fardeau sur mes épaules. Ma seule consolation était que je reverrais Dominic Wolfe...

Le lendemain matin, le gris maussade du ciel reflétait ma contrariété. Dans la calèche, mon humeur se crispa dans un climat d'exaspération. Après avoir examiné les possibles causes de mon irritation, je conclus que c'était parce que je vivais aux ordres de tout le monde. Mon temps ne m'appartenait que rarement, il était toujours pour ma famille - et maintenant, pour Mademoiselle Evergreen LaVelle aussi !

À *Hollyfield*, je frappai au heurtoir et fus introduite à l'intérieur par la même fille que précédemment. Mais cette fois, elle me fit traverser une bibliothèque pour aboutir dans un grand jardin d'hiver tout vitré. C'était une véritable jungle de pots et de paniers remplis de plantes vertes luxuriantes et de toutes sortes de fleurs. Beaucoup ne m'étaient pas familières, mais je reconnus le parfum douceâtre de la fleur de chèvrefeuille qui imprégnait chacune de mes respirations. La servante m'escorta à travers un dédale d'allées de gravier, les plantes me frôlant au passage. L'extrémité du jardin d'hiver s'ouvrait sur un vaste espace rempli de meubles en osier blanc ornés de coussins décoratifs en satin vert vif. À demi allongée sur une chaise longue, Evergreen était déjà installée, et mon pied vacilla lorsque je découvris son apparence. Avec sa robe blanche de pure soie, elle aurait pu passer pour une impératrice romaine. Plusieurs voiles de taffetas transparent tombaient sous le corsage, et un col échancré révélait le décolleté crémeux d'Evergreen. J'étais tellement happée par cette vision que je ne me rendis pas compte qu'elle n'était pas seule, aussi, lorsque Dominic Wolfe sortit de derrière un grand chevalet, il me fit sursauter.

— Mademoiselle Farraday ! Quel plaisir de vous revoir !

Son salut était amical et mon visage se réchauffa devant sa singulière attention.

— Bonjour, Monsieur Wolfe.

— Oh, bon sang !

Evergreen abaissa ses jambes, de sorte que ses pieds chaussés de sandales touchèrent le sol.

...Vous devez tous deux vous dispenser des formalités. Après tout, vous vous êtes déjà rencontrés !

Dominic inclina sa tête aux cheveux foncés pour accéder à son ordre, puis tourna ses yeux ambrés pour fixer les miens. J'y vis la question et compris qu'il attendait mon consentement.

— Oui…. Appelez-moi Jillian.

Bégayai-je avec embarras, sans savoir pourquoi.

Il sourit gentiment, et je commençai à me détendre.

— Jillian, vous êtes en retard. Nous avons déjà

commencé la séance…

Fit remarquer Evergreen avec une pointe de pétulance.

Elle fit un geste vers l'une des chaises.

…Asseyez-vous. Dites-moi. Que pensez-vous de ma robe ? Je l'ai trouvée fantaisie et assez romantique pour un portrait.

— C'est magnifique.

J'entendais la note mélancolique dans ma voix.

…Et vous êtes ravissante, Evergreen. Votre père adorera certainement le tableau, une fois qu'il sera terminé.

— N'allez pas trop vite en besogne.

Dit Dominic en riant.

…Je viens juste de commencer les croquis. Vous devrez attendre.

Il se replaça derrière le chevalet, et je pris place.

Nous nous tûmes et je me sentis tout d'un coup mal à l'aise. Je cherchai à combler le silence.

— Depuis combien de temps vous connaissez-vous ?

Evergreen répondit :

— Depuis l'enfance, bien que je ne m'en souvienne pas très bien. Père nous gardait à Londres la plupart du temps. Nos séjours à *Hollyfield* étaient brefs, mais fréquents.

— Et j'étais plus familier avec Perry et Marik… Résonna la voix de Dominic de derrière le chevalet. Nous jouions tous les trois ensemble lorsque la famille était à la résidence.

Je jetai un coup d'œil à Evergreen.

— Marik est dans votre famille depuis un certain temps alors !

— Oh oui. Lui et Perry ont grandi ensemble. Il est comme un autre frère pour moi.

Je me souvins du visage sombre, des yeux noirs. Les

LaVelle étaient une famille si intéressante, comparée à la mienne.

...Mais Dieu merci, il y a Dom. Si je suis obligée de rester une longue période à *Hollyfield*, j'ai au moins une personne de mon âge en plus de mon frère et de Marik. Et maintenant que nous nous sommes rencontrées, Jillian, j'ai deux amis pour m'amuser au lieu de mourir d'ennui dans ce village perdu.

— Le comportement d'Evergreen a toujours été à la limite du mélodramatique !

Dit Dominic sèchement.

...Elle oublie la chance qu'elle a et a tendance à se plaindre de choses et d'autres.

Je souris tandis qu'Evergreen faisait la moue.

— Ce n'est pas vrai. C'est parce que je devrais être à Londres pour aller au théâtre, dans des bals, et...

— Vous comprenez ce que je veux dire ?

La tête de Dominic apparut au bord du chevalet. Il nous fit à toutes les deux un sourire malicieux. Evergreen gloussa et acquiesça à la remarque.

À quel point ces amis étaient-ils proches ? S'agissait-il d'un lien romantique ? Cette idée me titillait comme un gilet de laine qui démange. Pourquoi cela devait-il me concerner, d'ailleurs ? Mais je connaissais la réponse. J'étais fascinée par Dominic Wolfe. Par ses cheveux bruns ébouriffés, par ses yeux intelligents et par sa mâchoire carrée. C'était un chic type, au bon caractère, c'était certain, mais je sentais quelque chose de plus mystérieux caché sous cette apparence. C'était un artiste. J'en déduisis qu'il avait un esprit sensible et ouvert. Si Dominic avait étudié avec Millais, alors il devait être membre de cette société secrète de peintres qu'ils appelaient le « Mouvement Préraphaélite ».

J'avais beaucoup lu sur ces hommes qui incarnaient des idéaux de réformateurs, désirant repousser toute convention. Comme s'il devinait mes pensées, Dominic quitta le chevalet et me regarda avant de récupérer son sac. Il s'accroupit pour fouiller dans une sacoche en cuir à la recherche d'un objet. Ce n'était pas un colosse, pourtant les muscles de son dos roulaient sous le lin souple de sa chemise, et je pouvais, tant qu'il était baissé, apprécier le volume de ses cuisses renflées.

Je sursautai lorsqu'il surprit mon regard attaché à scruter son corps. Nos yeux gardèrent le contact un intense moment et c'est moi qui fus la première à me détourner. Mon visage avait-il trahi mes pensées ? Je sentis l'embarras rougeoyer sur ma peau. Je vis aussi un petit sourire au coin des lèvres d'Evergreen, et j'eus un peu honte qu'elle ait pu m'observer. Ses yeux complices reflétaient une certaine compréhension et arboraient une expression féline. Je me levai nerveusement.

— Voulez-vous que j'aille chercher un rafraîchissement à la cuisine ?

Proposai-je.

— Ne soyez pas idiote, Jillian. Je vais sonner pour le thé.

Languissamment, Evergreen s'étira jusqu'à la table en verre à côté d'elle et fit sonner une petite cloche en argent.

Dominic reprit son croquis, mais l'atmosphère avait changé.

— C'est quoi tout ça, alors ?

Perry LaVelle s'approcha de nous, vêtu d'un costume en lin blanc et arborant un sourire amical. Il me fit un signe de tête.

— Bonjour à vous, Mademoiselle Farraday.

— Bonjour.

— Wolfe, mon vieux, que diable fabriques-tu ?

Perry serra fermement la main de Dominic qui désigna la toile devant lui.

— On m'a demandé de faire le portrait de votre charmante sœur.

Perry passa derrière le chevalet. Après un moment, il jeta un coup d'œil autour et sourit à Evergreen.

— Ça alors, tu l'as parfaitement rendue, Dom. Elle est aussi large qu'une maison !

Evergreen sursauta, jeta ses pieds à terre et se dirigea vers le chevalet. Son visage rougissait d'indignation.

—Whoua…

Perry riait, lui faisant signe d'arrêter.

— Je plaisante, chère sœur. Calme-toi ! Dom a à peine commencé à dessiner.

Evergreen fronça le nez en signe d'agacement et frappa la main tendue de son frère.

— Tu es un gros porc, Peregrine LaVelle !

Mais le sourire sur son visage démentait la réprimande. Evergreen retourna à son siège mais ne reprit pas la pose.

— Que fais-tu ici, d'ailleurs ? Je te croyais avec Monsieur Sneed en train d'étudier les insipides comptes de papa.

Perry s'assit sur le bout de la chaise longue.

— Je l'étais, mais le pauvre vieux Nicholas a un rhume. Il éternuait si violemment qu'à un moment donné ses lunettes ont sauté de son nez.

Nous rîmes tous.

…Donc, à la place, je vais faire un tour à *Thatcher's Peak*. Quelqu'un veut-il m'accompagner ?

— Éventuellement…

Le gentleman indien que j'avais vu au dîner s'approcha de nous en portant un grand plateau d'argent. Il le posa soigneusement sur la table à côté d'Evergreen.

— Au moins, vous ne risquez plus rien maintenant qu'ils ont arrêté le meurtrier !

Dit Evergreen d'un air détaché.

Je crus voir quelque chose passer entre elle et l'étranger… un léger changement d'expression... Ou l'avais-je imaginé ?

— Arrêtons de jacasser sur un sujet aussi macabre.

Déclara Dominic en me regardant directement.

Je compris qu'il était au courant de mon implication dans la découverte du corps, et je lui adressai un sourire de remerciement.

— Oui, d'accord !

Répondit Evergreen.

...Je préfère parler de quelque chose de plus excitant. Marik, reste et joins-toi à nous. Nous ne t'avons pas encore présenté Mademoiselle Farraday correctement.

Le beau garçon s'exécuta et rapprocha une chaise pour que nous puissions tous nous asseoir en groupe. Notre hôtesse versa le thé et distribua tasses et soucoupes, ainsi qu'une assiette de sablés pour ceux qui avaient faim.

— Mademoiselle Farraday….

Marik s'assit à ma gauche immédiate, assez près pour que je détecte l'odeur musquée d'un parfum exotique que je trouvai très agréable.

...Evergreen me dit que vous êtes nouvelle dans cette partie du pays. Comment trouvez-vous la Région des Lacs ?

Son accent était impeccablement britannique, aussi

cultivé que tout noble anglais. Je souris.

—— C'est une très belle région d'Angleterre. Surtout, je pense, à cette époque de l'année. Je ne me suis pas encore aventurée très loin, seulement dans le village et pas beaucoup plus. Mais je me plais beaucoup ici.

Je pris une gorgée de thé.

...Et vous, vous aimez cette partie du monde ? J'imagine qu'elle est complètement différente de votre pays d'origine !

En arrière-plan, je pouvais entendre les autres avoir leur propre conversation concernant quelqu'un qu'ils connaissaient au village, mais parler avec cet étranger m'intéressait bien davantage. Son apparence et ses manières m'intriguaient. Il était rasé de près, son teint était lisse et uniforme. Ses cheveux d'un noir de jais brillaient de mille feux maintenant qu'il n'y avait plus de turban pour les dissimuler, comme cela avait été le cas le soir du dîner. De forts sourcils surplombaient ses yeux sombres comme la poix, et il avait les cils les plus épais que j'eus jamais vus.

— L'Angleterre et l'Inde sont aussi semblables que le Sahara et le lac Windermere.

Déclara Marik, ses lèvres généreuses s'entrouvrant pour révéler des dents d'un blanc perlé.

...Il y a beaucoup de choses à apprécier dans les deux pays, je crois. Les opportunités offertes ici pour apprendre dans les meilleures universités sont sans égal. Il y a une richesse historique sous nos yeux, et la beauté du pays est à couper le souffle. Pourtant, dans mon pays, il y a la brutalité de la nature, des endroits intacts et une sauvagerie qui rend l'Angleterre aussi docile qu'un chien dressé. Ici, vous avez vos manières et votre société polie, en Inde on trouve le cœur du tigre, un appel à la prière, l'odeur des épices dans le vent et des couleurs vives que seuls un soleil féroce et de fortes moussons peuvent peindre sur la terre.

J'étais hypnotisée. Au fur et à mesure qu'il s'exprimait, mon imagination distinguait les couleurs vibrantes dont il parlait, les vastes terres, les bêtes sauvages…
— Votre description me fascine, Monsieur...
— Appelez-moi, Marik.
— …Marik.
Je pris une inspiration.
…Avoir vécu dans un endroit aussi extraordinaire est plus que je ne peux comprendre. En comparaison, ma vie paraît bien modeste, voire inintéressante.
— Oh, s'il vous plaît, ne dites pas cela.
Il s'approcha pour poser sa tasse vide sur le plateau.
…Car il n'y a pas de petite vie, Mademoiselle Farraday. Quand on est le seul acteur sur la scène de sa vie, c'est une histoire épique que l'on raconte.
Il se leva et s'inclina devant moi.
…Je dois maintenant m'excuser et rapporter ceci à la cuisine.
Marik souleva le plateau à thé et prit les tasses vides des autres.
— Tu peux être prêt pour partir dans dix minutes ?
Lui demanda Perry.
— Naturellement !
Fut sa réponse alors qu'il s'éloignait de notre petit groupe.
Je le regardai partir et puis je regardai Evergreen. Son visage avait une expression curieusement amusée. Ce fut au tour de Perry de se lever.

— Eh bien, Dom, je m'en vais. Je te laisse te débrouiller avec ma sœur. Au moins, tu as Mademoiselle Farraday en secours...

Il me fit un clin d'œil, puis nous lança un adieu amical.

Je m'installai dans mon fauteuil, plongée dans mes pensées. Evergreen reprit sa pose et Dominic se remit au travail.

— J'aimerais bien peindre ce type un de ces jours. Commenta Dominic après un court moment.

...Marik a une ossature des plus intéressantes. Il ferait une belle étude.

— Je n'ai jamais rencontré une personne de cette région du monde.

Déclarai-je.

...Il est fascinant.

— Oh, Jillian. Vous êtes si sentimentale !

Dit Evergreen en riant.

...Je crois que c'est pour cela que je vous trouve si merveilleusement rafraîchissante. Vous dites ce que vous pensez sans détour. On n'a jamais à s'interroger sur le fond de vos pensées.

J'évitai de la regarder, préférant laisser ses mots s'évaporer dans la pièce sans avoir à les subir. Evergreen LaVelle était une énigme. Elle était sucre et sel, douceur et piquant, et je n'étais pas encore certaine de quel aspect de sa personnalité était le plus authentique. Plus je passais de temps avec la belle et jeune héritière, plus je me répétais que, parfois, les plus belles choses de la vie peuvent être les plus vulnérables.

VII

Dominic nous accompagna pour le déjeuner, mais pas Marabelle Pike. Après le repas, j'avais plus que hâte de quitter *Hollyfield*, et j'acceptai l'offre généreuse de Dominic de m'accompagner pour mon retour au village. Si Evergreen s'opposait à notre départ ensemble, elle ne le montra pas. Avant de la quitter, je promis de revenir dans deux jours pour la prochaine séance.

— Merci d'avoir changé de sujet, tout à l'heure.

Dis-je à Dominic une fois que nous prîmes le chemin menant à *Lake Road*.

...Je n'aime pas qu'on me rappelle ce pauvre homme dans le lac.

— Je vous en prie.

Répondit-il.

...C'est déjà bien suffisant pour vous d'avoir été obligée de vivre quelque chose d'aussi horrible. Cela ne servira à rien si les autres continuent à en parler. Eh bien… pour changer de sujet, dites-moi ce que vous pensez de *Hollyfield House* ?

— C'est une belle résidence.

Répondis-je.

...Je sais que c'est une demeure bourgeoise, mais j'apprécie que l'endroit ne se prenne pas trop au sérieux. Je veux dire : c'est accueillant et confortable.

— Une juste métaphore, Jillian.

Il sourit, et je remarquai qu'une de ses dents de devant était légèrement de travers. Ce n'était pas un défaut. En fait, cela ajoutait à son charme.

...J'ai toujours pensé que c'était un endroit merveilleux.

Poursuivit-il.

…Et le parc est admirablement étendu.

Sa voix était empreinte d'une tendre appréciation.

— Vous êtes autorité en la matière, il me semble. Si votre famille a travaillé ici de nombreuses années, j'imagine que vous le connaissez intimement.

Nous tournâmes sur *Lake Road* et, entendant plusieurs oies se chamailler au-dessus de nos têtes pendant leur voyage vers le lac, je levai les yeux.

— C'est vrai. Mon père a passé sa vie à travailler à la *Wolfe Farm,* et à s'occuper de *Hollyfield* en même temps. Notre exploitation familiale n'est pas grande, mais suffisante pour nous permettre de manger. Nous avons un champ de blé que nous moissonnons et nous portons le grain au moulin d'*Ambleside*, un petit troupeau de moutons, des vaches laitières, des cochons et des poules. Ma mère et mon frère aidaient à la ferme, ce qui permettait à mon père de gagner de l'argent supplémentaire en tant que jardinier des LaVelle.

— Votre père était un travailleur acharné.

Dis-je respectueusement.

…Est-ce difficile, maintenant, de gérer la ferme avec l'aide de votre frère ?

Dominic haussa les épaules.

— Honnêtement, ça peut être un défi parfois. Billy a quelques problèmes, mais c'est un garçon fort et il n'a pas peur de travailler dur.

Instantanément, les commentaires désobligeants d'Evergreen envahirent mes pensées. Je les repoussai.

— Quel âge a votre frère ?

— Quinze ans en mars dernier, mais vous le prendriez pour-un adulte si vous le voyiez.

La fierté brillait dans ses yeux lorsqu'il parlait de lui, et je me sentis encore plus proche de cet homme. Bien que masculin dans chacun de ses aspects, c'était le côté sensible de Dominic Wolfe que je trouvais si attachant.

...Voici la ferme, annonça-t-il au détour d'un virage. Pourquoi ne pas venir la voir si vous avez le temps ?

— J'aimerais bien.

En vérité, j'avais une envie folle de découvrir l'endroit. La ferme Wolfe suscitait en moi un intérêt irraisonné. Elle était plus impressionnante que je ne m'y attendais. Construite en briques et, comme *Hollyfield House*, avec un lierre épais qui grimpait jusqu'au toit. D'un côté se trouvait une grange en bon état, et à côté une écurie qui pouvait accueillir plusieurs chevaux. Il y avait un autre bâtiment que je supposai être l'étable.

Dominic me conduisit vers la maison, alors qu'une silhouette sortait de la grange.

— Billy, viens rencontrer Mademoiselle Farraday !

Lui cria Dominic.

Et le garçon vint vers nous, s'essuyant les mains avec un chiffon. Alors qu'il s'approchait, il devenait évident que ses traits n'étaient pas communs. Son corps était trapu et musclé, et, bien que plus large que celui de son frère, il n'était pas beaucoup plus grand que moi. Les cheveux de Billy étaient épais et ondulés, ses yeux étaient de la même couleur que ceux de Dominic, mais les similitudes s'arrêtaient là. C'était comme si une partie de l'un faisait défaut à l'autre. Son cou semblait trop court, sa tête trop petite. Le plan de son visage et son nez étaient plats. Ses lèvres étaient épaisses et ses yeux étaient obliques, comme fendus pour un sourire.

— Billy, voici mon amie Jillian.

Le garçon me donna un sourire encore plus lumineux et me tendit une main grande ouverte. Je la pris.

— Ravie de te rencontrer, Billy.

Je lui souris.

— Moi aussi, mademoiselle.

Il parlait avec la prononciation d'un jeune enfant, bien que sa voix soit profonde et ses mots assez clairs.

— Vous voulez voir les vaches ? Il y a des bébés.

— Le printemps est la saison préférée de Billy à la ferme, Jillian. Il a un faible pour les génisses et passe énormément de temps avec elles. N'est-ce pas, mon frangin ?

Dominic fourragea dans les cheveux de Billy.

— Je les aime bien.

Dit-il

…Elles sont toutes douces et toutes neuves. Elles sentent bon, aussi.

— J'aimerais beaucoup les voir.

Dis-je avec enthousiasme.

Il rayonna et me tendit la main. Je la pris et le laissai me conduire à l'étable. Dominic resta derrière, mais je me sentais à l'aise avec le garçon. L'étable était sombre à l'intérieur, et elle sentait bon le foin et le bétail. Billy se dirigea rapidement vers le fond. Son visage brillait de plaisir et d'excitation en me montrant ses animaux. Nous atteignîmes les derniers enclos, et je remarquai trois vaches dans leurs stalles avec des bébés. Une vache avait des veaux jumeaux, qui étaient accrochés à leur mère, tétant avec voracité.

— Celle-ci s'appelle Sophie, celle-là Isabelle et la brune est ma préférée. Elle s'appelle Sally.

Je regardai les génisses par-dessus la barrière métallique.

— Elles sont adorables, Billy. Pas surprenant que tu sois fier d'elles. Elles ont l'air en si bonne santé ! Tu dois travailler beaucoup pour leur donner autant de soins.

— C'est vrai.

 Dit-il.

...Mais nous ne pouvons pas les garder. J'aimerais bien, mais Dom doit les emmener au marché une fois qu'elles sont sevrées.

Il me regarda avec tristesse.

...Je pleure quand elles partent.

Son visage était si triste, et ses sentiments si sincères… Billy était un paradoxe vivant. Son corps était fort, viril et mature, alors que son cœur et son esprit étaient encore ceux d'un innocent, d'un enfant.

— C'est toujours difficile de dire au revoir aux choses qu'on aime, Billy. Mais tu sais qu'elles vont aller dans de nouvelles maisons où on prendra soin d'elles.

Je ne savais même pas si c'était le cas, mais ça semblait être une réponse appropriée.

— C'est ce que dit Dom…

Sourit-il.

…Allons le retrouver.

Dominic était entré dans la ferme et mettait une bouilloire à chauffer sur le fourneau.

— J'espère que vous avez apprécié votre visite.

Il leva les yeux quand Billy et moi entrâmes dans la cuisine.

— J'ai effectivement apprécié.

Je parcourus la pièce. Elle était un peu en désordre et dépourvue de touche féminine, mais globalement propre et accueillante.

— Voulez-vous une tasse de thé, avant de partir, Jillian ?

— Non, merci, je ne peux vraiment pas. Il y a beaucoup

de travail qui m'attend à la maison. Bien qu'Evergreen me trouve très disponible, j'ai beaucoup de tâches à accomplir. L'oncle Jasper doit soumettre des travaux mensuels à l'université, et je dois d'abord retranscrire ses notes.

Il se retourna pour me regarder, le visage troublé.

— Je suis désolé qu'Evergreen vous ait imposé ce fardeau. Je n'avais aucune idée que vous seriez contrainte de jouer les chaperons quand elle m'a demandé de faire son portrait. J'étais trop occupé par la pensée de ce que je pourrais gagner. En vérité, je m'attendais à ce que Marabelle soit là, ou même l'un des domestiques.

— Ne vous excusez pas. Je suis sûre qu'Evergreen avait le choix pour son chaperon, mais pour une raison quelconque, elle voulait ma compagnie. Bien que je ne sache pas pourquoi…

Son regard était brûlant lorsqu'il rencontra le mien.

— Vraiment ? Moi, oui.

— Dom t'aime bien…

Gloussa Billy à côté de moi.

…Il est devenu tout sentimental.

Dominic s'avança, passa son bras autour du cou de Billy avec bonhomie et frotta son poing fermé sur la tête du garçon.

— Moins d'impudence, petit frère, ou je vais devoir te donner une bonne raclée.

…Attention !

Je m'écartai de leur chemin en riant.

— Je dois m'en aller avant de changer d'avis.

Les frères se turent.

— Ça ne vous dérange pas de faire le reste du chemin

toute seule ?

Demanda poliment Dominic.

— Absolument pas. Je vais y arriver.

Après tout, le meurtrier avait été arrêté !

Sur ce, je leur souhaitai une bonne journée à tous les deux et quittai la ferme pour partir en direction du village. En prenant le chemin de la maison, je me remémorai ma matinée. Cela avait sans aucun doute été une journée intéressante. Parler avec Marik avait été passionnant, rencontrer Billy, puis sentir l'intérêt de Dominic s'éveiller était exaltant. Je pris une profonde inspiration, regardai le ciel bleu et sentis mon cœur se gonfler pour la première fois depuis des semaines. Peut-être que venir à *Ambleside* avait été la bonne chose à faire, après tout.

— C'est toi, Jilly ?

Oncle Jasper appela alors que je fermai la porte et accrochai mon manteau. Je suivis sa voix vers le bureau. Il était assis à sa table, regardant dans un microscope.

— Ah, tu es de retour ! Comment s'est passé le travail de chaperon ? Tu t'es ennuyée à mourir ?

— Étonnamment, non. Evergreen LaVelle est une gentille fille, mais affreusement gâtée. Mais j'ai bien aimé bavarder avec son frère et l'Indien, Marik. Puis je suis retournée avec Dominic jusqu'à la ferme Wolfe et il m'a présentée à son frère Billy.

— Bah dis-donc !

L'oncle Jasper leva les yeux au ciel.

...C'est un jeune homme sympathique, n'est-ce pas ?

— Oui. Il connaît bien les animaux et il est si gentil

avec eux.

— Beaucoup d'idées fausses et injustes sont partagées au sujet de ceux qui sont atteints de mongolisme, Jilly. L'altération de leur apparence peut bloquer les gens dits « normaux », mais cette altération ne signifie pas pour autant que ça les rend bêtes. Il peut leur être difficile d'apprendre aussi rapidement ou de comprendre certaines choses comme toi et moi le ferions. Ils ont plus de difficultés à s'en sortir dans le monde que le reste d'entre nous, mais avec le temps ils peuvent apprendre et participer à la vie tout aussi pleinement que nous.

— Les gens sont cruels, mon oncle. J'ai trouvé Evergreen un peu sévère avec lui.

— Je suis d'accord, ma chère. Mais Billy a plus de chance que d'autres. Au moins, il a son frère qui veille sur lui et un foyer chaleureux et confortable. On dirait que tu as eu une journée intéressante.

— Oui, en effet. Est-ce que Madame Stackpoole est dans les parages ?

— Dans le salon, en train de repriser des chaussettes, aux dernières nouvelles.

— Je pense que je vais faire chauffer la bouilloire si tu as envie d'une tasse de thé !

Oncle Jasper sourit.

— Seulement si elle est accompagnée de tarte à la confiture.

Le lendemain matin, Madame Stackpoole partit pour *Kendal* afin de rendre visite à sa fille Ruby. Elle y passerait la nuit et reviendrait le lendemain. Après quelques heures bien remplies, Oncle Jasper et moi étions dans la cuisine en train de terminer notre déjeuner quand on toqua à la porte d'entrée. Dominic Wolfe se tenait sur le seuil. Mon cœur battit plus vite. C'était un homme si séduisant ! J'aimais ses cheveux ondulés et toujours en désordre, ses yeux captivants. Je ne suis peut-être pas bon juge de caractère, mais une partie de mon attirance pour lui provenait de son indifférence à tout ce qui concernait ses admirables caractéristiques physiques.

— Dominic… Entre.

Je fis un pas en arrière.

— J'espère que je ne vous dérange pas.

— Mais non, bien sûr !

— Wolfe, qu'est-ce qui t'amène ici en ce beau jour ? Oncle Jasper nous rejoignit, et nous allâmes tous dans le salon.

— Pourquoi ne ferais-je pas du thé ?

Suggérai-je alors qu'ils s'asseyaient tous les deux.

Je revins très vite avec un plateau et tendis une tasse à chacun d'entre eux. Dominic et mon oncle s'assirent dans les deux fauteuils, et je m'installai sur notre canapé plutôt très usé. Ils poursuivirent la conversation commencée pendant que j'étais à la cuisine.

— Il y a beaucoup de spéculations, à son sujet.

Déclara Dominic.

Et je compris rapidement qu'ils parlaient du forgeron mort. Un haut-le-cœur commença à me prendre, mais j'avalai une gorgée de thé pour le faire disparaître.

... Jareth avait la réputation d'être un peu joueur.

Dit Dominic.

...On parle de dettes, et peut-être a-t-il eu de mauvaises fréquentations. L'homme qu'ils ont attrapé était aussi un joueur. Apparemment, il y avait de l'animosité entre eux. Mais ils n'ont pas encore trouvé l'arme du crime.

L'oncle Jasper souffla sur son thé et prit une gorgée.

— Eh bien, je suis soulagé qu'ils l'aient arrêté. J'aimais bien Flynn, mais en vérité je ne peux pas dire que je le connaissais bien. Il a toujours été un homme sûr de lui, et un peu coureur de jupons aussi, selon Madame Stackpoole.

— Je suis certain que la police fera tout pour que l'affaire soit jugée et que le type restera derrière les barreaux.

— Ou sera pendu !

Les mots jaillirent de ma bouche. Les deux hommes me regardèrent avec une expression de surprise.

...Vous n'avez pas vu ce qu'on a fait à ce pauvre homme !

Dis-je tout simplement.

L'oncle Jasper se racla maladroitement la gorge.

— Dominic... viendras-tu aux conférences de Mountjoy ?

L'oncle Jasper revenait à son sujet favori, et j'en profitai pour m'éclipser de la pièce. Je retournai à la cuisine et lavai la vaisselle du déjeuner, mais mon esprit ne cessait de revenir vers l'homme assis avec mon oncle au bout du couloir. Après un certain temps, leurs voix devinrent plus fortes et une porte s'ouvrit. Je compris que Dominic devait partir et me précipitai hors de la cuisine pour me retrouver face à face avec lui. Mon oncle avait disparu.

Il sourit lorsqu'il me vit.

— Jillian.... Puis-je vous parler avant de partir ?

— Bien sûr. Qu'est-ce qu'il y a ?

Je me rapprochai.

— Allons dehors.

Il me montra le chemin jusqu'à la porte d'entrée,

l'ouvrit, et la lumière du soleil de l'après-midi entra à flots dans la maison. Il se tourna vers moi.

— Jillian…

Il était assez près pour que je puisse admirer l'épaisseur de ses cils sombres et les mouchetures dorées de ses yeux ambrés. Je pris une inspiration pour me calmer. Pourquoi cet homme agitait-il mes sens de cette façon ? J'éclaircis ma voix.

— Oui ?

Il soutint mon regard.

— J'espère que vous ne me trouverez pas inconvenant, surtout avec tout ce que vous avez traversé, mais je voudrais vous demander de m'accompagner pour une promenade demain, après que nous ayons quitté *Hollyfield*. Il y a plusieurs endroits ici à *Ambleside* que j'aimerais vous faire connaître.

Ses mots étaient simples, mais le regard qu'il posa sur moi brillait autant que ma pierre de lune.

— J'aimerais bien. Avec plaisir.

Répondis-je faiblement, alors qu'en vérité, je souhaitais plus que tout afficher un large sourire et lancer un cri de joie.

Lorsqu'il retira sa main de la poignée de la porte et la tendit pour prendre la mienne, je faillis sursauter de surprise. Avec précaution, il retint mes doigts dans sa main dont la prise resta ferme.

— Je veux apprendre à mieux vous connaître, Jillian Farraday. Je vous trouve non seulement charmante, mais aussi fascinante.

Il leva ma main vers sa bouche, et je sentis le doux frôlement de ses lèvres contre ma peau. Ma respiration devint très forte, mais avant que j'aie repris mon souffle, il était déjà parti.

Le mercredi finit par arriver et le soleil brillait aussi fort que mon cœur.

Même si je n'avais pas hâte de refaire le chaperon à *Hollyfield,* je pouvais à peine contenir mon émotion à l'idée de me promener ensuite avec Dominic.

— Tu sembles être d'une humeur exceptionnellement bonne ce matin, Jilly…

Dit mon oncle en terminant son petit-déjeuner.

…Peut-être que Dominic Wolfe devrait te rendre visite plus souvent…

Il me fit un clin d'œil insolent, et je me mis à rire.

— Quelle absurdité !

Je ramassai son assiette vide et la posai dans l'évier.

…Rappelle-toi, je pars pour *Hollyfield* ce matin. Il y a du fromage et du jambon dans le garde-manger froid que tu peux prendre pour le déjeuner.

J'embrassai le haut de son crâne chauve et lui fis mes adieux. Comme la fois précédente, la calèche est arrivée à l'heure pour m'emmener à *Hollyfield House.* Je profitai de l'air frais du matin, du scintillement de la rosée sur l'herbe verte humide et des jeunes agneaux enjoués qui gambadaient déjà dans les champs. Au moment où nous arrivions, mes sens vibraient presque à l'idée de revoir Dominic. Marabelle Pike ouvrit la porte. Je fus décontenancée, non préparée à cette grande silhouette sombre et à ce visage hautain.

— Bonjour, Mademoiselle Pike.

Dis-je en souriant.

— Que faites-vous ici ?

Me demanda-t-elle abruptement.

…Vous n'étiez pas censée venir, Mademoiselle Farraday. Vos services ne sont pas requis aujourd'hui.

Je restai sur le pas de la porte.

— Oh ! Mais la calèche était là !

— C'était une erreur, elle n'aurait jamais dû être envoyée.

J'étais stupéfaite.

— Quelque chose ne va pas ? Mademoiselle Evergreen est-elle souffrante ?

Ses yeux noirs et froids me scrutèrent. Avec son corps étroit et élancé elle ressemblait à un cobra prêt à frapper.

— Mademoiselle LaVelle est malade et garde la chambre, suite à sa choquante découverte lors de sa promenade d'hier soir.

 Mon expression dut suggérer de la confusion car elle fronça les sourcils.

...Vous n'êtes pas au courant ?

— Je ne sais pas à quoi vous faites référence, Mademoiselle Pike. Au courant de quoi ?

Ma peau était hérissée par une glaçante appréhension et je fus prise de frayeur.

— C'est le fils Wolfe…

— Dominic ?

— Non !

A-t-elle dit d'une voix monotone.

...Le frère débile…

Mon cœur s'effondra.

— Que s'est-il passé ?

Le visage de Marabelle Pike était insondable, immobile comme la pierre.

— Il a été arrêté. C'est son couteau qui a tué le forgeron. Billy Wolfe a été emmené à la prison pour le meurtre de Jareth Flynn.

VIII

Je poussai un hoquet de surprise, et le visage austère de Marabelle se transforma en ce que j'aurais juré être du plaisir devant ma gêne évidente. Était-elle si malveillante à l'égard du sort du jeune Billy, sans parler de Monsieur Flynn ?

— Ce sera tout ?

Demanda-t-elle ; son masque désintéressé se remit en place.

J'inclinai le menton et redressai la colonne vertébrale en répondant :

— En effet. Bonne journée.

Je lui tournai le dos avant qu'elle n'ait eu le temps de me fermer la porte au nez. Alors que j'atteignais le petit chemin, mon anxiété grandit. Je me représentais le jeune homme que j'avais rencontré si récemment, et je ne pouvais imaginer que cette personne si douce soit responsable de la scène horrible que j'avais découverte par hasard dans les bas-fonds du lac. À quoi Dominic devait-il penser ? C'était trop horrible pour y songer. Sans réfléchir, je quittai *Lake Road* et marchai directement vers la ferme Wolfe. Je ne savais pas si Dominic serait là, mais l'instinct m'attirait vers lui. Lorsque j'entrai dans la cour de l'écurie, tout était paisible. Les vaches étaient dans le pâturage, tout comme les chevaux. Les cochons grognaient joyeusement dans leur enclos et les poules grattaient la terre à la recherche de savoureux insectes. La porte de la ferme était fermée, et je frappai bruyamment. Je crus d'abord que personne ne viendrait, puis j'entendis des pas s'approcher lentement. La porte s'ouvrit pour révéler Dominic, le visage tendu, des cernes sous les yeux et des rides sur le front. Ses vêtements étaient en désordre comme s'il avait dormi dedans et ses cheveux étaient débraillés et négligés.

— Jillian...

Son ton était monotone.

...Ce n'est pas le bon moment. Je vous prie de partir. J'ai beaucoup à faire.

— S'il vous plaît, Dominic...

Je le suppliai.

...Permettez-moi d'entrer. J'ai entendu la terrible nouvelle et j'aimerais aider d'une manière ou d'une autre si je le peux.

À contrecœur, il laissa la porte ouverte, se retourna et traversa l'entrée. Je le suivis à l'intérieur.

Dans la cuisine, il s'assit à la table, posa ses coudes dessus et enfouit son visage dans ses mains. J'eus de la peine pour lui. J'allai à la table de cuisson et mis une bouilloire à chauffer. Mes yeux firent un tour de la pièce et, en quelques minutes, j'avais coupé une épaisse tranche de pain et de fromage et préparé une tasse fumante de thé sucré, que je plaçai devant lui, bien qu'il ne fasse pas attention à mes gestes. Je m'assis sur la chaise à côté de lui et retirai doucement une main pour la saisir dans la mienne. Il me regarda. La lumière dans ses yeux avait disparu, remplacée par une angoisse creuse qui me transperça l'âme. Ce pauvre homme était malheureux. Encore une fois, je ressentis une telle empathie, une telle tristesse pour son sort !

— Dominic, je sais que vous n'avez pas d'appétit.

Dis-je en montrant l'assiette.

... Mais vous devez rester fort pour votre frère. Mourir

de faim ne l'aidera pas du tout.

Il acquiesça et tira la nourriture vers lui, brisant des morceaux et les mâchant lentement.

...Vous êtes en état de choc, bien que je ne sache pas grand-chose en dehors de ce que Marabelle Pike a partagé lorsque j'étais à *Hollyfield*, à l'instant. Ce que je sais, c'est que vous ne pouvez pas vous perdre dans le désespoir. Cela ne sera d'aucune aide pour Billy. Vous devez vous nourrir et rester lucide. C'est le seul moyen d'aller au fond de ce problème.

Je pris une profonde inspiration.

...Et je suis là pour vous aider de toutes les manières possibles.

Il déglutit, puis prit une gorgée de thé.

— Merci, Jillian. Je suis désolé pour mes manières et pour avoir été si abrupt. Ils ont arrêté Billy aux premières heures du matin, et je suis debout depuis, mort d'inquiétude.

— Dites-moi ce qui s'est passé.

Insistai-je.

...Pourquoi accusent-ils Billy ?

— C'était son couteau.

Dit Dominic doucement.

...La lame qui a tué Flynn était celle de mon frère.

— En sont-ils sûrs ?

Pour moi, un couteau ressemblait beaucoup à un autre.

— Oui, ils en sont certains. Il est distinctif car il porte le blason de notre famille gravé sur le manche. La tête d'un loup. C'était celui de mon père, et Billy le garde toujours sur lui.

— Qu'a dit Billy quand l'agent de police est arrivé ? A-t-il nié ce qui s'était passé ?

— Pas exactement...

Il but un peu plus de thé. Il était confus et se mit à pleurer. Il était terrifié. Je ne pouvais qu'imaginer : une personne saine d'esprit trouverait assez pénible d'être arrêtée, mais un garçon comme Billy...

...Ils lui ont passé les menottes et l'ont emmené, et il n'arrêtait pas de crier mon nom pour que je l'aide. Je les ai suivis dehors, et alors qu'ils le mettaient dans le fourgon, il a dit :

— J'ai perdu mon couteau, Dom, je l'ai perdu... Alors qu'ils partaient.

Il a repoussé son assiette comme s'il était dégoûté par la présence de nourriture près de lui.

— Je n'oublierai jamais la pure terreur sur son visage.

Il m'a regardé, et ses yeux étaient noirs comme de la poix. La chaise racla bruyamment lorsqu'il se leva. Je me levai rapidement. Avec audace, j'allai vers lui et j'enroulai mes deux bras autour de ses épaules. Je ne pouvais pas supporter de le voir si désemparé et brisé. Tout ce que je pouvais offrir, c'était la jonction réconfortante d'un autre être humain. Nous restâmes immobiles pendant un moment, puis il s'éloigna. Il se dirigea vers la fenêtre de la cuisine et regarda fixement à travers la vitre. Je restai où j'étais, lui laissant une certaine distance. Lorsqu'il se retourna pour me faire face, son expression avait complètement changé. Le visage tiré et battu qu'il avait montré quelques instants plus tôt avait disparu. Au lieu de cela, sa mâchoire était plus ferme, son regard solide et déterminé. Il passa ses doigts grossièrement dans ses cheveux noirs ébouriffés.

— Je vais me laver, puis je vais aller à la poste.

— Pour quoi faire ?

Il s'approcha de moi et s'arrêta à un cheveu de mon

visage.

— Je dois envoyer un télégramme à Victor LaVelle. Je vais lui demander son aide.

Je dois avoir montré ma surprise en entendant ces mots, car il expliqua :

...Victor a été bon pour ma famille pendant de nombreuses années. J'aurai besoin de conseils juridiques avisés pour démêler cette sacrée pagaille. Il est la seule personne que je connaisse qui dispose de ces ressources.

J'étais à la fois inquiète et préoccupée que Dominic fasse fausse route. Son frère était accusé de meurtre, et aucune aide juridique ne pouvait y changer quelque chose ! Mais je tins ma langue, soulagée de voir l'étincelle revenir dans ses yeux, d'entendre la conviction dans sa voix.

...Rentrez chez votre oncle, Jillian. Je dois me préparer et m'occuper de cette affaire. Je passerai vous voir, vous et le professeur, plus tard dans la journée.

Je ne voulais pas y aller. En l'espace d'une matinée, c'était comme si un lien indéfectible avait pris racine entre nous. Je l'avais vu dans son état le plus vulnérable, et à ce moment précis, quelque chose en moi avait basculé. Pour l'instant, Dominic n'était plus au fond du trou. Il élaborait un plan d'action, et donc sa concentration était revenue. Il n'avait pas besoin de distraction.

— Je vais y aller, Dominic. Mais n'hésitez pas à passer plus tard pour nous dire comment vous vous en sortez.

J'avais envie de tendre la main et de toucher son bras mais je résistai à cette impulsion. Son esprit était sur des questions bien plus critiques que moi.

J'arrivai à la maison pour trouver Madame Stackpoole installée dans le bureau avec l'oncle Jasper.

— Je pensais que tu serais de retour plus tôt !

A commenté l'oncle lorsque je les rejoignis.

— Comment le sais-tu ?

— C'est moi !

Intervint Madame Stackpoole.

...Car je reviens tout juste de *Kendal* et j'ai raconté à Jasper ce qui s'est passé au petit matin.

Elle secoua la tête avec dégoût.

... Quelle histoire ! Comment ce Billy Wolfe a-t-il pu faire quelque chose d'aussi méchant ?

Oncle Jasper sirotait son thé.

— C'est une tournure d'événements choquante, pour ne pas dire plus.

— Vous êtes tous les deux très prompts à croire tout ce que vous entendez !

Je ne pus retenir l'irritation dans ma voix. Deux têtes grises se levèrent, et mon oncle et notre gouvernante me regardèrent avec surprise. Je n'en avais cure.

...Connaissant Billy Wolfe depuis de nombreuses années, je m'étonne que vous le condamniez sans remettre en cause les conclusions ?

Oncle Jasper fronça les sourcils.

— C'est difficile de ne pas le faire, Jilly, quand le garçon possédait l'arme du crime !

— Oui, ma chère.

Convint Madame Stackpoole.

...Une preuve est une preuve. Du moins, c'est ce que dit

le mari de ma Ruby, et il le sait bien : c'est un gardien de la paix. Sidney l'a appris directement de la bouche de l'inspecteur en chef. C'est le couteau de Billy qui a été trouvé dans les buissons par Mademoiselle LaVelle et un membre du personnel de *Hollyfield*, à moins de dix mètres de l'endroit où le corps a été abandonné.

— Comme c'est étrange qu'il ne soit découvert que maintenant, alors qu'une fouille minutieuse avait été faite le jour où le corps a été trouvé ! Ne pensez-vous pas que Billy aurait enlevé l'arme, ou du moins l'aurait cachée, ou jetée dans le lac pour dissimuler sa culpabilité ?
Demandai-je.

— Bien vu, Jilly !
L'oncle Jasper était d'accord.
...Sauf qu'en cherchant, il serait assez facile de manquer l'objet avec toutes les nouvelles pousses d'herbes et tout. Quant à l'élimination du couteau, un criminel ordinaire aurait les moyens d'être assez sournois pour le faire. Mais Billy, comme vous le savez, n'est pas un jeune homme typique. Je doute que cela lui vienne à l'esprit de cacher le couteau.

— Pourtant, vous êtes prêts à croire qu'il aurait pu lui venir à l'esprit de poignarder un homme à mort de sang-froid !
J'étais brusque, mais cela m'était égal. Pourquoi étais-je si prompte à défendre Billy Wolfe ? Étais-je juste, en lui accordant le bénéfice du doute, ou était-ce à cause de mon intérêt pour son frère, Dominic ? Je repoussai cette idée avec dégoût. Je ne pouvais accepter l'idée que ce garçon fasse quelque chose d'aussi mauvais.

— Tu sembles extrêmement préoccupée par sa situation, Jilly. Puis-je demander pourquoi ?

L'oncle Jasper jeta un coup d'œil par-dessus ses lunettes pour s'enquérir.

Je haussai les épaules.

— Je me suis arrêtée à la ferme Wolfe en rentrant chez moi. J'étais inquiète pour Dominic.

Je ne ressentais aucune honte de mes actions, et je ne me souciais pas non plus de savoir si j'enfreignais les convenances.

— Je vois. Comment l'as-tu trouvé ?

— Bouleversé, fatigué, effrayé à l'idée de ce qui pourrait arriver à son frère. Dominic ne peut pas croire Billy capable de tuer quelqu'un… ou n'importe quoi, d'ailleurs.

— Eh bien, étant de la famille, c'était sûr qu'il penserait ça !

Déclara Madame Stackpoole.

…Il est naturel de défendre les siens.

— Il croit que Billy est innocent et a l'intention de le prouver.

Répondis-je sèchement.

…Dominic n'a pas encore pu parler avec son frère, mais il le fera, et alors il pourra donner un sens à tout cela.

L'oncle Jasper acquiesça solennellement.

— Jilly, tu as raison. Madame Stackpoole et moi ne devrions pas sauter aux conclusions sans connaître toute l'histoire.

Il jeta un coup d'œil à la femme plus âgée qui ne semblait pas partager ses sentiments au vu de l'expression de son visage.

…Tu as raison de reconnaître qu'une personne est en effet innocente jusqu'à ce qu'elle soit prouvée coupable. Par conséquent…

Il se leva de sa chaise.

... Je ne parlerai pas du jeune Billy jusqu'à ce que j'aie plus d'informations. C'est à la loi de déterminer l'issue.

Madame Stackpoole posa sa tasse sur la table et se leva.

— Vous pensez ce que vous voulez, professeur, mais retenez bien mes paroles : ce garçon a perdu son sang-froid et a tué Jareth Flynn ! Sidney dit que les gens affligés comme Billy Wolfe sont touchés dans la tête. Ils ne distinguent pas le bien du mal, ni le bon du mauvais. Pas par méchanceté, mais parce qu'ils sont nés idiots.

Ma forte inspiration l'arrêta avant qu'elle n'aille plus loin. L'oncle Jasper me fit signe de ne pas parler et je tins ma langue jusqu'à ce qu'elle ait quitté la pièce. Je laissai échapper un souffle de dérision.

— Pourquoi les gens sont-ils si discriminants envers les autres, mon oncle ? Billy n'est pas un imbécile ! Il est atteint d'une maladie avec laquelle il est né. Bien sûr, il doit faire face à des défis que nous ne comprenons pas, mais cela ne fait pas de lui un idiot, et je trouve offensant qu'on le traite comme tel.

L'oncle Jasper vint se placer près de moi et passa un bras autour de mes épaules. Je m'assis là où j'étais et appuyai ma tête contre son côté.

... Je suis désolée, mon oncle. Je ne voulais pas paraître aussi en colère.

— Ne t'excuse pas, Jilly. C'est une chose terrible qui s'est produite dans notre petit village ! Tu as passé du temps avec Dominic, qui est naturellement déchiré par l'angoisse au sujet de son frère. Ce n'est pas étonnant que tu te sentes en colère. Tu es bouleversée, et à juste titre. Je dirais même...

Il s'éloigna et je me levai. Alors que je me dirigeais vers le seuil de la porte, Oncle Jasper prit ma place à son bureau.

...Jilly, nous devrions peut-être demander à Dominic de se joindre à nous pour le dîner, aujourd'hui. Il pourrait avoir besoin de compagnie.

— Il prévoit de passer plus tard, mon oncle. Je ne sais pas encore quand, mais ce sera après qu'il aura envoyé son télégramme.

— Un télégramme ?

— Oui…

Dis-je.

...Il va demander l'aide de Victor LaVelle pour prouver l'innocence de son frère.

— Alors là !

Oncle Jasper était pensif.

...Il va lancer un pavé dans la mare… !

Fidèle à sa parole, Dominic s'arrêta chez nous. Il passa plus d'une heure à huis clos avec mon oncle dans le bureau. Madame Stackpoole leur apporta un rafraîchissement et un sandwich, mais je m'abstins de les rejoindre. Je décidai que l'oncle Jasper pourrait offrir de meilleurs conseils sans que je m'en mêle. Plus tard, j'entendis la porte du bureau s'ouvrir, et Dominic entra dans la cuisine. Son visage était toujours tiré et inquiet, mais son expression exprimait la force et la détermination, et non le défaitisme et l'inquiétude dont j'avais été témoin plus tôt dans la journée. Je fus soulagée de le voir ainsi. Je compris qu'il lui faudrait du courage pour s'engager dans la bataille juridique qui pourrait s'ensuivre. Il aurait besoin de toutes ses réserves de forces.

Il s'approcha :

— Jillian, merci d'être venue me voir, plus tôt. C'était

gentil de votre part.

Il prit une de mes mains et la tint doucement.

...Je ne savais pas quoi faire. Votre venue m'a stabilisé pour que je puisse faire un plan et aller de l'avant.

Je souris, et mon cœur se gonfla. Ma main dans la sienne semblait savoir qu'elle était au bon endroit.

— Oncle Jasper et moi sommes là pour vous aider de toutes les manières possibles. Vous n'avez qu'à parler, et nous serons là.

— Merci.

Dit-il sincèrement, et ses yeux se réchauffèrent.

...Un télégramme est en route pour Victor LaVelle et j'ai bon espoir qu'il sera là demain soir. Je le consulterai alors et déciderai de la marche à suivre.

Les muscles de sa mâchoire avaient travaillé. Même dans son état d'agitation et d'inquiétude, je fus à nouveau frappée par la beauté de Dominic. Je chassai cette pensée de ma tête. Il semblait tout à fait inapproprié de penser de façon aussi idiote alors que son monde s'écroulait.

— Si je peux vous prodiguer un conseil...

Dis-je.

...Vous ne pouvez faire grand-chose jusqu'à l'arrivée de Monsieur LaVelle, et il serait prudent de vous reposer et de vous nourrir, pour les longs jours à venir. Vous en bénéficierez et serez bien mieux préparé. Rentrez chez vous, essayez de dormir, et revenez ici si vous avez besoin de compagnie ou de nourriture. Vous ne serez d'aucune aide à votre frère si vous tombez malade d'épuisement.

Il hocha la tête solennellement.

— Êtes-vous toujours aussi sage ?

Je souris faiblement.

— Malheureusement, non. Mais je comprends que les épreuves sont impossibles à surmonter lorsque votre esprit est affaibli par le manque de repos.

— Alors je vais suivre votre conseil.

Sur ce, il me serra la main et partit. Dès que la porte d'entrée se fut refermée, je me rendis dans le bureau de mon oncle.

— Il est parti, Jilly ?

— Oui.

L'oncle Jasper secoua la tête, ôta ses lunettes et se frotta les yeux.

— C'est une affaire terrible, en effet. Le jeune Billy est dans un état atroce. Dieu sait que ce serait déjà assez grave s'il était comme toi ou moi, mais dans son état, c'est un cauchemar. Dominic dit que le garçon est terrifié et qu'il ne comprend pas ce qui se passe. Les frères Wolfe ont une route difficile devant eux.

Je me plaçai devant le bureau.

— Et l'homme qu'ils ont arrêté en premier ? A-t-il été relâché ?

— Oui. Selon Dominic, le type avait un alibi légitime. Il était à *Cartmel Village* la nuit du meurtre. De nombreux témoins l'ont vu se battre à coups de poings avec un autre joueur. Apparemment, c'est le sang de ce type, et non celui de Flynn, qui était sur ses vêtements. Quoi qu'il en soit, ils l'ont laissé partir.

Je pesai tout ceci. Dans quelle terrible situation se trouvait Billy Wolfe !

— Penses-tu que Monsieur LaVelle sera capable d'aider les frères Wolfe. Ou même de le vouloir ?

L'oncle remplaça ses lunettes.

— Humm. Je crois qu'il le fera. La famille Wolfe a des liens forts avec les LaVelle. Selon Dominic, Victor a la réputation d'être un homme juste et équitable. Il n'a pas toujours été riche et est connu pour sa bienveillance envers les personnes dans le besoin. Je suis sûr qu'il aidera à trouver un avocat pour représenter le garçon, au moins.

Je réfléchis à ses paroles, puis je regardai mon oncle :

— Tu penses honnêtement que Billy est capable de tuer quelqu'un ?

— Jilly...

Dit doucement oncle Jasper.

...S'il y a une chose que j'ai apprise sur la race humaine, c'est que lorsque c'est nécessaire, nous sommes tous capables de tout faire.

IX

Le lendemain, après le déjeuner, Madame Stackpoole se précipita dans la cuisine pendant que je travaillais et que l'oncle Jasper lisait et sirotait une tasse de thé. Le visage poupin de Madame Stackpoole portait deux taches rouges distinctes sur ses joues et sa poitrine généreuse se gonflait d'émotion. J'arrêtai de lire pour voir ce qui se passait. Même mon oncle posa son journal et leva les yeux.

— Seigneur... par pitié... le village est envahi de commères...

Elle posa son panier à provisions sur la table de la cuisine.

— Prunella, assieds-toi, tu es tout essoufflée.

Dit l'oncle Jasper.

Je tournai mon visage pour cacher mon étonnement. Depuis quand mon oncle était-il devenu assez familier pour tutoyer notre gouvernante ?

Madame Stackpoole s'effondra sur une chaise. Je lui apportai un verre d'eau qu'elle accepta avec reconnaissance, et prit plusieurs gorgées peu distinguées. Ses yeux noisette brillaient.

— Vous vous rendez compte ? Monsieur Victor LaVelle est arrivé aujourd'hui même de Londres.

Elle scruta nos visages à la recherche d'un signe de choc ou de surprise.

... On dit qu'il est venu pour aider Billy Wolfe, mais personne ne sait pourquoi. J'ai appris par Monsieur Bonfield, le receveur des postes, que Dominic Wolfe avait envoyé un télégramme demandant à Monsieur LaVelle de venir immédiatement. Il a du culot, je lui reconnais ça ! Comment un agriculteur peut-il demander à un homme important et riche comme Monsieur LaVelle de tout laisser tomber et de venir au secours de son frangin ?

Elle secoua la tête et son menton vacilla.

Je regardai mon oncle. Son expression était indéchiffrable. Il n'avait pas l'air de trouver cela étrange du tout, mais cela me donna à réfléchir. Pourquoi était-il en minorité, alors que les habitants d'*Ambleside* trouvaient les initiatives de Dominic présomptueuses ?

Je haussai les épaules.

— Compte tenu du fait que la famille Wolfe avait une longue relation avec *Hollyfield House*, qui sommes-nous pour spéculer sur la nature de leur amitié ?

— Oui, Mademoiselle Jilly, mais ils viennent de classes différentes ! Ce n'est pas comme si les familles se rencontraient socialement. Les Wolfe sont des employés des LaVelle.

Insista-t-elle.

— Et voilà, c'est exactement ça !

L'oncle Jasper rejoignit subitement la discussion.

…C'est en tant qu'employeur que Victor LaVelle nous honore de sa présence. Et, enfin, je suis heureux de l'entendre. Si vous voulez mon avis, le garçon n'aura pas un procès équitable sans quelqu'un avec du pouvoir et de l'argent de son côté.

Il se leva de table, ramassa son journal et le glissa sous son bras.

…Et maintenant, je dois me rendre dans mon bureau. Madame Stackpoole, pourquoi ne pas te joindre à moi pour une gorgée de sherry ? Vu les circonstances, je crois que cela pourrait être médicinal…

Madame Stackpoole se leva avant qu'il ait terminé sa phrase. Avec une énergie nouvelle, elle suivit l'oncle Jasper hors de la cuisine, tandis que je restais clouée au sol, la bouche entrouverte. Que diable se passait-il entre ces deux-là ?

Ce fut une journée étrange. Je travaillai, mais il me fallut toute ma volonté pour rester concentrée. Et comment pouvais-je me concentrer ? Le fonctionnement des branchies d'un champignon n'avait aucun intérêt pour moi quand la vie d'un garçon était en jeu. Pourtant, je me forçais à continuer. Ces notes étaient importantes pour mon oncle, et pour l'instant je ne pouvais rien faire pour aider les frères Wolfe. J'étais soulagée que Dominic soit dorénavant soutenu par Monsieur LaVelle. Son influence aurait sûrement un certain poids dans cette affaire. Le temps nous le dirait.
Je levai les yeux lorsque l'oncle Jasper entra par la porte de derrière. Il était allé faire une course au village. Il enleva son chapeau et le posa sur un crochet. Son visage était pâle, son expression sinistre.
— Qu'est-ce qu'il y a ?
Demandai-je, me levant déjà.
...Quelque chose te fait mal ?
Je combattis la panique qui montait. J'avais perdu ma mère récemment et je ne pouvais supporter l'idée de perdre quelqu'un d'autre. Oncle Jasper me tendit la main.
— Je vais bien, Jilly. Ne t'inquiète pas. Je viens d'apprendre une nouvelle inquiétante, et c'est ce qui me choque.
Je me dirigeai aussitôt vers lui et lui tirai le bras.
...Alors assieds-toi et laisse-moi te préparer une boisson

chaude.

Je m'approchai du poêle.

— Non, Jilly. Ce n'est pas la peine.

Mais il s'assit à la table et poussa un énorme soupir. ...Je viens de voir l'agent Bloom, il y a moins de cinq minutes. Il était à la ferme Wolfe, en train de fouiller la chambre de Billy.

Ma main se figea sur la bouilloire. Je me retournai.

— Que s'est-il passé ?

L'oncle Jasper secoua la tête.

— Ils ont trouvé le portefeuille du forgeron caché parmi les affaires de Billy.

— Oh non !

Mon cœur s'effondra. Mon premier instinct fut de me précipiter à la ferme Wolfe et de parler à Dominic. Oncle Jasper dut lire dans mes pensées.

— Ne pense pas à aller voir Dominic. Il a assez à faire et n'a pas besoin qu'on l'embête, même avec de bonnes intentions. Victor LaVelle le conseillera, et c'est la seule personne à qui il doit parler pour l'instant.

Même si je détestais être d'accord, je savais que l'oncle Jasper avait raison. Mais je me sentais inutile. J'avais beau essayer de chasser les pensées de mon esprit, le dilemme de Billy Wolfe me hantait.

Je reçus une note au début du lendemain matin, me demandant de venir à *Hollyfield House* à ma convenance. La lettre était signée par Evergreen, et bien que je me rebiffe à l'idée de passer du temps avec elle, en vérité ma curiosité prit le dessus. Je voulais rencontrer Victor LaVelle, l'illustre magnat dont on parlait avec tant d'égards. Je partis dès que j'eus lu la missive, me réjouissant de faire une promenade. La journée était agréable, et je pris mon temps, mes pas ralentissant à l'approche de la ferme Wolfe. Mais je me souvins du conseil de mon oncle et ne m'arrêtai pas pour ne pas m'imposer. Aujourd'hui, même les doux agneaux dans les champs ne suscitaient aucun intérêt de ma part.

J'arrivai à *Hollyfield* avant dix heures du matin et on me fit entrer dans le salon où je m'assis, seule, jusqu'à ce que Marabelle Pike entre dans la pièce.

— Oh !

Marabelle s'arrêta net en me voyant installée dans l'un des fauteuils.

...Que faites-vous ici ?

Son ton était désagréable, sa question impolie.

— J'ai demandé à Mademoiselle Farraday de venir.

La voix autoritaire d'Evergreen aboya derrière sa cousine, qui se hérissa d'indignation. Elle passa devant la femme désagréable et s'assit en grand apparat en face de moi. Ses amples jupes bleu foncé se posèrent sur elle comme un nuage.

...Merci d'être venue, Jillian.

Elle sourit joliment, puis son regard se leva pour jeter un regard noir à Mademoiselle Pike qui poussa un soupir d'agacement, se retourna et quitta la pièce.

...Cette femme est insupportable.

Lança Evergreen de manière désobligeante.

...Maintenant, dites-moi… Que pensez-vous de tout ce qui a transpiré depuis la dernière fois que nous nous sommes vues ? N'est-ce pas passionnant ? Un meurtre à *Ambleside*, avec l'idiot du village comme coupable !

Elle semblait presque amusée par cette perspective et je ne pus empêcher mon sentiment de rancœur de se développer un peu plus envers cette femme. Comment pouvait-elle être si sympathique, et pourtant, en un instant, si impitoyablement cruelle ?

— Je ne trouve pas ça passionnant du tout, Evergreen. La vie d'un homme a été prise, et un autre sera pendu pour cela. C'est une situation tragique et je ne comprends pas comment vous pouvez la voir autrement.

Mes mots semblaient agressifs, mais je m'en fichais.

— Bien dit, jeune femme !

Interrompit une voix masculine.

Et mes yeux se sont tournés vers le haut.

Dans l'embrasure de la porte se trouvait un homme grand et costaud. Ses cheveux étaient noirs parsemés de blanc, sa peau foncée par le soleil, ses yeux d'un vert perçant. Il ne portait pas de poils sur le visage et, bien que plus âgé, c'était l'un des plus beaux hommes sur lesquels j'avais posé les yeux.

...Ma fille...

Poursuivit-il,

...peut être assez insensible aux épreuves et aux tribulations des autres.

Il entra en marchant sur de longues jambes et alla se placer à côté de l'endroit où Evergreen était assise, la nanifiant. Il lui tapota l'épaule.

... Pourtant, nous l'aimons malgré ses imperfections !

Il souriait, et je pus voir que Victor LaVelle était plus grand que nature, et assurément d'une force avec laquelle il fallait compter. Pas étonnant que Dominic veuille qu'il aide Billy ! J'évaluai qu'il devait avoir une cinquantaine d'années, mais il se comportait avec la confiance d'un homme dans la force de l'âge. Il me regarda fixement et quelque chose changea dans son expression. Puis il sembla l'écarter et se tourna vers sa fille.

...Evie, présente-moi ton amie au franc-parler. Je ne crois pas qu'on se soit déjà rencontrés.

— Oh ! Papa, je te présente Jillian Farraday, la nièce du professeur Alexander.

Je l'observai attentivement. Il fit une pause avant de s'approcher de moi, me tendit la main et serra la mienne fermement.

— Victor LaVelle. Ravi de faire votre connaissance. Vous êtes nouvelle à *Ambleside* ?

Il relâcha sa prise.

— Oui...

Répondis-je.

...Je suis ici depuis quelques semaines seulement.

— Nous nous sommes rencontrées quand notre calèche l'a renversée, papa. Honnêtement, j'ai craint le pire.

— Mon Dieu ! Vous n'êtes pas gravement blessée, j'espère ?

— Non, juste un peu secouée.

Souris-je.

...Votre fille m'a offert du thé et des crêpes, et je me suis miraculeusement rétablie.

— C'est tout à fait son genre !

Répondit Victor en souriant.

...Dieu interdit à Evie de devenir infirmière. Tous ses patients resteraient malades et deviendraient en même temps obèses.

— Papa !

Objecta Evergreen.

— Je te taquine, ma chérie. Alors maintenant...

Son visage devint sérieux.

...Je vais partir pour rendre visite à Dominic Wolfe. Je

serai absent toute la matinée.

Il tourna la tête vers moi, une expression étrange dans les yeux.

...Ce fut un plaisir de vous rencontrer, Mademoiselle Farraday. J'espère vous revoir bientôt.

Nous restâmes toutes les deux silencieuses pendant qu'il partait. Je réfléchis à l'homme que je venais de rencontrer. Victor LaVelle semblait habitué à travailler dur, tout en gardant la finesse d'un gentleman. C'était une conjugaison étrange, mais qui lui servait bien. Son allure lui donnait un air d'autorité, ce qui contribuait au soulagement grandissant que je ressentais par le fait qu'il soit venu aider Dominic et son frère. D'un seul coup, la situation désespérée de Billy ne semblait plus aussi insurmontable.

— Je ne peux pas croire que papa aide Billy Wolfe !

La voix pétulante d'Evergreen semblait puérile.

... Qu'est-ce qu'il peut faire de toute façon ? Le garçon a tué un homme. Même Père ne peut rien y changer.

Elle se leva et alla à la fenêtre.

— Vous avez raison. Il ne peut pas changer ce qui est déjà arrivé. Mais votre père a le pouvoir d'influencer le résultat en s'assurant que Billy ait un procès équitable.

Je la rejoignis à la fenêtre et nous nous tînmes côte à côte.

...Qui sait ce qui a pu se passer, Evergreen ! Peut-être que Flynn a essayé de faire du mal à Billy ! Il aurait pu le poignarder en état de légitime défense !

Elle me regarda et il n'y avait aucune chaleur dans ses beaux yeux bleus.

— Billy a quand même laissé le corps de Flynn dans le lac et jeté le couteau. On ne peut pas dire que ce sont les actions d'un innocent, n'est-ce pas ?

Je croisai son regard. Pendant un moment, il me sembla que nous essayions tous les deux de lire dans les pensées de l'autre.

— Eh bien, Mademoiselle Farraday !

Perry LaVelle entra dans la pièce.

... Je ne savais pas que vous veniez ce matin.

Dit-il, souriant, en s'approchant de sa sœur et en l'embrassant légèrement sur la joue.

...Je pars pour voir l'ennuyeux Sneed...

— Pauvre de toi !

Evergreen riait, toute animosité disparaissant de son visage.

...Je préfèrerais me faire arracher une dent que de passer la journée à étudier des chiffres et des calculs. Tu as toute ma sympathie, mon cher frère !

— Oh, Sneed n'est pas un si mauvais bougre.

Dit Perry gracieusement.

...Un peu excentrique, mais un sacré prestidigitateur avec les chiffres.

En regardant leur échange, je fus prise d'une soudaine envie de quitter *Hollyfield* et de rentrer chez moi. Je ne voulus pas être impolie, alors je racontai un pieux mensonge :

— Evergreen, je sens le commencement d'un mal de crâne. Ça vous dérangerait beaucoup si je rentrais chez moi ? J'en suis navrée.

— Non, naturellement !

Elle devint tout de suite très aimable.

— Je compatis. Vous devrez revenir un autre jour, quand vous vous sentirez en meilleure forme. Laissez Perry vous accompagner sur une partie du chemin. Il va dans la même direction. N'est-ce pas, Perry ?

— Oui, en effet. Venez, Jillian. Je serais heureux de

vous escorter.

Après avoir terminé nos adieux, Perry LaVelle et moi partîmes sur *Lake Road*. Il parlait de sujets sans importance et il était sympathique. Sa personnalité était bien différente de celle de sa sœur. Ils étaient tous deux extravertis et amicaux, mais Evergreen semblait avoir un dard pointu toujours prêt à l'emploi. En revanche, Perry, ou du moins ce que j'en savais, était d'humeur plus gaie.

— J'ai rencontré votre père ce matin…

Racontai-je.

…Il a été charmant.

— Papa est un bon gars. Bien qu'il puisse être un peu tyrannique parfois, il a le cœur au bon endroit.

— Il ferait un adversaire redoutable. Il est doté d'une présence tranquillisante.

J'espérais que je n'avais pas été impolie.

— En effet…

Convint son fils.

…Mon père a construit son entreprise à partir de rien, vous savez. La famille de ma mère l'a aidé à démarrer, car mon grand-père travaillait pour la *British East India Company*. Mon père s'est lancé dans le commerce maritime au moment où le négoce du coton a décollé. Il a fait fortune, a remboursé chaque centime à mon grand-père et a ensuite créé l'une des plus grandes compagnies maritimes indépendantes d'Europe. Il a gagné le droit d'être un homme d'affaires coriace. Je dois vous avouer que j'ai du mal à me mettre à son niveau.

Il continua à parler de leur séjour en Inde, mais je ne lui accordai plus toute mon attention. Je pensais à son père et à ce qu'il pourrait accomplir dans l'horrible situation de Billy.

...et puis Marik est venu avec nous.

Je me reconcentrai sur notre conversation.

— Comment ça s'est passé ?

J'espérais ne pas être trop curieuse.

La question ne sembla pas déranger Perry.

— Le père de Marik était mon tuteur, et nous avons étudié ensemble quand nous étions enfants. Quand Ashok est mort, Marik a fait partie de notre famille.

— Ça a dû être un énorme changement pour lui, de venir vivre en Angleterre.

Il poussa un petit rire.

— Oh, oui. Je crois qu'il a failli mourir de froid les six premiers mois où nous avons vécu ici. Mais après quinze ans, je crois qu'il s'est finalement acclimaté.

Perry parlait de Marik avec l'affection d'un frère. Je me sentis encore plus proche de lui.

...Eh bien, nous y voilà. C'est ici que je dois vous laisser, Jillian. J'espère que votre mal de tête ne durera pas et que vous serez bientôt de retour à *Hollyfield*. Dites au professeur de venir avec vous la prochaine fois, et de venir fourrager.

Il inclina poliment la tête et se retourna pour partir.

— Perry ?

Il fit une pause.

— Nous n'avons pas parlé du meurtre de Jareth Flynn. Puis-je vous demander si vous pensez Billy Wolfe capable d'un acte aussi odieux ?

— Je ne suis pas sûr de ce que je doive penser…

Dit-il finalement.

...Ce que je sais de Flynn n'était pas entièrement favorable. Pourtant, je n'aurais pas pensé que ce soit dans la nature de Billy de faire du mal à quelqu'un d'autre.

— Pensez-vous que, maintenant que votre père est là, Billy aura au moins un procès équitable ?

Perry sourit.

— Mademoiselle Farraday…. avec Victor LaVelle à ses côtés, tout peut arriver !

XI

Après le déjeuner, je m'excusai et je passai quelques heures à lire tranquillement dans ma chambre. Mais à quatre heures, j'eus des fourmis dans les jambes et je descendis pour voir où étaient les autres. J'avais besoin de compagnie, mais comme je m'approchai du salon, j'entendis distinctement un gloussement féminin. Je collai mon oreille à la porte et l'entendis à nouveau. Était-ce possible ? C'était Madame Stackpoole ! Il y eut un bruissement, puis le rire grave de mon oncle. Je reculai rapidement et m'empressai de traverser la cuisine pour sortir.

J'ignorais ce que faisaient Madame Stackpoole et mon oncle, mais ils ne se contentaient pas de bavarder... Cette pensée était déconcertante, mais le fait est que ces deux-là avaient probablement sympathisé bien avant mon arrivée à *Ambleside*. Avais-je par inadvertance interrompu quelque chose ? Bien qu'il fût délicat pour moi d'imaginer une quelconque romance entre eux, je ne voyais pas d'un mauvais œil la possibilité qu'ils se fréquentent. Tant mieux pour eux. La vie était trop courte pour qu'on la passe seuls et malheureux.

Seule – voilà bien ce que j'étais. Mes pensées se tournèrent vers les frères Wolfe. J'avais envie de savoir ce qui se passait avec Billy, maintenant que Monsieur LaVelle était arrivé. Et où pouvait être Dominic à cet instant précis ? Peut-être à *Hollyfield House* avec Victor LaVelle ! Ou bien à la ferme ! Je brûlai d'envie d'aller le voir pour savoir quelles étaient les nouvelles, mais outre le fait qu'il aurait été inconvenant d'y aller seule, la journée était trop avancée. Dominic devait être occupé à soigner le bétail. Je me retrouvai à flâner sur la route qui menait au village. Beaucoup de gens s'activaient dehors. Certains m'étaient familiers et me reconnurent. Je marchai sans but précis et passai le vieux moulin. Sur le pont, je fis une pause, me souvenant que c'était là que j'avais rencontré Dominic pour la première fois. L'après-midi touchait à sa fin et j'opérai un demi-tour pour rentrer chez moi. Alors que j'approchai de la boulangerie, un délicieux fumet de tartes chaudes vint chatouiller mes narines. Elles sentaient si bon que, mue d'une impulsion subite, je poussai la porte de la boulangerie et en achetai une.

Le feuilleté parfait de la pâte fondait dans ma bouche et la garniture au bœuf était abondante et moelleuse. Sur la route, je tentai de manger cette délicieuse chose sans en mettre partout, mais ce ne fut guère concluant. J'avisai un banc devant l'église du village. Comme j'avais tout mon temps avant que la nuit ne commence à tomber, je m'assis pour terminer ma tourte. *Ambleside* n'était pas si différent de mon village d'origine du *Devon*. Ici, les gens étaient assez sympathiques, le lac et les environs pittoresques et fascinants. La mer me manquait, certes, mais c'était tout à fait normal :

« *Quand on a respiré l'air marin dès sa naissance, on se languit toujours de l'eau.* »

Disait souvent ma mère. Elle me manquait tellement ! Chaque jour son visage m'apparaissait en pensée et mon cœur se serrait.

— Tu vas vraiment t'enfiler tout ça ?

Une voix inconnue me fit sursauter. Une femme se tenait à quelques mètres de moi, vêtue de loques et d'un pardessus d'homme chiffonné, les cheveux hirsutes, longs, emmêlés, et si sales que je ne pus en déterminer la couleur. Elle semblait plus âgée qu'oncle Jasper, bien qu'il fût difficile de lui donner un âge.

— Qui êtes-vous ?

Fut la seule chose que j'arrivai à dire.

Elle se rapprocha et je manquai me boucher le nez pour éloigner l'odeur fétide qui émanait de son corps crasseux. Elle esquissa un semblant de sourire qui lui tordit le visage, comme si l'un des côtés était paralysé.

— Peggy Nash, bien que je ne t'aie jamais vue avant… Et pourtant je connais tous les gens d'*Ambleside* !

Ses yeux se posèrent sur la tourte que je tenais à la main. Je la lui tendis. Elle s'en saisit vivement et recula. Je contemplai cette femme enfourner la nourriture dans sa bouche comme si elle était affamée. Je détournai le regard, un peu honteuse de ma chance, alors qu'elle ne devait pas avoir mangé depuis longtemps. Quand elle eut terminé, elle s'essuya la bouche d'un revers de main.

…Alors, vas-tu me dire ton nom ?

Demanda-t-elle d'une fine voix tranchante.

Je la regardai, hésitante, puis fis taire mes scrupules.

— Je suis Jillian Farraday. Je vis avec mon oncle, Jasper Alexander.

Ses yeux s'illuminèrent.

— Le professeur ?

— Oui.

Elle sourit à nouveau, et je compris qu'elle avait dû avoir une attaque ou une autre maladie, car le côté droit de son visage était pour ainsi dire figé.

— C'est un type sympa, le professeur.

Dit-elle.

…Il me donne la moitié de son sandwich quand je le croise en balade.

Cela me fit sourire. C'était tout à fait le genre de chose dont était capable Oncle Jasper. Sa gentillesse était l'une de ses qualités les plus attachantes. Je me levai du banc, m'apprêtant à rentrer chez moi.

— Oui, mon oncle est un homme bon. Il faut que j'y aille, Mademoiselle Nash. Ce fut un plaisir de faire votre connaissance.

Cette remarque sembla incongrue, même à mes oreilles. Je ne prenais pas congé des invités d'une soirée mondaine, je fuyais une femme malpropre, vêtue comme une mendiante, qui venait de manger les restes de ma tourte ! C'était une rencontre étrange. Peggy Nash ne me dit pas au revoir, mais je sentis ses yeux dans mon dos alors que je descendais la rue.

Oncle Jasper et Madame Stackpoole étaient attablés dans la cuisine quand j'arrivai à la maison.

— Vous voilà, Mademoiselle Jillian...

M'accueillit la gouvernante.

...Nous aurions attendu, mais le professeur avait faim.

J'allai à l'évier et me versai un verre d'eau.

— Cela n'a aucune importance, Madame Stackpoole. Je suis partie me promener et je me suis régalée d'une bonne tourte au steak.

Je décelai de la déception dans son regard.

...Je suis passée à côté de la boulangerie juste comme elles sortaient du four. Elles sentaient si bon que je n'ai pas pu résister.

— Ah... Je vois !

Répondit-elle, apaisée.

...Du moment que vous avez mangé quelque chose...

Oncle Jasper avala sa dernière bouchée et me fit signe de les rejoindre à table.

— Madame Stackpoole a fait un crumble à la rhubarbe.

Je suis sûr qu'il te reste une petite place !

— Assurément.

Je m'assis et je fus heureuse de constater que la gouvernante appréciait mon enthousiasme. Elle posa trois bols devant nous et répartit à la cuillère le dessert encore chaud.

— Ça ne te ressemble pas de sortir le soir, Jilly. Où es-tu allée ?

Demanda Oncle Jasper.

— Nulle part en particulier. J'ai traversé le village jusqu'au moulin. Sur le chemin du retour, je me suis arrêtée pour acheter la tourte, puis je me suis assise sur le banc devant l'église et je l'ai dégustée aussitôt.

— Vraiment ?

Il se mit à rire.

...C'est bien osé de ta part, ma fille. Tu deviens trop moderne, fais attention à toi.

— J'ai rencontré quelqu'un pendant ma sortie. Une femme très étrange à l'air un peu sauvage, habillée comme une mendiante.

— Ah !...

Il sourit.

...Peggy Nash.... Notre magicienne locale... ou sorcière, selon certains.

— Comment ça ?

— Peggy a vécu ici toute sa vie et a été élevée dans la forêt par son père. Il se considérait lui-même comme un sorcier et prétendait être un druide. Bref, quand il est décédé, Peggy est restée dans la forêt. Elle n'est pas méchante, mais elle est très singulière.

— Je vois. Elle a demandé si je pouvais lui donner le reste de ma tourte, même s'il n'en restait que la moitié. J'ai eu pitié d'elle, alors j'ai consenti. Puis elle a dit qu'elle t'aimait bien, mon oncle, parce que tu partageais tes sandwichs avec elle.

— Eh ben dites donc ! Qu'est-ce qu'il ne faut pas entendre !

S'exclama Madame Stackpoole avec des yeux ronds. Oncle Jasper émit un gloussement.

— Maintenant je vais en prendre pour mon grade, Jilly. Il sourit à la gouvernante.

— Ne vous y trompez pas, Madame Stackpoole. Peggy peut sentir un de mes sandwichs à des kilomètres ! Elle a le nez aussi performant que celui d'un limier. Peu importe où je suis, elle me trouvera.

— Eh bien, dites-moi, c'est quand-même incroyable !

Marmonna Madame Stackpoole en se levant pour porter son bol vide dans l'évier.

...Tu n'as rien dit pendant tout ce temps !

Oncle Jasper me coula un regard, et on aurait dit qu'il venait d'être surpris en plein chapardage. Puis il haussa les épaules et s'attaqua à son crumble.

Après le dîner, je montai dans ma chambre. En regardant dans le tiroir de la table de nuit, la pierre de lune me revint brusquement en mémoire.

Avec toute l'histoire autour de Billy Wolfe, je n'y avais plus pensé. Prise d'une impulsion subite, je la glissai dans ma poche et redescendis au salon.

Oncle Jasper dégustait un petit verre de sherry et lisait. Je patientai un instant, puis sortis la boîte de ma poche.

— Mon oncle, puis-je te poser quelques questions complémentaires sur cet objet ?

Il regarda ma main avec flegme.

— Complémentaires, Jilly ? Je ne crois pas pouvoir t'éclairer davantage là-dessus. Je t'ai bien dit que j'étais parti travailler à l'université lorsque tout cela s'est produit. Tout ce que je sais, c'est ce que ta maman m'a dit à son sujet – assurément pas grand-chose.

— Es-tu certain qu'elle n'a jamais donné le nom de l'homme ?

— Affirmatif. Tout ce que Gwen a dit, c'est qu'il devait partir à l'étranger et qu'il ne pouvait pas l'emmener avec lui. Un travail l'attendait en Inde, un travail qui, espérait-il, ferait sa fortune.

— Mais pourquoi n'a-t-il pas simplement fait venir ma mère plus tard ? Cela n'aurait-il pas tout résolu ?

Oncle Jasper y réfléchit un instant puis posa son verre.

— Tu sais, je crois que je lui ai posé la même question après toutes ces années, et je pense que ta maman savait au fond son cœur que les choses étaient prévues autrement.

— Je ne comprends pas.

Avec un soupir, il ferma son livre et le posa à côté de lui sur la table.

— À l'époque, de nombreux jeunes gens cherchaient la gloire et la fortune en Inde. *La Compagnie britannique des Indes orientales* était, et est toujours, très puissante, ce qui attirait ceux qui cherchaient à faire fortune. La population britannique installée en Inde manquait cruellement de jeunes hommes pouvant faire carrière, alors qu'il y avait un certain nombre de jeunes femmes riches à la recherche d'un mari. À mon avis, qui que soit ce type, il était déjà promis à une autre. Oh, il aurait pu tomber amoureux d'une jeune fille du *Devon*, mais il s'est marié là où se trouvait l'argent…

Il haussa les épaules.

…Bien sûr, je ne sais pas si ma théorie est la bonne, mais je crois que c'est la meilleure explication. Il y a aussi la possibilité que le pauvre homme ait succombé à une méchante maladie étrangère. Peu importe, ma chère. Il n'y a rien que je puisse te dire de plus.

Il sourit gentiment.

...Le pendentif est le symbole de quelque chose qui dure éternellement, et c'est la seule relique dont disposait cette chère Gwen après le départ du jeune homme. Heureusement, elle a rencontré ton papa, et épouser Tom Farraday a été la meilleure chose qui ait pu lui arriver.

J'étais désabusée. Une partie de moi avait espéré un petit supplément d'information qui aurait répondu à mes questions. Je remis la boîte dans ma poche et changeai de sujet.

Je racontai à oncle Jasper ma rencontre matinale avec le père d'Evergreen, le riche homme d'affaires.

— J'espère que Monsieur LaVelle a pu aider Dominic. Je n'ai eu vent de rien d'autre depuis hier. Madame Stackpoole a-t-elle des nouvelles du mari de Ruby à *Kendal* ?

Oncle Jasper me regarda pensivement. Il avait sûrement saisi que je soupçonnais la nature de leur relation, et pourtant je savais qu'il ne voulait pas en parler.

— Il est question que Victor engage un avocat à Londres. C'est tout ce qui reste à faire. Mais il est encore tôt, Jilly, il est encore tôt.

Sur ce, il prit son livre, ajusta ses lunettes et recommença sa lecture. Je retournai dans ma chambre et replaçai la boîte dans le tiroir. Mon esprit avait quitté le passé de ma mère pour revenir à Dominic. J'étais si heureuse qu'il ait enfin quelqu'un à ses côtés ! Sûrement qu'une personne avec les moyens de Victor LaVelle pouvait influer sur le destin de Billy. Je m'assis sur mon lit et fermai les yeux, le cœur lourd à la pensée de l'affreuse situation dans laquelle se trouvaient les frères Wolfe.

Il fallait que j'essaie de voir Dominic le lendemain. Peut-être aurait-il de meilleures nouvelles ou du moins davantage d'informations. Pourtant, en pensant à ma visite, je pris conscience que ce n'était pas seulement pour en savoir plus sur la situation de Billy… J'étais prête à user de n'importe quelle excuse pour pouvoir revoir Dominic Wolfe…

XII

Il restait quatre jours avant la conférence de l'oncle au *Mountjoy Manor*. Il se levait tôt. Je l'observais, alors qu'il travaillait dans son bureau. Il levait les yeux, et je pouvais voir à son expression que son anxiété avait atteint un nouveau point critique.

— Je serai dans la cuisine si tu as besoin de quelque chose.

Dis-je doucement. Et je partis.

— Deux secondes, Jilly…

Il m'arrêta.

…Est-ce que tu vas bien ? Tu as l'air un peu fatiguée. Je crois que tout ce tracas laisse des traces sur toi.

— Ça va bien…

Lui assurai-je.

…Mais peut-être pourrais-je travailler ce matin et ensuite prendre l'après-midi pour faire quelque chose de plus reposant.

— Excellente idée. Je n'aurai rien de nouveau à faire pour toi avant demain au plus tôt. Sors dehors un peu plus tard et prends l'air.

Je le laissai à son travail. Il avait raison à mon sujet. J'étais fatiguée. Mais il s'était passé tellement de choses depuis mon arrivée à *Ambleside* ! Je venais à peine de m'habituer à vivre avec l'oncle Jasper que j'avais fait la découverte épouvantable d'un corps, suivie de près par l'accident avec la calèche des LaVelle. Depuis ma rencontre avec Evergreen, ma vie semblait bouleversée, en désordre. Je me réprimandai afin d'évacuer tout ça de mon esprit. Au lieu de cela, je préparai une tasse de thé bien fort, que j'apportai à la table de la cuisine et me mis au travail.

La matinée passa rapidement. Après avoir déjeuné avec mon oncle, je rassemblai mes affaires et partis à l'extérieur. Je n'avais pas de projet précis, mais c'était un après-midi ensoleillé, la température était clémente et j'avais envie d'un bon air printanier. Mes pieds me conduisirent machinalement - et de bon gré - à la ferme Wolfe. Il ne me semblait pas inconvenant de m'y arrêter en plein milieu de la journée, même si je n'étais pas certaine que Dominic y serait.

En arrivant à la ferme, j'entendis le grondement sourd de voix masculines parlant à l'intérieur. Je levai la main pour frapper à la porte, puis j'hésitai. Peut-être devrais-je m'éloigner et ne pas m'imposer ! Mais ma curiosité était piquée et je frappai.

— Jilly ?

La porte s'ouvrit, créant la surprise pour Dominic quant à ma présence. Il sourit et m'invita à entrer.

— Si vous avez de la compagnie…

Lançai-je.

…Je ne veux pas vous interrompre. Vous préférez que je revienne plus tard ?

— Non, vous êtes la bienvenue.

Dit-il. Et nos regards se croisèrent brièvement… À cet instant, j'éprouvai un sentiment de soulagement, car Dominic semblait beaucoup mieux depuis notre dernière rencontre. Cela devait être dû à l'arrivée de Monsieur LaVelle.

…Venez dans la cuisine, Jilly.

Dominic ouvrit la voie.

... Victor est ici, et je voudrais qu'il vous rencontre.

Je le suivis.

— En fait Dominic, j'ai rencontré...

— Mademoiselle Farraday !

Monsieur LaVelle se leva de la table de la cuisine et fit un signe de tête sec. Il se faisait remarquer dans la pièce sans ornement. Par contraste il était fringant et sophistiqué.

...Dominic, j'ai eu le plaisir de rencontrer cette jeune femme hier. Il semble que Mademoiselle Farraday soit assez appréciée dans ma famille, et apparemment dans la vôtre aussi.

Il fit un sourire éblouissant et je me sentis tout de suite bien avec lui.

— Jilly et moi sommes amis depuis peu.

Déclara Dominic.

...En revanche, j'ai l'impression de la connaître depuis longtemps. Elle et Jasper furent très gentils et d'un grand soutien.

J'aimai qu'il utilise l'abréviation affectueuse de mon prénom.

— Bon à savoir, Dom.

Ses yeux verts s'alignèrent sur les miens.

…J'ai une grande estime pour le professeur, et depuis longtemps.

— Mademoiselle Farraday, asseyez-vous, je vous en prie.

— S'il vous plaît, appelez-moi Jillian, Monsieur LaVelle.

— Je le ferai, et, de même, vous devez m'appeler Victor. Maintenant, Dominic, allons-nous continuer ça plus tard ?

Je les avais dérangés. Je me levai pour partir.

—Jillian…

Dit Dominic rapidement.

...Je veux que vous restiez.

Il regarda Victor.

...Jillian a proposé d'aider Billy de toutes les manières possibles. Je voudrais qu'elle reste, si vous êtes d'accord, Victor ?

L'homme plus âgé hocha la tête.

— Ce que vous décidez est acceptable pour moi.

Il lança un sourire amical dans ma direction.

— Alors ! Dominic et moi avons discuté des preuves apportées contre Billy. Toutes assez accablantes, malheureusement…

— Quelles sont les preuves dont disposent les autorités ?

Demandai-je.

— L'arme du crime, bien sûr, et un portefeuille appartenant à Flynn, trouvé dans la chambre de Billy. À part cela, il n'y a rien d'autre. Mais ces deux éléments sont suffisants pour le condamner.

— Mais il doit aussi y avoir un motif !

Réfutai-je.

…Quelle était la relation entre Billy et le forgeron ?

— Il n'y en avait pas, pour autant que je sache.

Répondit Dominic.

...Flynn était un frimeur. Il aimait le son de sa propre voix. Il avait taquiné mon frère à plusieurs reprises, généralement s'il y avait un public. Mais cela mettait rarement Billy en colère. Au contraire, ça le faisait pleurer. C'est moi qui me mettais en colère. J'avais plus de raisons de lui faire du mal que mon frère.

— Qu'en est-il des allées et venues de Billy le soir du meurtre ? A-t-il un alibi ?

Demandai-je,

— Il était dans les bois. Il regardait les bébés lapins.

Cette fois, c'est Victor qui parla.

— Billy n'a pas de réelle notion du temps, mais il insiste sur le fait que c'est là qu'il se trouvait. Malheureusement, il ne sera pas difficile pour un avocat de l'interroger sur ce point et de le confondre. Le problème avec un garçon comme Billy, c'est qu'il n'est pas malin. Il ne comprend pas sa position précaire et ne peut pas vraiment se défendre.

Personne ne parla tandis que nous absorbions les paroles de Victor. Il avait raison. C'était une situation horrible pour n'importe qui, mais pour un garçon comme Billy, c'était un cauchemar.

Je mordillai ma lèvre inférieure.

— Si Billy n'a pas tué Jareth Flynn, alors qui, pensez-vous, l'a fait ? Après tout, au départ ils devaient avoir une raison pour arrêter l'autre personne. Un joueur, je crois que quelqu'un a dit ?

— Il l'était !

Répondit Dominic.

…Et il semble probable que ce soit un motif bien plus fort ! Peut-être pas le type qu'ils ont arrêté, mais un autre ! Flynn était un homme de jeu et l'argent est souvent la cause de crimes odieux. Quant au motif de Billy, bien qu'il n'ait pas apprécié d'être ridiculisé par Jareth, il est facilement intimidé par les gens. C'est une chose de frapper le forgeron ou de le faire tomber dans un accès de colère, mais c'en est une autre de planter un couteau dans le cœur d'un homme. Jillian, vous l'avez vu avec les veaux et le bétail ! Mon frère n'a pas ce genre de rage en lui.

— Mais le couteau...

Commençai-je,

— Ah, le couteau…

Victor hocha la tête.

…L'arme du crime est une preuve accablante pour le garçon, et il n'y a aucun doute que c'est son couteau qui a été utilisé. Mais Billy dit qu'il l'avait perdu …Et nous le croyons.

— Donc, pensez-vous que quelqu'un ait trouvé le couteau par hasard et ait tué Flynn, ou est-il plus probable qu'ils l'aient volé intentionnellement pour faire accuser Billy ?

Je leur demandai ça à tous les deux. Ils se regardèrent l'un l'autre, sourirent, puis me regardèrent à nouveau.

— Bien vu, Jilly !

Dominic avait l'air satisfait.

— Vous avez l'esprit vif et vous êtes arrivée à la même conclusion que nous.

— En effet,

Victor fronça les sourcils.

…Nous doutons qu'il s'agisse d'un meurtre au hasard. Nous pensons que Flynn devait avoir de nombreux ennemis, dont un avec un mobile suffisamment fort pour tuer cet homme. Nous devons prouver cette théorie aussi vite que possible, ou Billy sera certainement condamné pour un crime qu'il n'a pas commis. Par conséquent, notre première tâche est de découvrir qui avait quelque chose contre Jareth Flynn ! Assez pour vouloir sa mort.

Nous parlâmes pendant encore une demi-heure, jusqu'à ce que Victor se lève :

— Dom, je dois retourner à la maison, j'ai des affaires urgentes à régler. Viens nous rejoindre pour dîner plus tard. D'accord ?

Il a serré l'épaule de Dominic, puis s'est arrêté pour me tendre la main.

…Ce fut un plaisir de vous revoir, Jillian. Je vous suis reconnaissant pour votre aide dans cette affaire.

Il me fit un clin d'œil, puis Dominic le raccompagna jusqu'à la porte.

Je restai assise, mon esprit tourbillonnant au gré de leur conversation.

— Que pensez-vous de Victor ?

Demanda Dominic en me rejoignant à la table.

— Je l'aime bien. Il semble intelligent et un homme juste.

— Oui, il l'est. Je pense que c'est pour cela qu'il a tant de succès en affaires. Les employés de Victor sont loyaux à l'excès. Il exige ce trait de caractère de chacun d'entre eux, et il les rémunère bien. Vous ai-je dit qu'il avait engagé un avocat ? Un certain Maître Roger Kemp. Il jouit d'une solide réputation et j'espère qu'il pourra faire toute la lumière sur cette affaire.

— C'est très gentil de la part de Victor de venir à votre aide. Qu'il vienne de Londres est particulièrement attentionné. Il doit avoir une très bonne opinion de votre famille.

Je le pensais gentiment, mais je vis une expression sérieuse sur le visage de Dominic.

— Je suis désolée... Ai-je dit quelque chose qui vous a offensé ? Ce n'était pas mon intention.

Dominic poussa un lourd soupir, puis me regarda droit dans les yeux, soutenant mon regard.

— Jillian, je peux vous le dire, même si ce n'est pas de notoriété publique dans le village, et je vous demande de le garder pour vous…

— Bien sûr…

Je retins mon souffle. De quoi parlait-il ?
— Victor LaVelle nous aide, car il est le père de Billy.

XIII

Je restai bouche bée tellement je fus surprise.

— Pardon ? Le père de Billy ? Je ne comprends pas.

— Ma mère a eu une relation hors mariage.

Dit Dominic doucement.

...Et Billy en est le fruit.

Il se leva de table, repoussa la chaise et appuya ses coudes sur le dossier.

...Ma mère avait quarante-neuf ans. Trop vieille pour donner naissance à un enfant en bonne santé, mais elle le porta quand même. Lorsque Billy est né, le médecin a expliqué qu'il y avait un fort risque d'enfants mongoliens nés chez des femmes d'un âge avancé. Ma mère n'en a pas tenu compte. Elle aimait Billy, tout comme Victor.

— Et votre père ?

Dominic haussa les épaules.

— Mon père était un homme difficile et peu bavard. Il aimait ma mère et finit par lui pardonner. Il a même continué à travailler à *Hollyfield*. Heureusement, la famille était à Londres la plupart du temps, donc Papa et Victor se rencontraient rarement, ce qui contribua probablement à apaiser les tensions. Victor versait une allocation mensuelle pour les soins et les besoins de Billy. Bien que mon père soit un homme fier, il était également raisonnable. Il y avait peu d'argent à la maison et tout ce que la famille pouvait recevoir était bienvenu.

— Billy est-il au courant ?

— Oui. Je le lui ai dit après le décès de nos parents parce qu'il avait beaucoup de chagrin. Je pensais qu'il s'en sortirait mieux s'il savait qu'il avait toujours un parent vivant. C'est à ce moment-là que Victor a révélé à sa famille la vérité sur la filiation de Billy. Ça ne s'est pas bien passé, surtout avec Evergreen. Perry est, pour l'essentiel, indifférent, mais ils évitent tous deux le garçon. Victor fait ce qu'il peut, mais il n'autorisera pas Billy à habiter *Hollyfield*. Sa seule demande a été que je revienne à la maison pour m'occuper de mon frère.

Il y avait soudain beaucoup de choses à assimiler. Mon esprit n'arrivait pas à décider quel fait il fallait commencer à explorer. Je levai les yeux vers Dominic, et mon cœur s'adoucit. Il avait sacrifié son avenir à cause d'actions d'autres personnes. C'était tellement injuste !

— Vous avez renoncé à vos propres rêves pour élever votre frère ?

— Je n'aime pas le voir comme ça, mais je pense que c'est ce que j'ai fait.

— Je trouve ignoble qu'un homme comme Victor se soit déchargé de ses responsabilités sur vos épaules ! Pourquoi devrait-il poursuivre sa carrière alors que vous en êtes empêché ?

Ma bonne opinion au sujet du riche constructeur naval s'était bien dégradée.

...Il me semble particulièrement égoïste de sa part d'avoir des demandes aussi exorbitantes.

— Peut-être.

Convint-il.

...Mais avais-je le choix ? Forcer Billy à vivre à *Hollyfield* avec des gens qui ne l'aimaient pas ? Le transférer dans leur résidence de Londres, où il aurait été encore plus rejeté qu'ici ? Ou l'envoyer dans une institution pour qu'aucun de nous n'ait à croiser son visage chaque jour ?

Il leva un sourcil.

...Lequel de ces choix considérez-vous comme meilleur que le fait qu'il grandisse dans la maison de sa famille, un endroit où il se sent en sécurité et aimé ?

Bien sûr, il avait raison. Si j'avais été dans la situation de Dominic, j'aurais fait exactement la même chose. Une vague soudaine d'admiration pour cet homme me submergea. Il était vraiment une bonne personne, pour faire passer son bien-être après celui de son demi-frère. J'étais également heureux que Victor ait de bonnes raisons d'aider Billy. Cela amena une autre pensée.

— Victor est-il inquiet du fait que la vérité sur la filiation de Billy pourrait être révélée au tribunal ?

— Non.

Répondit-il facilement.

...Bien que ce ne soit pas largement connu par ici, Victor n'a pas besoin du soutien populaire. Il a suffisamment de succès pour surmonter les ragots ou la mauvaise presse si les journaux reprenaient l'histoire. Évidemment, il préférerait que l'affaire reste privée, mais il est bien plus préoccupé par l'avenir de Billy que par sa propre réputation.

— Eh bien… c'est un soulagement !

Je jetai un coup d'œil à l'horloge sur la cheminée. Je m'étais attardée trop longtemps et je devais rentrer chez moi. Je me levai.

...Je dois vraiment y aller, Dominic. Mais dites-moi, que puis-je faire d'autre ?

Il vint de mon côté de la table et se tint face à moi. Une fois de plus, je contemplai avec émerveillement les traits séduisants de son visage, les yeux où son âme semblait se refléter pleinement, la bouche aux lèvres charnues… Chaque fois qu'il était proche de moi, je sentais sa masculinité magnétique me transporter.

Ma bouche était sèche, aussi je me mouillai les lèvres.

…Je veux juste aider.

Chuchotai-je.

Il fit un pas vers moi, et je soupirai lorsque ses doigts ramenèrent une mèche de mes cheveux qui s'était détachée. Il la glissa derrière mon oreille, puis traça un chemin le long de ma joue jusqu'à mes lèvres où il s'arrêta. Doucement, le bout de son pouce caressa ma bouche tandis que ses yeux ambrés se fixaient sur les miens. Il n'y avait aucune émotion tendre dans son expression maintenant. Elle était emplie d'une envie dont l'intensité se mêla à la mienne. Ma respiration s'accéléra un peu. Mon cœur battit plus rapidement au fur et à mesure qu'il se rapprochait de moi, jusqu'à ce que je puisse sentir son souffle sur ma bouche.

Il inclina la tête et une onde de chaleur roula sur mes lèvres lorsqu'il vint y prendre un baiser. Ses bras s'enroulèrent autour de ma taille tandis que les miens se tendaient autour de ses solides épaules. J'étais perdue dans cette sensation, sentant la rugosité de sa peau frôler la mienne. J'oubliai qui j'étais, où j'étais, et devins un instrument sous sa maîtrise. Alors que sa langue s'amusait doucement avec la mienne, j'abandonnai toute pensée, sauf la sensation de sa bouche sur la mienne. J'étais consciente qu'un état nouveau était en train de s'emparer de moi, un plaisir à la fois étrange et délicieux. Il s'enroulait dans mon estomac, atteignant mes seins, et je sentis une urgence au cœur même de ma féminité, qui me coupa le souffle. Bien que je ne le connaisse pas, je commençai à comprendre qu'il s'agissait du désir. Incertaine de ce que je voulais exactement, je sus que lui seul pouvait l'assouvir... Dominic quitta mes lèvres et nous nous regardâmes l'un et l'autre, la respiration laborieuse. La chaleur inondait mes joues tandis que je luttais contre un sentiment de gêne, mais à son large sourire, mon inquiétude disparut.

— J'ai envie de faire ça depuis que je t'ai rencontrée, dit-il, la voix profonde et sensuelle.

Je souris, gênée par une situation que je n'avais jamais connue auparavant.

— Je suis heureuse que tu aies décidé de ne pas attendre plus longtemps.

La chaleur brûlait sous ma peau. Il prit mes mains dans les siennes.

— Jillian, je tiens à toi, mais ma volonté s'y refuse. La culpabilité me ravage parce que je te désire pendant que mon frère est prisonnier dans sa cellule. Pourtant, comment puis-je ignorer ce qui se passe entre nous ? Mince ! Comme le moment est mal choisi ! C'est injuste de nous retrouver au début de quelque chose qui devrait mériter toute notre attention. Cependant, ça ne peut pas être la priorité...

— Je comprends.

Interrompis-je.

...La situation difficile de Billy doit retenir toute ton attention. Rien d'autre ne doit te distraire jusqu'à ce que tout soit résolu... Je peux attendre, Dominic. Cela me fait du bien de savoir que tu te soucies de moi, car je ressens la même chose pour toi. C'est suffisant, pour le moment.

Il prit mes mains et les pressa contre ses lèvres.

— Très chère Jillian. Je suis noyé par le désespoir et l'inquiétude, et tu restes mon repère dans cette tempête. Merci pour ta compréhension et ta compassion. Cela signifie plus que je ne peux le dire.

Le lundi matin, Evergreen Lavelle est arrivée sans prévenir. Elle était belle comme une image dans une robe citron pâle qui mettait en valeur sa blondeur remarquable. Elle écarta négligemment mon offre de rafraîchissement.

— Non merci, Jillian. Je suis venue vous chercher.

— Je vous demande pardon ?

— Ma calèche attend dehors. J'aimerais que vous m'accompagniez pour une course.

Cette demande désinvolte m'irrita. Contrairement à elle, je n'avais pas la liberté de faire ce que je voulais tous les jours. Je ne perdis pas de temps pour lui dire.

— Evergreen, je ne peux aller nulle part. J'ai beaucoup de travail à terminer aujourd'hui. Vous oubliez que j'ai des obligations. Même si cela compte peu pour vous, mon oncle a besoin de mon aide administrative pour vivre.

Je lui lançai un regard noir, et à mon grand étonnement, elle fondit en larmes. Je me sentis perdue. Je m'attendais à ce qu'elle soit agacée, mais pas à ce chagrin. Elle était debout près du foyer et je me dirigeai rapidement vers elle pour lui toucher le bras.

...Pardonnez-moi si j'ai été brusque, Evergreen. Je ne voulais pas vous blesser.

Elle renifla et sortit un mouchoir de son réticule, tout en me faisant signe de partir.

— Ce n'est pas ça qui me contrarie.

Elle sourit à travers des yeux remplis de larmes.

…Mais toute cette histoire. Papa est à la maison et on dirait un ours qui a une rage de dents. Marabelle se traîne à ses basques, pareille à une sangsue éperdue d'amour, et Perry et Marik sont partis passer un week-end de détente dans un établissement thermal à Bath. Sur ce, elle se moucha de manière peu distinguée.

…Je m'ennuie et je me sens seule, et il n'y a absolument rien à faire. Je crois que je vais devenir folle.

— Où est votre père ?

Elle s'installa dans le fauteuil en continuant de renifler.

— Avec Kemp, le maudit avocat. Ils discutent de Billy, encore et encore.

Je pris place dans le fauteuil d'en face.

— Vous ne pouvez pas lui en vouloir, Evergreen. Il essaie de s'assurer que justice soit rendue. Si Billy est condamné, il sera pendu.

— Et alors ! Il n'avait pas à tuer ce maudit forgeron, n'est-ce pas ?

Je fus choquée par son langage et son emportement. Était-elle donc si insensible à l'égard de son demi-frère ? Je résistai à l'impulsion de faire une remarque à ce sujet, mais tins ma langue comme je l'avais promis à Dominic.

— Pourquoi Marabelle est-elle si follement amoureuse ?

Dis-je en réaction à sa remarque. Evergreen lâcha un rire déplaisant.

— C'est mon père. Elle est amoureuse de lui, mais il ne fait pas plus attention à elle qu'à notre cuisinière. Il la considère comme faisant partie de la famille. Pour lui, elle fait partie des meubles à *Hollyfield*. Malgré tout, elle l'aime éperdument, et ça la rend ennuyeuse à mourir.

Pendant un instant, j'eus le cœur brisé pour cette cousine au visage si austère. Mais ensuite je regardai Evergreen LaVelle et son visage baigné de larmes. La compassion prit le dessus sur moi.

— Où allez-vous ? Et pourquoi diable dois-je vous accompagner ?

Victorieuse, elle sourit, toutes les larmes oubliées.

La ville de *Kendal* avait été une première initiation à la Région des Lacs. C'est à cette gare que j'étais arrivée en allant à *Ambleside*. Je n'étais pas retournée à *Kendal* pendant les quelques semaines qui avaient suivi mon arrivée chez l'oncle Jasper.

En quittant la calèche d'Evergreen, je ressentis une bouffée d'excitation à l'idée de goûter à l'agitation d'un lieu animé et très fréquenté. L'air était chargé d'une énergie absente d'*Ambleside Village*. Nous descendîmes dans la rue principale qui était bordée de boutiques de toutes sortes.

— Voilà ! Vous voyez ? Vous n'êtes pas contente d'être venue ?

Evergreen sourit en me voyant sourire. J'étais plutôt ravie. Depuis les semaines que je vivais à *Ambleside,* j'avais oublié combien il était excitant d'être parmi tant de gens. Les images, les odeurs et les sons d'un bourg apportaient un changement bienvenu au calme de ma nouvelle maison - au moins pour une courte durée.

Notre premier arrêt fut chez un chapelier, où Evergreen essaya plusieurs chapeaux criards que je trouvai ridicules. Elle en acheta trois, à ma grande horreur et à la grande joie de la commerçante. Ensuite, nous entrâmes dans un magasin de chaussures. La dame qui nous aida nous fit un bref historique de l'industrie de la chaussure et de son importance pour la région.

— *Kendal* fabrique des chaussures qui sont exportées dans toute l'Angleterre.

Se vanta-t-elle.

...Vous ne trouverez pas de chaussures de meilleure qualité fabriquées ailleurs.

Evergreen approuva et s'empressa d'en acheter plusieurs paires. Après une autre heure, cette fois chez une couturière, je demandai un répit.

— Vous n'avez pas l'habitude de faire autant d'achats n'est-ce pas ?

Dit Evergreen, en remettant ses paquets au cocher pendant que nous nous dirigions vers un salon de thé.

— Non, ça c'est certain. C'est plus épuisant que de laver le linge ou de s'occuper du potager. Je ne sais pas comment vous faites pour décider ce qu'il faut acheter et ce qu'il ne faut pas acheter ?

— Haha.

Dit-elle en riant.

...C'est toujours une épreuve difficile pour moi, mais j'y arrive.

Nous éclatâmes de rire toutes les deux.

...Nous y sommes.

Annonça Evergreen en ouvrant la porte d'un petit salon de thé. Nous nous installâmes près d'une fenêtre. De là, nous pouvions observer les passants qui déambulaient. Nous commandâmes des sandwichs et des gâteaux, et lorsque notre thé arriva, j'avais à la fois soif et faim. Notre conversation ralentit quelque peu pendant que nous mangions et sirotions nos boissons pour reprendre des forces.

— Jillian... avez-vous toujours été pauvre ?

Demanda ma compagne en prenant une bouchée d'une délicieuse tarte à la crème.

Je faillis m'étouffer avec ma bouchée de *Victoria Sponge*.

— C'est une façon un peu directe de le demander !

Je m'essuyai la bouche avec une serviette.

…Malgré votre richesse et votre éducation, Mademoiselle LaVelle, vos manières vous trahissent.

Dis-je sévèrement.

Je la regardai fixement et remarquai alors qu'une grosse cuillerée de crème anglaise pendait de sa lèvre supérieure. Elle avait l'air ridicule et j'éclatai de rire.

— Qu'y a-t-il ?

Demanda-t-elle, les sourcils froncés.

Je fis un geste vers son visage, et elle s'essuya.

…Je ne vous voulais rien de mal, Jillian. Je suis simplement curieuse. Vous êtes une drôle de bestiole. Vous ne venez pas d'une famille riche, mais vous êtes éduquée et intelligente.

— Et vous, vous êtes typique de la classe supérieure, Evergreen, qui relie intelligence et statut financier.

Je pris une autre gorgée de thé.

…Vous serez peut-être choquée d'apprendre que l'intelligence ne vas pas forcément de pair avec la fortune. Vous plus que quiconque devriez le savoir. Regardez tout ce que votre père a accompli.

— Oh… vous voulez dire, son histoire d'être passé de la misère au luxe ?

Elle posa sa fourchette.

…Il y a une part de vérité dans cette histoire, mais s'il n'avait pas épousé Mère, il n'aurait jamais eu une telle réussite.

Elle s'assit sur sa chaise.

...Papa est un homme d'affaires avisé, mais c'est la fortune de ma mère qui a développé son entreprise. Vous voyez...

Elle arqua un sourcil.

... Il y a donc corrélation entre l'argent et l'intelligence, après tout !

— Peut-être...

Répondis-je.

...Pourtant, la perspicacité de votre père était là bien avant sa fortune. Je n'assimile pas du tout la richesse à l'intelligence. Je soutiens que l'intellect est, soit là pour être nourri par l'éducation, soit absent. J'ai rencontré beaucoup de gens riches qui sont aussi ignorants qu'une souche d'arbre.

— Vous me considérez comme l'un d'entre eux ?

Demanda-t-elle rapidement.

Je haussai les épaules.

— Seulement quand il s'agit de votre goût pour les chapeaux.

Oncle Jasper et Madame Stackpoole avaient déjà soupé quand la calèche me déposa à la maison. Je me fis un sandwich, et une fois que j'eus fini de manger, je rejoignis mon oncle. Il était seul dans le salon avec son verre de whisky. Madame Stackpoole était passée à côté pour discuter avec notre voisine, Madame Parker. Je m'assis sur le canapé et défis mes lacets.

— Alors, c'était comment ?

Me demanda-t-il pendant que j'enlevais mes chaussures et m'asseyais avec un soupir.

— J'ai mal aux pieds comme si j'avais dansé la gigue tout l'après-midi. Je te le jure, mon oncle, Evergreen LaVelle fait ses courses comme un chien affamé dans une boucherie. Cela ne serait pas un souci pour moi de ne plus rencontrer un autre chapelier de ma vie !

L'oncle Jasper alluma sa pipe en riant, puis se détendit dans son fauteuil tandis que la fumée aromatique s'échappait dans l'air.

— Je suis désolé que tu n'aies pas eu d'argent pour t'acheter quelque chose de joli, ma chère Jilly.

Son visage ridé était plein d'excuses, et je ressentis un pincement au cœur.

— Je n'avais envie de rien, mon oncle.

Répondis-je calmement.

...En vérité, je n'ai vu que des choses dont je pourrais définitivement me passer. Même si j'ai apprécié le thé et les gâteaux au-delà du raisonnable.

Comme il souriait, je sortis une petite boîte de ma poche.

Il est vrai que j'avais peu d'argent pour acheter un chapeau fantaisie ou une robe à la mode, mais j'en avais eu assez pour lui acheter un petit cadeau.

Je lui tendis la boîte, et il leva les yeux en signe d'interrogation.

— Qu'est-ce que c'est ?

— Un cadeau pour toi.

Il commença à parler, mais je levai la main pour le faire taire.

...S'il te plaît, ne dis rien, ouvre-le simplement. Ce n'est qu'une petite chose, mais c'est un grand merci pour tout ce que tu as fait pour que je sente avoir un nouveau foyer.

Ses doigts potelés ouvrirent maladroitement la boîte, puis il leva les yeux vers moi, tout à fait enchanté. Mon cœur se gonfla de bonheur. J'avais été ravie de découvrir ma trouvaille au fond d'une boutique encombrée de bibelots et de bricoles. Lorsque j'avais aperçu ce crapaud fossilisé et poussiéreux, j'avais su que mon oncle devait l'avoir. Heureusement, il était bon marché.

Il tint le morceau de calcaire et me sourit.

— Eh bien, je suis épaté ! Quel merveilleux cadeau ! Je n'en ai pas un comme ça dans toute ma collection. C'est merveilleux, Jilly. Tu es trop aimable de penser à moi.

Ses yeux pâles brillèrent.

...Je le chérirai toujours.

Il me regarda affectueusement, puis le moment passa et il posa le cadeau sur une table latérale et tira de nouveau sur sa pipe.

— Bien que je n'aime pas trop aller en courses, mon oncle, ce fut un changement agréable que de visiter un endroit différent. As-tu pu consacrer du temps à la préparation de la conférence ?

La réunion tant attendue au manoir Mountjoy n'était plus que dans trois jours, et l'oncle était submergé par tout ce qui était champignon.

— En effet, j'ai pu le faire. Même si je suis satisfait de mes progrès, il reste encore beaucoup à faire. Il y a de nouvelles notes sur mon bureau, prêtes à être transcrites dès que tu peux. Ce sont les dernières. Une fois que tu auras terminé mon rapport, il ne me restera plus qu'à organiser les échantillons que je dois emporter avec moi et à les emballer en conséquence.

Il me fit un sourire penaud.

...Madame Stackpoole a proposé son aide dans ce domaine. Elle prévoit d'assister à la conférence et de m'aider avec mes lichens.

Les joues de l'oncle Jasper prirent une teinte rosée et il devint tout de suite timide.

— Mon oncle…

Je souris.

… J'ai remarqué que tu as une amitié particulière avec elle. J'espère que tu n'es pas mal à l'aise pour en parler. Je ne vous juge pas. Je suis heureuse pour vous deux.

— Nous sommes simplement amis, Jilly. Je te prie de ne pas y voir plus que cela.

Il essayait de paraître convaincant, mais je n'étais pas dupe. L'oncle Jasper se pencha et tapota la cendre de la cloche de sa pipe dans la cheminée.

…J'ai oublié de te parler de demain.

— Qu'est-ce qui se passe, demain ?

— Nous sommes invités à *Hollyfield* pour le dîner. C'est arrivé cet après-midi de la part de Victor LaVelle.

— As-tu répondu ?

J'avais des sentiments mitigés à l'idée de retourner au domaine, bien que je ne puisse pas expliquer pourquoi précisément.

— J'ai accepté, bien sûr. Il fera encore jour lorsque nous arriverons, et j'ai envie de me promener dans leurs jardins pour voir ce que je peux y trouver.

Comme il rayonnait à cette perspective ! Je pouvais presque imaginer le visage d'enfant qui avait été, là, avant les rides et les moustaches.

— Je n'ai pas parlé à Victor depuis une éternité. Il sera bon de le voir et d'entendre ses nouvelles.

Je hochai la tête en signe d'accord. Mais une pensée me vint alors. Que savait mon oncle de la véritable relation entre Victor LaVelle et Billy Wolfe ?

XIV

Un groupe très hétéroclite était réuni à *Hollyfield House* pour dîner ce soir-là. Marabelle et Evergreen étaient présentes, mais c'est Victor qui présidait, au lieu de Perry et Marik comme la première fois, avec Lord Montague Mountjoy à ses côtés, et, en face d'eux, Oncle Jasper. J'étais assise à côté de Lord Mountjoy, sa femme face à moi. Lady Louisa Mountjoy était de plusieurs années la cadette de son mari - d'au moins deux décennies. Sa Seigneurie avait l'âge d'Oncle Jasper. Alors que mon oncle était petit, corpulent et chauve, « Monty » Mountjoy était grand et majestueux, avec une tête garnie de cheveux blancs. Mon oncle et lui étaient ravis d'être réunis et s'absorbèrent dans une discussion concernant les prochaines conférences que Lord Mountjoy organisait. Par conséquent, Lady Louisa ne fut que trop heureuse de discuter avec moi. J'étais ravie de son attention, mais je me sentais mal à l'aise à cause de ma robe quelque peu vieillotte.

— Eh bien, Mademoiselle Farraday…

Dit-elle du bout de ses lèvres passées au rouge.

…Oserais-je affirmer que vous avez trouvé *Ambleside* plus divertissant que vous ne l'aviez imaginé ?

Elle souriait et ses yeux marron foncé pétillaient. C'était une femme impressionnante, à la carnation singulière qui évoquait des origines méditerranéennes ou plus exotiques encore. Ses cheveux noirs de jais scintillaient à la lumière de la lampe et sa peau couleur olive paraissait d'un velouté parfait.

— Oui, en effet on peut le considérer ainsi, Lady Mountjoy. Cependant, tout ce qui s'est passé depuis mon arrivée me pèse énormément. C'est une telle succession d'évènements tragiques pour tous ceux que cela concerne…

— Connaissez-vous les garçons Wolfe ?

Demanda-t-elle en enfournant une pleine cuillerée de sabayon.

— Je les connais, mais pas très bien. J'ai rencontré Billy une seule fois, mais Dominic et moi sommes amis.

Elle haussa un épais sourcil noir.

— Je vois. Alors je suis certaine que vous êtes soulagée que Victor soit venu aider ce garçon pour son procès à venir !

— Je le suis, en effet.

Je la regardai sans pouvoir déchiffrer son expression. Avait-elle pitié de Billy, ou bien le croyait-elle coupable ? Louisa Mountjoy était-elle au courant de la véritable relation entre Victor et lui ?

… Ce serait très difficile pour quelqu'un comme Billy de prouver son innocence alors qu'il se trouve dans un lieu qu'il ne connaît pas, complètement terrorisé. Ajoutai-je.

— Alors vous le croyez innocent ?

— En effet

— Pourtant, vous avez déclaré ne l'avoir rencontré qu'une seule fois. Comment pouvez-vous être si sûre de vous alors que vous connaissez si peu ce garçon ?

Louisa Mountjoy avait-elle l'intention de me piéger ?

— Eh bien, je ne suis pas une autorité en la matière, Lady Mountjoy, mais vous m'avez posé une question, et j'y ai répondu honnêtement. Je n'ai eu qu'une brève conversation avec Billy Wolfe, mais j'ai trouvé que c'était un jeune homme gentil, doux et sans prétention.

Le considérer comme un meurtrier de sang-froid m'est impossible.

— Bien dit !

Conclut bruyamment Victor depuis le bout de la table. Et je réalisai avec une gêne certaine que les autres convives m'écoutaient. Mon visage s'empourpra.

— Je ne suis pas d'accord !

Evergreen était assise à l'autre bout de la table, face à son père. Une grimace assez laide lui déformait le visage.

— Ce garçon a toujours été étrange. Je veux dire... Regardez-le ! Il est anormalement fort pour un garçon de quinze ans ! Il ferait un redoutable adversaire, pour qui serait assez fou pour le provoquer !

Victor LaVelle jeta un regard noir à sa fille.

— C'est méchant de dire ça...

Il y avait de la colère dans ses propos.

... Pour une jeune fille de bonne famille qui a bénéficié d'une bonne éducation et qui passe pour être intelligente, tu parles vraiment comme la dernière des imbéciles !

Evergreen fixa son père sans se laisser impressionner par ses commentaires peu amènes. Elle prit nonchalamment son verre de vin et en but une gorgée.

Il poursuivit :

...Je n'aurais jamais imaginé que tu puisses t'abaisser à ce point, Evergreen ! C'était en-dessous de tout !

À ma grande surprise, elle haussa les épaules et balaya d'un revers de main la réprimande de son père.

Marabelle se joignit à la discussion.

— Billy ne s'est jamais mal comporté, à ma connaissance.

Ses yeux fixaient Victor, et même moi je pus voir à

quel point elle voulait plaire à cet homme.

…Depuis le temps qu'il travaille à *Hollyfield*, ses manières ont toujours été exemplaires. Le garçon est la plupart du temps dans son propre monde, celui des jardins et du bétail.

L'expression de Marabelle était emplie de douceur et d'émotion, presque méconnaissable quand on connaissait sa causticité habituelle.

— Oh, pour l'amour de Dieu, arrête de lécher les bottes de Papa !

Dit Evergreen avec irritation.

… Tu détestes Billy autant que moi, alors ne sois pas hypocrite, chère cousine !

— Ça suffit !

Victor frappa du poing sur la table et l'assemblée fit silence. L'instant était vraiment embarrassant.

Je me tournai rapidement vers l'homme qui se trouvait à mes côtés.

— Dites-moi, Lord Mountjoy, comment se passent les préparatifs pour la réunion de *la Société Pharmaceutique* ?

…Êtes-vous prêt pour le grand événement ?

— Oui, je suis tout à fait prêt.

Le vieil homme fixa son regard sur moi.

…Et j'espère que vous serez présente, Mademoiselle Farraday, car cette soirée promet d'être des plus agréables. Plusieurs membres éminents de la Société seront présents et le discours de votre oncle suscite d'ores et déjà beaucoup d'enthousiasme.

Monty Mountjoy avait autrefois été bel homme. Ses yeux étaient encore d'un bleu perçant, son profil aquilin et fier. Pourtant, il était d'un commerce agréable et je ne ressentais aucune gêne en discutant avec lui, malgré l'écart social qui nous séparait.

— Vous intéressez-vous à la flore, Mademoiselle Farraday ?

Demanda Louisa Mountjoy avec un léger sourire en coin. Se moquait-elle de moi ? Peut-être…

— Pas le moins du monde.

Répondis-je.

Et Victor éclata de rire.

— Mais comme vous êtes franche, Mademoiselle…

Dit-il en tamponnant ses lèvres de sa serviette et en posant son verre.

…Jasper… Votre nièce est-elle toujours aussi spontanée ?

Oncle Jasper acquiesça.

— Je crains bien que oui. Pourtant, je peux vous assurer, Monsieur, que le comportement de Jilly est des meilleurs, ce soir. D'habitude, elle est bien moins correcte, surtout en ce qui concerne la flore et autres choses du même genre.

— Je dois dire que je la comprends. Tout cela est quelque peu fastidieux…

Ajouta Lady Louisa d'un ton doucereux.

…Mon cher Monty peut discourir des heures sans tarir sur une petite feuille, tant et si bien qu'à la fin c'est moi qui suis épuisée, dans un état comateux.

— Comme Papa avec ses fichus bateaux à vapeur, enchaîna Evergreen.

…Il peut passer toute une journée à parler de pression et de moteurs. C'est fou comme des sujets aussi banals peuvent être distrayants pour les hommes.

— Je trouve que l'industrie maritime est très intéressante !

Répliqua Marabelle en jetant un regard à son hôte.

— Nous n'en doutons pas, ma petite chérie.

Evergreen lança à sa cousine un regard ravageur.

Victor se leva.

— Eh bien, si nous en avons fini ici, à table, allons prendre le café au salon.

Suggéra-t-il.

Il jeta un coup d'œil aux hommes.

…Monty, Jasper… À moins que vous ne préfériez rester ici pour les cigares !

Lord Mountjoy sourit avec bienveillance.

— Non, Victor. Je serais heureux d'accompagner ces dames, qui sont pour moi plus agréables à regarder que le professeur et vous.

Nous nous installâmes au salon. Je me retrouvai assise à côté de Lady Mountjoy tandis que Marabelle se tenait près de Victor qui conversait avec les deux autres hommes. Evergreen était assise dans son fauteuil et observait les invités. On aurait dit un chat affamé prêt à bondir sur l'oiseau de son choix.

— Êtes-vous originaire de cette région, Lady Mountjoy ?

Je m'efforçai de maintenir une conversation polie. Ses yeux acajou me contemplèrent.

— Mon Dieu, non ! Je viens de Taunton, dans le Somerset. Je suis loin de chez moi, un peu comme vous.

Nos regards se croisèrent et restèrent en contact un bref instant, et je compris que Louisa Mountjoy n'était peut-être pas une femme étroite d'esprit, car je venais de déceler une petite lueur d'amusement. Dans un éclair de compréhension, je sus de quoi il retournait : elle s'ennuyait. Pas seulement à cause de cette si divertissante soirée, mais aussi de tout le reste. Je me sentis aussitôt beaucoup moins intimidée par son attitude.

— Quelles activités pratiquez-vous… je veux dire, pour vous occuper pendant que Lord Mountjoy se consacre à ses loisirs ?

Elle haussa un sourcil et m'étudia. Puis elle fit un signe de tête approbateur, comme si j'avais réussi une sorte de test.

— Eh bien, chère mademoiselle, je suis écrivaine.

Je me penchai vers elle – piquée au vif.

— Comme c'est fascinant. Dites-moi… qu'est-ce que vous écrivez ?

Elle haussa les épaules.

— J'écris un billet hebdomadaire dans le journal local, et aussi des nouvelles qui ont été publiées dans différentes revues, aussi bien par ici qu'à Londres.

Elle prit une gorgée de café.

— C'est merveilleux !

Mon intérêt était sincère.

…Il est temps que les femmes aient la possibilité de contribuer aux nouvelles quotidiennes. C'est assez pénible d'avoir à vivre dans un monde régenté par les hommes, et tragique que nous ne puissions pas avoir le droit de voter.

— Vous parlez comme si vous étiez une suffragette.

— Oh, si seulement !...

M'exclamai-je.

…Je lis le *Woman's Suffrage Journal* quand j'ai la chance de le trouver. Oncle Jasper a beaucoup de respect pour Mademoiselle Lydia Becker parce c'est une amie de Charles Darwin et aussi une biologiste. Il ne voit donc aucun inconvénient à ce que je partage leurs espoirs.

— Alors, le professeur Alexander est un penseur progressiste ?

Lady Louisa lança un regard approbateur à mon oncle, puis elle se tourna vers son mari qui se tenait près d'elle et fronça les sourcils.

...Contrairement à d'autres que je connais...

Elle haussa un sourcil.

...Mademoiselle Farraday... je suis impressionnée, car il me semble que vous ayez la tête sur les épaules ! Je suis une abonnée régulière du *Woman's Suffrage Journal*. Je vous ferai suivre mes exemplaires après les avoir lus. Cela vous plairait-il ?

Cette gentillesse inattendue me laissa sans voix.

— Merci. C'est une offre généreuse, Lady Mountjoy.

— Je vous en prie.

Répondit-elle.

Son regard se porta sur Evergreen.

... Est-ce que Mademoiselle LaVelle et vous êtes devenues bonnes amies ?

Je haussai les épaules.

— Plutôt des connaissances, je dirais.

Je gloussai.

... Nous nous somme rencontrées par hasard, et en quelques occasions elle a estimé que je pouvais être de bonne compagnie.

— Ah, je comprends.

Dit Lady Mountjoy en souriant.

...Evergreen a toujours été une jeune femme assez exigeante. Avant vous, c'est Dominic Wolfe qu'elle harcelait. Il apprécie probablement cette pause momentanée !

Elle émit un petit rire. Les mots étaient blessants, mais je ne pense pas qu'elle ait eu cette intention. Pourtant, je n'aimais pas l'idée que Dominic et Evergreen aient pu passer des moments ensemble. J'en fus jalouse.

— Je crois que les LaVelle et les Wolfe sont des amis de longue date.

Répondis-je.

— On peut le dire comme ça !

Dit-elle d'un ton sardonique en se levant.

...Mademoiselle Farraday, j'ai apprécié notre conversation, ce soir. J'espère vous revoir bientôt.

Elle me fit un signe de tête et se dirigea vers son mari.

... Viens, Monty. Il est temps pour nous de prendre congé.

Des adieux polis s'ensuivirent, puis les Mountjoy partirent, nous laissant, mon oncle et moi faire nos adieux à notre tour. Je me levai pour aller vers mon oncle, mais je fus arrêtée par Marabelle Pike qui s'approchait.

— Vous semblez vouloir gagner les bonnes grâces de Lady Louisa…

Au début, je ne compris pas qu'elle s'adressait à moi, tant cette femme avait pris grand soin de m'ignorer à chaque rencontre.

— Mais pas du tout.

Répliquai-je, irritée par son ton.

…Nous avons trouvé un sujet de conversation qui nous a toutes deux intéressées.

Evergreen vint nous rejoindre. Elle lança un regard méprisant à sa cousine.

— Pour l'amour du ciel, Marabelle, arrête d'être pénible à ce point ! Es-tu si contrariée par le fait que quelqu'un profite de la soirée au point de venir la lui gâcher ?

Marabelle se raidit et sortit du salon.

Evergreen gloussa, et même si j'avais été agacée par son austère cousine, je fus troublée par le plaisir qu'elle semblait prendre à voir Marabelle déconfite.

Oncle Jasper s'approcha, Victor à sa suite.

— Jilly, Victor nous a proposé de profiter de sa calèche pour rentrer. J'ai accepté car il se fait tard et je suis exténué.

— Merci, Monsieur LaVelle.

Je souris poliment à notre hôte. Il eut un geste de la main.

— Il n'y a pas de quoi. Je suis heureux que vous ayez pu vous joindre à nous ce soir. J'espère que vous n'aurez pas été offensée par les débordements de ma petite famille !

Ses yeux verts se tournèrent vers Evergreen, qui garda la tête haute et affronta sa désapprobation sans broncher.

— Pas du tout !

Fut ma réponse, en regardant droit entre les deux LaVelle.

…Mieux vaut être honnête et direct que le contraire.

Je tendis la main pour serrer la sienne.

... Merci pour cette ravissante soirée. C'était fort aimable de votre part de nous inviter, mon oncle et moi-même.

— Ce fut un plaisir.

Dit-il galamment.

Il m'escorta jusqu'à l'entrée, tandis que suivaient Oncle Jasper et Evergreen en pleine conversation.

— Mademoiselle Farraday… Je me demandais si vous seriez disponible pour me retrouver à la ferme Wolfe demain. Disons… à une heure de l'après-midi…

Mon cœur fit un bond à la mention de la ferme de

Dominic. Toute occasion de le voir était un plaisir pour moi.

— Bien sûr. Je serais heureuse de venir.

— Où allez-vous ?

Demanda Evergreen, qui avait entendu son père.

…Et pourquoi ne suis-je pas invitée ?

Victor s'arrêta devant la porte d'entrée. Il se tourna vers sa fille :

— Cela ne te regarde pas !

Dit-il d'un ton froid et tranchant.

Evergreen, excédée, tourna les talons et s'enfuit. Je me sentis mal à l'aise. Cette famille se résumait-elle à un perpétuel conflit entre les uns et les autres ?

Oncle Jasper vint à la rescousse.

— Viens, Jilly, ma chérie. La calèche nous attend. Merci, Victor, je vous verrai à la conférence jeudi soir.

Il serra la main de notre hôte, m'aida à franchir le seuil et nous fûmes happés par la nuit.

Je ne fus pas très bavarde, sur le chemin du retour, mais Oncle Jasper ne le remarqua pas. J'étais occupée à me remémorer les commentaires de Lady Mountjoy concernant Evergreen et Dominic Wolfe. Y avait-il plus qu'une amitié d'enfance entre eux ? C'était tout à fait possible. Après tout, ils étaient l'un et l'autre séduisants et tout aussi intéressants. Il aurait été normal qu'avec le temps une idylle se noue ! Pourtant, ça ne pouvait pas être le cas, sinon Dominic ne m'aurait pas embrassée ! N'avait-il pas affirmé son désir de mieux me connaître une fois la situation de Billy résolue ? Je détestai ma naïveté, ainsi que mon inexpérience dans le domaine sentimental. Car pendant que mon cœur souhaitait consolider les sentiments que j'éprouvais pour le bel artiste, ma raison me chuchotait que susciter l'antipathie d'Evergreen LaVelle équivaudrait à une trahison…

XV

J'eus du mal à me concentrer sur mon travail, le lendemain matin. J'étais obsédée par l'idée de voir Dominic plus tard dans la journée. Chaque fois que je me figurais ce qui nous serait arrivé à tous les deux si Jareth Flynn n'avait pas été tué, c'était toujours l'image d'Evergreen LaVelle enlacée par les bras de Dominic qui revenait.

Le plus drôle, c'est qu'après tous ces mois à être seule, ma venue à *Ambleside* avait fait entrer quelqu'un dans ma vie de manière assez surprenante. Un homme pour lequel j'avais non seulement une attirance physique, mais aussi un profond intérêt tant il y avait à apprendre sur lui en tant qu'individu. J'aimais beaucoup Dominic Wolfe. Je respectais sa gentillesse, son sens du devoir envers sa famille, et la force tranquille que je sentais chez lui. Aurais-je le courage de lui poser des questions sur ses sentiments envers Evergreen ?

Après avoir déjeuné avec Oncle Jasper et Madame Stackpoole, je les quittai pour me rendre à la ferme Wolfe. La journée était ensoleillée et suffisamment chaude pour que je laisse mon châle à la maison. J'avais mis une vieille robe en coton de ma mère, et même si le tissu bleu pervenche était maintenant délavé, j'aimais beaucoup la porter car elle me rappelait ma mère, encore et toujours.

Je marchais d'un bon pas en descendant *Lake Road*, hochant de temps en temps la tête lorsque je croisais d'autres passants. Ils avaient des visages qui me devenaient familiers. Le ciel était d'un bleu éclatant et sans un seul nuage. J'étais émerveillée par la richesse de la palette de la nature et je contemplais les prairies d'un vert éclatant qui contrastaient si magnifiquement avec le ciel d'azur.

Dominic ouvrit la porte avec un sourire accueillant, et je sentis une bouffée de chaleur envahir mon cœur. Alors que j'entrai, il m'attira à lui dans une chaleureuse étreinte.

— Je suis si heureux de te voir, Jilly…

Me chuchota-t-il doucement à l'oreille.

…Tu es un tel réconfort, alors que tout ce qui m'entoure est sens dessus dessous…

Ses yeux parcoururent mon visage et se posèrent sur mes lèvres. Il approcha sa bouche de la mienne et m'embrassa intensément. Il s'arrêta au bruit des roues d'une calèche dans la cour. Il s'éloigna et me regarda intensément.

…Viens dans la cuisine. J'ai fait du thé. Victor pourra entrer tout seul.

Je suivis Dominic dans le couloir, l'esprit troublé par ses attentions.

Lorsque Victor LaVelle nous rejoignit dans la cuisine, je fus à nouveau frappée de constater combien il était différent des hommes de son âge. Il était impeccablement habillé et portait une veste en tweed brun qui lui allait à ravir.

— Bonne journée à vous, Jillian.

Il s'assit à la table et Dominic servit le thé, puis prit place. Victor sortit un petit carnet de sa poche et le posa sur la table.

…Roger Kemp est arrivé au village. Il souhaite vous rencontrer plus tard dans l'après-midi, Jillian. Même si cela peut être pénible, il vous questionnera sur la découverte du corps de Flynn.

Il jeta un coup d'œil à Dominic.

... Je l'ai récupéré à la gare de *Kendal* et l'ai emmené directement rencontrer Billy. Ils ont longuement parlé, et bien que le garçon soit toujours aussi désemparé, il a étonnamment bien répondu à Roger. Même dans l'état d'esprit confus où il se trouve, Billy reste inflexible quant à la perte de son couteau.

— Il n'a aucune raison de mentir à ce sujet, Victor.

Dit Dominic avec véhémence.

...Le couteau appartenait à notre Père, et il y tenait énormément.

— Pourtant, il ne vous en a pas mentionné la perte, quand c'est arrivé !

Déclara Victor.

Dominic réfléchit un moment puis il secoua la tête.

...Bon sang !

Dit Victor.

Il écrivit une note sur la page.

...Si seulement il l'avait dit, ça aurait été mieux, afin de démontrer la valeur du couteau pour le garçon ! Cela aurait été d'une grande aide, si Billy vous en avait parlé dès qu'il l'avait perdu. Du point de vue d'un jury, ils s'attendraient à ce que le garçon soit perturbé par la perte du couteau et qu'il en fasse état.

— Pas nécessairement...

Interrompis-je.

Ils se retournèrent pour me regarder.

...Il y a quelques années, j'ai perdu une broche que j'adorais et que m'avait donnée ma grand-mère. Je ne l'ai pas dit à ma mère pendant des jours car je craignais qu'elle ne soit contrariée, et même en colère contre moi. Je me dis que Billy était probablement inquiet de la réaction qu'aurait pu avoir Dominic.

Dominic hocha la tête.

— Maintenant que tu le dis, Jillian, c'est logique. Je gronde Billy lorsqu'il perd des objets, car cela lui arrive fréquemment. C'est souvent un outil de la remise ou quelque chose de ce genre. Mais il déteste quand je suis en colère contre lui. Pas étonnant qu'il se soit tu…

Victor garda les lèvres pincées un moment puis il me sourit.

— Jillian, vous soulevez un point intéressant ! Je vais le transmettre à Kemp. S'il y a procès, il devra trouver le moyen de gagner la confiance du garçon qui expliquera que s'il a caché le fait d'avoir perdu ce souvenir paternel, c'était parce qu'il craignait de décevoir son frère.

Le visage de Dominic se décomposa.

— Mon Dieu ! Je ne peux imaginer mon frère à la barre pour témoigner. Il sera pétrifié. Selon ce qu'il dira, il pourrait même rendre la situation pire qu'elle ne l'est déjà.

— Alors tu dois le préparer…

Insistai-je avec ardeur.

…Billy se sentira bien plus à l'aise si tu arrives à l'accoutumer à l'idée de venir témoigner. C'est en répétant avec lui que tu apaiseras ses craintes.

Victor hocha la tête.

— Elle a raison. C'est une excellente suggestion. Vous devez aller voir le garçon aussi souvent qu'ils le permettront.

Il termina son thé.

…Maintenant, la prochaine question que j'ai, Dominic… Avez-vous fouillé dans les affaires de Billy comme je vous l'ai demandé ?

— Oui. Quand l'agent Bloom en a eu terminé avec sa

chambre, j'ai regardé de fond en comble.

Il fronça les sourcils.

...Ce que je ne comprends pas, c'est pourquoi Billy avait le portefeuille de Flynn. Ce n'est pas un voleur, mais un collectionneur. Billy récupère les objets qu'il trouve dans les bois, des trucs cassés ou colorés, des objets que vous ou moi négligerions facilement. Mais il ne s'intéresse à rien de matériel, sauf aux animaux. Il reçoit son argent de poche chaque semaine, et à moins d'acheter des brioches ou quelque sucrerie, il l'économise dans un bocal sur l'étagère pour acheter des plantes ou des friandises pour le bétail. Toute cette histoire, pour moi, est peu crédible, car ce dont on accuse Billy est à l'opposé de sa personne.

Dominic se leva et récupéra une boîte posée à côté du poêle.

...C'est la boîte de Billy, contenant les objets spéciaux qu'il trouve. Je dois ajouter que le portefeuille n'y était pas. Il était glissé sous son matelas, ce que je trouve étrange. Il n'y a vraiment rien de significatif dans la boîte, mis à part un objet que je trouve curieux...

Dominic déposa une petite caisse en bois sur la table. Elle était pleine d'un bric-à-brac qu'il commença à fouiller. Une pelote de ficelle, des plumes d'oiseaux attachées ensemble, une petite pochette en cuir contenant des pierres, et ce qui ressemblait à une vieille poupée. Il y avait aussi une liasse de papiers. Ils étaient de différentes tailles et formes, reliés ensemble par un fin ruban. Dominic les prit et les plaça à côté de la boîte. Il détacha le ruban, puis saisit la feuille du dessus pour la montrer à Victor et se rassit.

C'était un petit bout de papier déchiré sur les bords et sale. Mais l'écriture était encore distincte. Victor le prit et l'approcha pour le lire.

— Hum…

Dit-il après un moment en nous regardant tous les deux.

…On dirait une partie de lettre envoyée par quelqu'un.

Il plissa les yeux, puis me la passa.

…Tenez Jillian. Vous avez des yeux plus jeunes que les miens.

J'étudiai l'écriture. Elle était assez mauvaise, mais lisible.

— Tu l'as déjà lue, Dominic ?

— Oui, mais lis, toi, et voyons si nous en tirons la même conclusion.

Je lus à haute voix ce que je pouvais déchiffrer.

— « *Je vous ai vu dans…* » - le reste de la phrase était manquant. La ligne suivante disait – « *contre-nature* » - et ensuite –« *le mardi à quatre heures, près du hangar à bateaux ou sinon…* ».

Je levai les yeux vers Dominic.

— Comment tu l'interprètes ?

— Eh bien...

Dit-il.

…Nous sommes d'accord sur ce qui est écrit, mais pour la signification, devine qui pourra !

— Contre-nature… Il y a plusieurs possibilités.

Dit Victor comme s'il était encore en pleine réflexion. Il se frottait le menton.

…Cela dépend de ce à quoi les mots font référence. Une action ? Un comportement ? De la cruauté ? Ça peut être tout cela et autre chose encore…

— Oui, mais celui ou celle qui a écrit ces mots doit avoir été le témoin de quelque chose.

Ajoutai-je.

…Et quoi que ce soit qui ait été vu, notre observateur a

jugé que c'était mal, du moins à ses yeux.

— Le « sinon… » est de mauvais augure…

Ajouta Dominic.

…Et le fait d'indiquer un lieu et une heure pourrait indiquer un rendez-vous, non ?

— Il semblerait bien que oui.

Convint Victor. Il s'adossa à la chaise et reprit le bout de papier.

…Je pense que Billy est tombé dessus par hasard. Mais nous ne savons pas quand ni où il l'a trouvé. Aussi, cela peut très bien n'avoir aucun lien avec le meurtre.

— Eh bien je le lui demanderai.

Dit Dominic en se levant brusquement.

…On ne sait jamais. Ç'est peut-être important, tu ne crois pas ?

Il me regarda, puis regarda Victor.

— Ça vaut la peine que tu vérifies.

Confirmai-je. Et puis une autre idée fit son chemin.

…Billy n'est pas un tueur, mais il semblerait qu'il ait vu quelque chose qu'il n'aurait pas dû voir, et il pourrait même ne pas s'en être rendu compte. Quel meilleur moyen de l'embrouiller encore plus, que de faire en sorte qu'il soit arrêté ?

Sur le chemin du retour, je ne pus m'empêcher de penser que Billy était tombé dans un piège. Cela me sembla être une explication logique, bien plus plausible en tout cas que les soupçons de meurtre et de vol qui pesaient sur lui. Au fond, pour commettre un acte violent tel que celui-là, il faut être poussé à bout, surtout s'il s'agit de riposter, ou de légitime défense. Mais de là à cacher une arme, et un portefeuille… Pour ça, il faut du calcul et de la ruse. Billy était peut-être imparfait, mais son état le limitait pas mal au quotidien et l'empêchait tout à fait d'être capable de préméditation. Mais qui pouvait souhaiter faire accuser Billy Wolfe, sachant qu'il pourrait être pendu le cas échéant ? La réponse était simple : quelqu'un de réellement méchant !

— Holà Miss. Tu planes chez les fées maintenant ?

Peggy Nash se tenait sur le sentier, avec la même tenue crasseuse que la fois précédente. Je m'arrêtai net, puis fis involontairement un pas en arrière, par crainte de la puanteur de cette personne.

— Bonjour, Mademoiselle Nash.

— Tu étais chez les Wolfe, alors ?

— En effet.

Répondis-je, même si j'ignorais en quoi cela la regardait.

— J'aime ces gars. Surtout le petit Billy.

Son commentaire me radoucit, car seule une âme bienveillante pouvait comprendre quelqu'un comme Billy Wolfe.

...Billy n'a jamais poignardé ce Flynn. Pas Billy ! J'ai vu quand il a poussé son dernier souffle. Et j'ai aussi vu de mes propres yeux le couteau planté dans ses côtes. Mais ce n'est pas Billy qui l'a enfoncé là !

— Que voulez-vous dire, Peggy ?

Mon pouls s'accéléra. Que savait donc cette drôle de femme ?

Elle n'arrêtait pas de se passer la langue sur la lèvre inférieure, et elle souriait d'un air narquois.

...Billy n'y était pas, près du hangar à bateaux, sur le lac...

Elle pointa du doigt plus ou moins en direction de *Lake*

Road.

...Il était parti dans les bois pour regarder les nouveaux lapins. Je l'ai vu leur parler. Puis j'ai marché jusqu'à la rive et il y a eu un grand plouf dans l'autre direction, près du hangar à bateaux. Mais ce n'était pas un poisson.

Elle gloussa. Je compris ce qu'elle voulait dire. Elle était en train d'affirmer que Billy n'était pas sur le lieu du meurtre, mais suffisamment loin, ce qui pouvait établir son innocence. Je fis un pas vers la femme.

— Peggy… Seriez-vous prête à raconter cette histoire à l'avocat de Billy ? Cela aiderait le garçon, car il a de gros problèmes.

Elle fronça un sourcil qui, lui aussi, était un peu sale.

— Sais pas. Je vais y réfléchir.

Dit-elle tranquillement.

Et elle se retourna pour repartir par où elle était venue.

Mon pas se fit plus rapide et je me hâtai de rentrer chez moi. Victor m'avait demandé de rencontrer Maître Kemp cet après-midi pour lui faire le récit du jour où j'avais découvert le corps du forgeron. Mais maintenant, j'allais pouvoir lui en dire beaucoup plus. Un nuage de légèreté emplissait ma poitrine, et il me fallut beaucoup de volonté pour ne pas courir jusqu'à la ferme Wolfe et annoncer ces nouvelles à Dominic.

— Non. J'ai bien peur que son témoignage ne soit pas suffisant pour qu'ils abandonnent les charges contre Billy, Mademoiselle Farraday.

Mon cœur s'effondra.

Je venais de partager avec enthousiasme la conversation de Peggy Nash avec l'homme d'âge moyen assis en face de moi à la table de la cuisine. Roger Kemp avait sans doute des revenus confortables. Cela se voyait à son costume bien coupé d'un tailleur de qualité, sa chemise blanche impeccable et sa cravate de bon goût. Avec l'apparence propre et nette d'un militaire, il se tenait assis dans une posture parfaite, comme s'il avait été au garde-à-vous dans notre petite cuisine.

— Mais c'est sûrement un témoin de premier ordre ! Grâce à elle, Billy peut être écarté de la scène du meurtre !

L'homme mûr caressa de son index sa moustache, qu'il avait soignée.

— Mademoiselle Farraday… je ne doute pas que cette femme soit persuadée de tout ce qu'elle dit, mais d'après votre description, si elle est reconnue pour ne pas avoir toute sa tête, son témoignage ne sera pas crédible. Une personne ayant sa réputation serait ridiculisée dans la salle d'audience. Je doute qu'elle se présente même au procès, et encore moins qu'elle soit capable de tenir bon pendant toute la durée d'un contre-interrogatoire.

J'étais complètement déroutée. Mon excitation à l'idée de pouvoir prouver l'innocence de Billy avait disparu. Je laissai mes épaules s'affaisser et je fixai d'un air sombre une petite marque sur la table.

...Ne vous découragez pas, mademoiselle.

Dit-il gentiment.

Je levai les yeux et rencontrai ses yeux bruns.

— Je ne peux pas m'en empêcher, Maître. J'ai tant de peine pour la famille Wolfe.

— Nous avons encore beaucoup de pistes à étudier, Mademoiselle Farraday. Gardez à l'esprit que si cette personne a vu Billy, il est probable que d'autres personnes l'aient également vu dans les bois. Cela doit être notre objectif. Si nous pouvons confirmer sa déclaration grâce à d'autres témoignages, nous pourrons vraiment être en mesure d'obtenir l'abandon des charges contre Billy Wolfe.

Roger Kemp rassembla ses papiers sur la table et les plaça dans sa mallette. Il se leva. C'était un homme grand et solidement bâti, à l'allure sportive. Il posa son chapeau sur ses cheveux grisonnants, puis me tendit une main que j'acceptai et serrai.

— S'il vous plaît, faites-moi savoir si je peux faire quelque chose pour vous aider, Maître.

— Je le ferai. Merci. Il serait bon que vous vous renseigniez dans le village pour savoir si quelqu'un d'autre a vu Billy ce jour-là ! Parfois, les informations peuvent provenir de la source la plus insoupçonnée.

— Comme Peggy Nash ?

Rebondis-je d'un ton neutre. Il eut l'élégance de sourire.

— Touché, Mademoiselle Farraday.

Madame Stackpoole avait fait frire des tranches de bacon épaisses et nous confectionna des sandwichs, mais je goûtai à peine la nourriture tant j'étais préoccupée après les évènements de la journée.

Le coup à la porte nous surprit, car il faisait presque nuit. L'oncle Jasper alla répondre et revint avec Dominic à ses côtés. Mon cœur se réjouit en le voyant. Je me levai.

— Est-ce que tout va bien, Dominic ?

— Oui, Jillian. Je vous en prie, finissez de dîner. Je rentrais chez moi et j'ai pensé à m'arrêter pour vous voir tous.

Je me rassis et lui fis signe de se joindre à nous.

Madame Stackpoole trancha deux généreux morceaux de pain, les beurra et prépara un sandwich pour Dominic. Il accepta l'assiette proposée avec reconnaissance et elle se leva pour aller chercher une autre tasse afin qu'il puisse se servir du thé.

Après avoir pris une bouchée, Dominic avala une gorgée de la boisson chaude.

— J'ai été voir Billy cet après-midi. Ils m'ont permis de rester plusieurs heures pour lui parler.

— C'est gentil de leur part, d'outrepasser le règlement. Dit généreusement l'oncle Jasper.

— Oh, ils ne voulaient pas vraiment que je sois là. Répondit Dominic avec dédain.

…Mais Billy a fait une petite crise ce matin, et ils n'en pouvaient plus de l'entendre crier et pleurer. Il ne s'est arrêté que lorsqu'il m'a vu.

— Le pauvre garçon…

Dis-je doucement, éprouvant instantanément de l'empathie pour l'homme assis en face de moi.

...Comment était-il quand tu es parti ?

— Beaucoup mieux, merci. Ces sortes de crise reviennent de temps à autre. Elles se déclenchaient lorsque nos parents se mettaient en colère contre lui. Il devenait agressif et il avait une crise de nerfs, avant de s'effondrer et de pleurer.

— Le garçon doit être effrayé de se trouver dans un environnement si différent de celui auquel il est habitué.

Commenta oncle Jasper.

Madame Stackpoole ne dit rien, et j'en fus soulagée. Ses sentiments sur la culpabilité de Billy constituaient toujours un point sensible entre nous. Je les lui pardonnais volontiers car elle n'y mettait aucune méchanceté.

Dominic se tourna vers mon oncle.

— Il a tellement peur ! Il est enfermé dans une petite pièce sans fenêtre et sans rien pour s'occuper. Billy a l'habitude d'être dehors, à l'air libre, tandis que là, il sent vraiment qu'il est prisonnier.

— Lui permettent-ils de faire quelque chose ?

Mes connaissances sur les prisons étaient très réduites.

— J'ai pris certains de ses livres, et ils m'ont permis de les lui laisser. Ça va l'aider énormément. Il a aussi du papier et des crayons car il aime dessiner des animaux.

Dominic finit son sandwich et son thé.

... Merci pour ce repas, Madame Stackpoole. Je ne pensais pas avoir aussi faim...

Il me regarda attentivement, et je compris qu'il souhaitait me parler seul à seule.

— Oncle Jasper... cela te dérangerait si je parlais à Dominic un moment ?

— Pas du tout !

Répondit-il avec bonhomie.

Nous sortîmes donc tous les deux, et je précédai Dominic dans le hall et le salon.

Dès que la porte fut refermée, Dominic prit la parole.

— As-tu rencontré l'avocat, Jillian ?

Je fis un signe de tête affirmatif. Dominic avait passé tout l'après-midi à *Kendal* avec Billy, il n'avait donc pas eu de nouvelles.

— Maître Kemp est resté près de deux heures ici, Dominic.

— Et ?...

Je pouvais voir l'impatience sur son visage.

Je lui racontai ma discussion avec l'avocat, puis ma rencontre avec Peggy Nash. Le visage de Dominic s'éclaircit. Je n'avais pas envie de poursuivre avec ce que l'avocat avait dit, mais je le fis, et je regardai tristement la flamme de son espoir s'estomper et s'éteindre.

— Tu ne dois pas désespérer.

Dis-je avec plus d'enthousiasme que je n'en ressentais.

…Cela ne fait que confirmer ce que nous pensions déjà de son innocence. Kemp suggère que nous enquêtions dans le village, car si Peggy a vu Billy, sans doute que quelqu'un d'autre l'a vu aussi.

Dominic sembla revigoré par ces derniers mots, ce qui me fit plaisir.

— As-tu demandé à ton frère, pour le morceau de lettre que tu as trouvé dans sa boîte ?

— Oui. Cela a pris un certain temps, mais il a dit qu'il l'avait trouvé dans les bois près de *Hollyfield House*. Il passe beaucoup de temps dans les terres autour de la maison quand il y va pour jardiner, car les jolis coins sont nombreux près du lac.

— S'est-il souvenu de quand il l'a trouvé ?

Je n'étais pas sûre que cela puisse avoir un lien avec notre problème…

Dominic hocha la tête.

— Il pense que c'était avant la naissance des lapins.

— Sais-tu quand c'était ?

— Malheureusement non. Mais si Peggy dit vrai quand elle affirme que Billy était avec les lapins le jour de la mort de Flynn, il a dû trouver le mot avant le meurtre. Donc, nous ne devons pas définitivement mettre de côté ces mots ni leur signification. Cependant, le fait que Billy l'ait trouvé à proximité de *Hollyfield House* m'intéresse beaucoup.

— Tu penses qu'il y a un lien entre les deux ?

Il soupira, et je vis des ombres sous ses yeux dorés. Il devait être épuisé. J'étais de tout mon cœur avec lui, et je souhaitais ardemment pouvoir l'aider davantage.

— Eh bien… la référence au hangar à bateaux et l'emplacement où a été trouvée la note conduisent forcément vers *Hollyfield,* n'est-ce pas ? Après tout, c'est la seule maison dans le coin. Même si la pertinence de la note me laisse perplexe. J'ai pourtant lu ce fichu papier plusieurs fois, et pour moi le « ou sinon… » pourrait être une menace. Tu n'es pas d'accord ?

— Oui, je suis d'accord. Par conséquent, l'auteur de la note a vu quelque chose qu'il ou elle pense être mal, et cette personne fait ensuite référence au hangar à bateaux, ce qui induit un rendez-vous, en quelque sorte. Pourtant, comment peut-on avoir envie de parler avec une personne qui nous aurait dégoûté… ?

Ma question resta en suspens.

Nos regards se croisèrent dans l'espace de la pièce, puis, à l'unisson, nous y répondîmes tous les deux en même temps.

— Un chantage !

XVI

Quand Dominic repartit chez lui, la soirée était déjà bien avancée. Je sentais pourtant l'impatience que suscitait en nous cette nouvelle piste et les possibilités qu'elle offrait. Je devais le retrouver à la ferme le lendemain matin, et nous avions prévu d'aller faire un tour au hangar à bateaux de *Hollyfield House*.

Avant de prendre congé, Dominic me serra contre lui avec ardeur. Son baiser langoureux provoqua en moi une onde de chaleur et de plaisir, mais j'étais néanmoins tenaillée par la question de sa relation avec Evergreen. Pourquoi étais-je incapable de lui en parler ? Je réussis malgré tout à dormir comme un bébé, enveloppée de ce nouvel amour, le goût du baiser de Dominic encore présent sur mes lèvres.

À mon réveil le lendemain matin, le temps était maussade et il pleuvait. Après le petit déjeuner, je me retirai et je me préparai à aller à pied jusqu'à la ferme Wolfe. Quand je partis, Oncle Jasper était déjà installé avec Madame Stackpoole dans son bureau. Ils étaient plongés dans la préparation de sa conférence qui devait avoir lieu ce soir-là, et je ne pense pas qu'ils entendirent mon au revoir.

Il pleuvait des cordes dehors. Ce n'était pas le jour idéal pour une sortie. En effet, lorsque j'arrivai à la ferme Wolfe, mon manteau était trempé jusqu'à la doublure, mon parapluie complètement retourné et ruisselant. Le vent du lac avait emmêlé mes cheveux, et au moment où j'entrai dans la maison de Dominic, je n'étais pas loin de ressembler à une sorcière.

Je me plaignis de tous mes malheurs auprès de lui et cela le fit beaucoup rire. Il retira mon manteau et le mit sur un cintre pour le faire sécher dans le couloir, avant de me guider vers la cheminée où je choisis un siège. Je lui fus très reconnaissante de m'apporter une boisson chaude qui réchauffa mes mains tandis que j'appréciai les bienfaits du poêle.

— Je ne peux pas croire qu'il fasse si froid dehors ! On est quand même au mois de mai ! C'est incroyable ! Me plaignis-je.

— Ah, mais tu n'es plus dans le *Devon*, Jilly. Ici, en altitude, le temps est très changeant. Quand le vent et la pluie arrivent du lac, l'humidité peut pénétrer jusqu'aux os.

Je frissonnai et pris encore plusieurs gorgées du chaud breuvage qui m'aida à combattre les frissons.

— Est-ce qu'on va attendre que le temps change pour aller au hangar à bateaux ?

Je n'avais aucune envie d'être à nouveau trempée.

— Je crains que la pluie ne soit installée pour la journée, mais on peut espérer que le ciel va s'éclaircir, ce qui nous permettrait de nous aventurer dehors. Pour l'instant, tu vas devoir rester ici avec moi, et je vais tirer le meilleur parti de ta captivité.

Il eut un sourire coquin, et je le lui rendis, joyeusement excitée par l'intention que sous-tendaient ses paroles. Dominic s'approcha et s'agenouilla devant ma chaise. Il me prit la tasse des mains et la posa sur le sol. Nous nous regardâmes intensément. Il commença à enlever les épingles qui retenaient mes cheveux dans ce qui avait été un chignon, et je laissai échapper un soupir.

Au fur et à mesure qu'il les enlevait, tout le poids sur ma tête s'allégeait et mes nattes dégringolèrent sur mes épaules.

— Oh, Jillian…

Soupira-t-il.

...Si seulement je pouvais te peindre ! Tu es si belle !

Ses yeux étaient couleur d'ambre liquide. J'humectai mes lèvres.

...Tu es pareille à Athéna.

Dit-il doucement.

...Avec le velours brun de tes cheveux qui tombent en cascade dans ton dos.

Il passa ses doigts dans mes cheveux qui flottaient sur mes épaules.

...Je voudrais réaliser ton portrait, Jillian. Alors tu deviendrais immortelle…

Son visage se rapprocha du mien, et je pus voir les minuscules paillettes de bronze qui parsemaient son iris, l'épaisse courbure de ses cils sombres, le soupçon de barbe qui assombrissait son teint. Il se rapprocha, libéra mes cheveux de ses mains et les fit glisser pour les faire reposer sur mes épaules. Doucement, il m'attira à lui. Je vis ses lèvres s'ouvrir, et j'étais dans un état second lorsque nos bouches se rencontrèrent enfin. Ce fut un baiser tendre, lent et plein de passion. Puis il augmenta en intensité, et lorsque sa langue chaude desserra mes lèvres, je sentis le moment où mon désir allait m'emporter. Le baiser s'intensifia encore, et tous mes sens s'abandonnèrent complètement. Je me laissai aller et le temps sembla suspendu.

Et puis, soudain, ce fut terminé. Il s'éloigna de moi et je sus qu'il pouvait lire le désir sur mon visage. Je respirai par à-coups, les lèvres encore gonflées de son baiser.

— Dominic…

Un besoin primaire s'était emparé de moi.

…Dominic…

Chuchotai-je,

…J'ai envie de toi.

Je pus voir toutes sortes d'émotions balayer son visage et, par-dessus tout, la force de son désir qui se mesurait à son sens des responsabilités. Je sentis qu'il cédait à ce dernier, alors la chaleur commença à refluer dans mes veines, et cela m'attrista.

— Chère Jilly...

Dominic leva sa main et traça de son doigt une ligne sur ma joue.

…Tu as en toi la passion d'une séductrice.

Il sourit, et mon souffle resta prisonnier de ma gorge, tant la sensation qu'il avait éveillée en moi était puissante.

…Même si cela devient plus difficile à chaque fois que nous nous rencontrons, je ne veux pas en profiter pour abuser de toi.

Une énorme déception s'abattit brusquement sur moi. Je ne me reconnaissais pas ! J'avais perdu toute pudeur, aussi je restai assise, comme hébétée, devant cet homme à la virilité si sensuelle. Ces pensées me donnèrent à réfléchir. Je devais arrêter tout comportement licencieux avant que cela n'aille trop loin. Le rouge me monta aux joues, ainsi qu'une sensation d'irritation à l'idée que je puisse être aussi fourbe.

Dominic se redressa et m'encouragea du regard.

…Je crois que toi et moi avons encore beaucoup à découvrir, Jilly.

Cette expression me réjouit ; on pouvait y percevoir la promesse de choses à venir.

...Mais pour l'instant...

Poursuivit-il,

...Je dois me concentrer sur Billy et cette horrible affaire. Ce que je ressens pour toi doit encore attendre, j'en suis désolé, mais je suis trop inquiet et préoccupé en ce moment.

Il se dirigea vers le fourneau, raviva les braises et mit du charbon.

Je me baissai pour ramasser les épingles que Dominic avait retirées de ma coiffure, puis je me dirigeai vers un petit miroir accroché dans la cuisine. D'une main experte, je rassemblai mes cheveux et les nouai soigneusement en un nouveau chignon.

...Je préfère quand il est défait.

Dit-il doucement.

Je ne sus que répondre. C'était un tout nouveau rôle pour moi, car je n'avais jamais connu l'intimité entre deux personnes auparavant. Au-delà d'un regard appuyé ou d'un sifflement lubrique, je n'avais jamais été l'objet du désir de quelqu'un. J'étais en train de changer de répertoire et c'était comme un costume dans lequel j'avais encore à grandir. Sans doute le temps permettrait-il la métamorphose de l'ingénue que je pensais être...

Je m'approchai de la fenêtre vers l'évier de la cuisine.

— Comment va le temps ?

— Humide, toujours...

Répondit Dominic d'un ton grave en venant à mes côtés.

Le ciel était gris, les nuages moroses et la pluie s'abattait sur la bâtisse.

...Si nous devons y aller, nous ferions mieux de nous mettre en route. Je crois que la pluie s'est installée pour le reste de la journée.

Il alla dans l'entrée et en revint avec deux manteaux. Il m'en tendit un.

...Tiens, tu peux mettre celui de Billy. Ils sont imperméables et nous garderont plus au sec que ton parapluie.

Nous enfilâmes les manteaux et Dominic me tendit une paire de bottes en caoutchouc.

...C'étaient les bottes de ma mère. Essaie-les et vois si elles te vont. Elles garderont tes pieds bien au sec.

Les bottes étaient un peu grandes, mais Dominic trouva des chaussettes épaisses où mes pieds étaient à l'aise. Nous fûmes prêts à partir.

Nous gagnâmes le hangar à bateaux en silence, car la traversée du bois au sol détrempé requérait la plus grande prudence.

Dominic pensait préférable d'approcher le hangar à bateaux par la rive du lac plutôt que depuis *Hollyfield House*. Il ne voulait pas attirer l'attention sur ce que nous allions faire.

Lorsque nous arrivâmes à destination, je reconnus le hangar aperçu lors de ma première visite à *Hollyfield*. La base était constituée de briques robustes autour d'un petit quai, avec, à l'étage, des locaux percés de fenêtres. Un petit bateau était amarré sous le hangar, et l'avant du bâtiment était complètement ouvert sur l'étendue du lac *Windemere*, très agité par ce mauvais temps. Dominic indiqua l'escalier, aménagé depuis le quai, permettant d'accéder à l'étage.

Nous entrâmes à l'intérieur du hangar, et je vis un

voilier qui semblait danser autour de son point d'amarrage. Dominic traversa le bâtiment ; tout était humide et silencieux et je ne le quittai pas d'une semelle. Sur le quai, on sentait toujours le vent souffler mais, au moins, nous étions à l'abri de la pluie froide.

— Qu'y a-t-il au-dessus ?

Me demandai-je à voix haute.

— C'est là qu'ils gardent tout le matériel de navigation. Répondit Dominic.

…En bas, ça reste ouvert à tous les vents, donc le voilier est enchaîné et cadenassé. Le local à l'étage est réservé pour ce qui doit être gardé au sec. Il est tenu sous clé.

— Tu y es déjà allé ?

— Oui, il y a longtemps. J'avais l'autorisation de la famille pour m'en servir de studio. À l'époque, les LaVelle venaient rarement au lac.

— À ton avis, pour quelle raison sont-ils venus et restent-ils aussi longtemps cette fois-ci ?

Dominic s'arrêta au pied de l'escalier :

— Selon Perry, Evergreen a été surprise à Londres dans une situation assez délicate pour une jeune fille de bonnes mœurs. Victor a pensé qu'il valait mieux la faire venir ici pour éviter un scandale.

Son visage était empreint de dégoût. Cela me surprit. Aussi bien le comportement d'Evergreen que l'expression de Dominic.

…Ça te choque, que ton amie ne soit pas un modèle de vertu ?

Demanda-t-il de manière renfrognée.

— Pas tant que ça. Cependant, Evergreen m'avait dit qu'ils étaient là pour que Perry puisse se former auprès d'un ancien comptable.

— Oh, tu fais référence à Nicholas Sneed ! Eh bien, c'est en partie vrai. Victor veut que Perry apprenne les aspects financiers afin d'être prêt au moment de prendre les commandes de l'entreprise. Allez, montons. La porte sera probablement fermée, mais je vais quand même vérifier.

Il se tourna pour gravir les marches en bois et je le suivis en restant juste derrière lui. Quand Dominic atteignit la porte, tout en haut, il fronça les sourcils - elle était entrouverte.

— Ce n'est pas aussi sécurisé que ça, alors ?
Osai-je.
— Humm... On sort le bateau dès que le temps se met au beau. Je parierais que Perry ou Marik ont navigué récemment et ils auront oublié de refermer après leur passage.
Je le suivis à l'intérieur.

C'était une grande pièce carrée. Une odeur de moisi flottait dans l'air. La lumière était faible en raison du temps nuageux, et ce en dépit de la quantité de fenêtres alignées tout autour de la salle. En arrière-plan, on pouvait distinguer la silhouette floue de *Hollyfield House* qui montait la garde au loin.

Des cordes, des rames et des pagaies étaient suspendues à de solides chevilles de bois, fixées çà et là sur les murs. Je vis d'autres objets dont j'ignorais le nom. Je suppose qu'il s'agissait d'ustensiles utiles pour la navigation. Des piles de filets gisaient en tas sur le sol, et je reconnus un type de matériau probablement utilisé pour les voiles. Il y avait deux meubles dans un coin, un vieux canapé et une petite table. Mais l'endroit semblait abandonné depuis longtemps.

— Quelqu'un est venu ici récemment, c'est certain !
Dit Dominic, contredisant mon impression.

— Pourquoi dis-tu ça ?
Demandai-je.

Il me désigna le canapé aux motifs délavés sur lequel une couverture avait été jetée – et devant celui-ci, sur la table, une bouteille vide et deux verres sales. Je jetai un coup d'œil à Dominic qui semblait troublé.

— Quelque chose ne va pas ?
Il s'éclaircit la gorge.

— Non, ça va. Viens, nous devrions partir.
Il tourna les talons et quitta brusquement la pièce.

— Attends…
Je me précipitai après lui.

…Je pensais que nous allions jeter un œil pour voir si nous pouvions trouver quelque chose ? Peut-être que celui qui a écrit la note était ici et a rencontré quelqu'un ? Après tout, il y a deux verres sur la table ! Mais Dominic fit comme s'il ne m'avait pas entendue et continua d'avancer. Il redescendit l'escalier et ne s'arrêta qu'au bas des marches.

…Dominic, quel est le problème ?
Il ne répondit pas. J'essayai à nouveau.

…Quelque chose t'a contrarié ?
Il se dirigea vers l'endroit où le bateau tanguait.

— Je crois que ce hangar est un lieu de rencontres…
Je clignai des yeux.

— Je ne comprends pas…
Il me répondit dans un rictus :

— Jillian… des gens se sont retrouvés en secret là-haut.
La couverture, sur le canapé...
Je finis par comprendre.

— Oh !

Je me sentis affreusement bête et naïve.

...Tu penses à qui ?

Puis me revinrent à l'esprit ses commentaires à propos d'Evergreen.

...Tu crois qu'Evergreen a rencontré quelqu'un à *Ambleside* ? Il n'y a sûrement aucun soupirant potentiel caché par ici ?

— Pourquoi penses-tu à Evergreen ?

Son ton coupant me prit au dépourvu.

— Après ce que tu viens de me dire sur son comportement à Londres, j'ai supposé que tu pensais que ça aurait pu être elle.

Je me fichais bien de la manière dont il avait répondu, car la petite aiguille du doute venait de refaire surface au sujet d'Evergreen et lui. Leur amitié était-elle platonique, ou plus que platonique ?

...Qu'est-ce-que tu suggères, Dominic ? Que nous lui demandions si elle est venue ici ?

Il fit une pirouette vers moi :

— Non. Nous ferions mieux de rester en dehors de ça. Du moins pour l'instant, jusqu'à ce que j'aie eu le temps de réfléchir.

Il me prit la main.

— Viens, partons d'ici avant d'être vus. Je suis désolé de t'avoir obligée à sortir sous la pluie pour rien.

— Inutile de t'excuser. J'ai vécu une sacrée aventure.

Sans un mot, il me prit dans ses bras, et pressa sa bouche chaude et caressante contre la mienne. L'image d'Evergreen s'envola. Je devins aussi molle qu'un chiffon et me pressai contre son corps vigoureux. Le baiser fut long et lent. Tandis que la pluie dégringolait dehors, je me laissai aller à mes sensations et un franc plaisir m'envahit.

Dominic mit fin au baiser mais garda son front appuyé contre le mien.

— On dirait, Jillian Farraday, que lorsque je suis avec toi, je ne peux m'empêcher de te toucher.

Le désir brillait dans ses yeux dorés et il se reflétait dans les miens.

— Et cela me rend heureuse…

Dis-je doucement, tandis que nos doigts s'entrelaçaient.

— Nous devrions y aller.

Dit-il à contrecœur.

Mais comme nous nous éloignions, mon pied se prit dans une grosse corde enroulée qui traînait sur le plancher du quai. Dominic essaya de me rattraper, mais c'était trop tard. Je trébuchai et tombai en avant, mes mains portant presque tout mon poids quand je touchai le sol.

…Jillian, ça va ?

Sa voix était pleine d'inquiétude et je lui répondis aussi vite que je pus, me sentant un peu bête d'avoir perdu l'équilibre. Il voulut m'aider à me remettre sur mes pieds, mais je l'en empêchai.

— Laisse-moi un moment, que je reprenne mon souffle.

Demandai-je en frottant mes mains douloureuses pour en chasser la saleté qui s'y était incrustée. À cet instant, mon regard fut attiré… J'étais à terre, près de la corde qui m'avait fait chuter, et je vis quelque chose briller, et ce quelque chose n'avait, semble-t-il, rien à faire là ! Lentement, je me remis debout et fis un pas pour m'approcher.

— Qu'est-ce qu'il y a ?

Demanda Dominic en fronçant les sourcils.

— Il y a quelque chose de coincé sous la corde.

Je me baissai et attrapai l'objet. Mes doigts l'extirpèrent de sa cachette, et je me redressai, tout en ouvrant ma paume pour montrer ma trouvaille. C'était une petite montre à gousset assez ordinaire, du genre robuste, et surtout très usée. Le verre était rayé et un fer à cheval était gravé sur le tour du cadran. Je la retournai pour en étudier le dos. Autre chose y était gravé. C'étaient des initiales, presque effacées mais encore lisibles.

... Regarde ça, Dominic....

Je tendis la main pour qu'il puisse voir ce que j'y avais lu. Les lettres « J. F. » étaient clairement visibles. Dominic la retourna pour regarder la face avant de la breloque, puis il leva les yeux vers moi.

— Jareth Flynn ?

Articulai-je doucement.

— Oui !

Confirma-t-il,

...ça doit être la montre du forgeron.

XVII

Nous nous dépêchâmes de rentrer à la ferme des Wolfe. Le chemin était humide et boueux et le vent mugissait. Après nous être débarrassés de nos imperméables et de nos bottes, nous nous précipitâmes dans la cuisine où Dominic mit rapidement une bouilloire sur la cuisinière, et la remplit de bois. En un rien de temps nous fûmes assis devant un bon feu en sirotant notre thé et nos extrémités commencèrent à se réchauffer.

— Jareth a dû passer par le hangar à bateaux avant qu'on ne le tue…

Depuis que j'avais trouvé la montre, mon esprit échafaudait toutes sortes de théories.

— Ça pourrait bien être ça. Parce que si ce n'est pas lui qui a laissé la montre là-bas, qui a pu le faire ?

Un pli soucieux marqua ses sourcils.

— La montre aurait pu tomber de sa poche directement sur le quai, mais comme je l'ai trouvée sous la corde, elle a dû tomber et glisser dessous.

Dominic me regarda fixement.

— Quelle est ta théorie ?

Je haussai les épaules.

— La montre de Flynn a pu se détacher si la chaîne a cassé. Ou encore, si le forgeron est venu au hangar et qu'il y a eu une altercation, la chaîne a pu être brisée durant la bagarre.

C'était une supposition, mais à mon avis, ça avait du sens.

— Il a été assassiné et son corps a été retrouvé tout près du hangar, Dominic. Il est tout à fait possible qu'il s'y soit battu, peut-être même que c'est là qu'il a été poignardé ! L'assassin pourrait avoir déplacé le corps un peu plus loin vers le lac. Peggy a dit qu'elle a vu le forgeron rendre son dernier souffle.

Dominic acquiesça.

— Plausible. Mais ce sont encore des suppositions. Il est certain qu'on a profité des lieux, à en juger par ce que nous avons vu. J'aimerais juste savoir qui...

— Peut-être que Jareth rencontrait quelqu'un, ici ? Aurait-il pu avoir rendez-vous avec Evergreen ?

Je ne savais rien de cet homme, mais Madame Stackpoole m'avait dit qu'il était bel homme. Evergreen LaVelle entretenait-elle une relation avec lui ? Cela me semblait vraiment improbable.

— À moins qu'il ne soit venu espionner quelqu'un d'autre...

Ajouta Dominic tout en buvant son thé.

...Mais qui d'autre aurait été là ?

— Eh bien... le fait qu'il y avait une bouteille de vin me porte à croire que ce n'est pas un habitant du village.

Dominic se leva pour se servir une autre tasse de thé avant de se rasseoir.

...Ils sont beaucoup plus portés sur la bière. Donc, ça doit être quelqu'un qui a accès à une cave et qui n'a aucun scrupule à utiliser un local appartenant aux LaVelle.

— Alors ce doit être quelqu'un de *Hollyfield* ! Un membre de la famille ou un domestique.

Affirmai-je.

— Ça me semble logique.

Dominic sortit la montre de sa poche et l'étudia.

J'observai son expression.

— Que vas-tu en faire ? L'apporter à l'agent Bloom ?

J'étais certaine que non. Je pensais plutôt qu'il la montrerait à Victor.

— Non, Jillian. Je préfère d'abord la montrer à Victor pour avoir son avis.

Je convins que c'était le choix le plus sage à faire, compte tenu du peu que nous savions.

Soudain, on tambourina à la porte de la maison. Dominic se leva d'un bond et alla ouvrir. Il m'appela et j'accourus dans le couloir. Sur le pas de la porte se tenait un enfant d'environ sept ans, ses grands yeux bruns emplis de terreur, tenant des propos entrecoupés de sanglots.

— Qu'est-ce qui se passe ?

Criai-je, alarmée, alors que Dominic mettait son manteau et ses bottes.

— Jem ne trouve pas sa sœur. Il dit qu'elle s'est enfuie et il craint qu'elle soit allée au lac. Je vais essayer de la trouver.

Sur ce, il partit sous la pluie battante. En un éclair, je remis mon manteau humide et mes bottes boueuses. Je claquai la porte et courus pour les rattraper. Je suivis Dominic et le garçon qui étaient assez loin devant moi. Où étaient les parents de ce gosse d'allure chétive ? Le garçon était bien trop jeune pour être laissé seul dehors par un aussi mauvais temps, et il n'était pas assez chaudement habillé non plus.

Il nous fallut peu de temps pour atteindre les rives du lac *Windemere*. Les eaux habituellement calmes frappaient contre la rive, fouettées par le vent et la pluie. Dominic commença à appeler la fillette en criant son nom, qui ressemblait à « Jenny ». Il marchait le long de la rive, à la recherche d'une trace de l'enfant. Je finis par les rejoindre et il me fit signe d'aller dans la direction opposée pour que nous puissions couvrir plus de terrain, ce que je fis, et je commençai à crier son nom aussi fort que je le pouvais. Nous devions être les seules personnes présentes sur place, ce qui n'était guère étonnant. Le temps était devenu menaçant et j'entendais le tonnerre gronder au-dessus de ma tête. Je scrutais la terre et l'eau devant moi, mais je ne voyais que les vagues grises qui se brisaient sur le rivage. Soudain, quelque chose de clair accrocha pourtant mon regard. On voyait au loin un point rouge, facile à repérer dans le paysage sombre de cette journée. Je me retournai et appelai Dominic, mais je n'attendis pas qu'il me rejoigne. Je courus vers le petit bosquet dont les branches des arbres s'étendaient loin au-dessus de l'eau. Perchée à l'extrémité d'une grosse branche, s'y agrippant de toutes ses forces, se trouvait une fillette.

— Tout va bien, Jenny ?

Lui dis-je.

... Tiens bon. On vient te chercher !

Dominic me dépassa à toute allure, avec Jem sur ses talons. Lorsque j'atteignis les arbres, Dominic avait déjà jeté ses bottes et son manteau et grimpait sur le tronc de l'énorme saule.

La petite fille avait réussi à ramper jusqu'au bout d'une branche bien trop frêle pour supporter le poids d'un adulte. J'observais, effrayée, Dominic qui essayait de trouver une branche parallèle suffisamment robuste afin de pouvoir la mettre en sécurité. Il en trouva finalement une, et je retins le cri d'angoisse qui risquait de jaillir à tout moment. À ma droite, une petite main se glissa dans la mienne, et je pressai les doigts glacés de Jem pour le rassurer.

Avec précaution, Dominic glissa tout le long de la

branche, ralentissant son approche quand il fut près de l'enfant. Sous l'arbre, le lac se gonflait, et je n'aurais pu dire quelle en était la profondeur.

— Est-ce que Jenny sait nager ?

Demandai-je à Jem, qui s'appuyait contre moi, le visage ravagé de larmes.

— Non, elle ne sait pas, Mademoiselle.

Cria-t-il.

...Elle n'a que quatre ans.

Il se mit à sangloter.

J'avais du mal à le réconforter car j'avais les yeux fixés sur Dominic. Il était maintenant suffisamment proche pour toucher Jenny. Je le regardai se tenir fermement à la branche de l'arbre et tendre le bras vers la fillette. Je ne pouvais rien entendre, mais je voyais ses lèvres bouger, essayant de l'encourager pour qu'elle s'accroche à lui. Mais Jenny était trop effrayée, et elle secoua sa petite tête. Tandis que Dominic la suppliait de saisir sa main tendue, les secondes me semblèrent durer une éternité. Enfin, à contrecœur, elle lâcha prise pour tendre la main, et au même instant un puissant craquement retentit et la branche où se trouvait Jenny dégringola dans l'eau, l'emportant avec elle.

— Non !

Hurla Jem en courant à toute vitesse vers le bord. Je le poursuivis, et le rattrapai par ses vêtements avant qu'il ne se précipite à l'eau, alors que du coin de l'œil je vis Dominic abandonner le refuge de l'arbre pour sauter dans le lac.

Le petit garçon me résistait en gesticulant et je l'entourai de mes bras. Il se calma quand il réalisa ce qui se passait. Je scrutai l'eau à la recherche d'un signe de Dominic ou de la gamine. Je vis la tête de Dominic sortir de l'eau et j'en eus le souffle coupé. Mais tout aussi brutalement, il disparut à nouveau dans la houle déchaînée. Mon cœur battait à tout rompre, même si je ne craignais pas pour cet homme auquel je tenais tant, car je savais qu'il était bon nageur. J'étais surtout terrifiée pour la pauvre petite chose qu'il tentait de sauver. Tout à coup, la tête de Dominic réapparut. Jem et moi restâmes pétrifiés quand sa tête émergea de l'eau, suivie du cou, puis des épaules, et enfin de ses bras qui enserraient un petit corps soudé à lui comme une bernique à son rocher.

Quand Dominic rejoignit le rivage, j'enlevai mon manteau et l'enroulai autour du petit corps frissonnant qu'il avait placé dans mes bras. Elle ne pesait presque rien et sa peau était bleuie par le froid et la peur.

— Doucement…

Dis-je pour l'apaiser.

…Tu es en sécurité maintenant, ma petite. Tu n'as plus à avoir peur… doucement…

Je l'attirai contre moi et la serrai fort, espérant que toute la chaleur de mon corps se diffuserait en elle. Dominic remit son manteau et ses bottes, et nous quittâmes rapidement le lac pour rentrer. Nous envoyâmes Jem au moulin pour prévenir sa mère, avec la mission de l'amener immédiatement à la ferme des Wolfe.

L'heure suivante passa rapidement. J'ôtai les vêtements mouillés de Jenny et l'enveloppai dans une couverture devant le feu. Dominic enfila des vêtements secs, puis il fit chauffer une tasse de lait pour l'enfant. Alors qu'elle dégustait la boisson, je vis le gris disparaître de son visage. Ses couleurs revenaient peu à peu. Le temps que Jem arrive avec sa mère, affolée, Jenny était assise sur les genoux de Dominic, qui lui lisait une histoire tirée d'un des vieux livres de Billy.

— Oh Dom, comment est-ce que je peux te remercier d'avoir sauvé ma Jenny ?

La frêle femme avait les larmes aux yeux quand elle prit sa fille des bras de Dominic.

— Il n'y a pas de merci qui tienne, Maggie !

Dit-il en se levant.

...Je suis simplement heureux qu'on l'ait rattrapée. C'est son grand frère qui est le vrai héros. Il a eu la présence d'esprit de venir chercher de l'aide.

Il se pencha et ébouriffa les cheveux du garçon. Jem lui fit un grand sourire édenté. Je me sentais un peu comme une étrangère devant cette scène. Je n'étais pas d'ici et j'y connaissais peu de gens. Je détournai la tête pour regarder le feu.

— Jillian, viens, je voudrais te présenter Maggie Riley.

Dit Dominic.

Je me levai et les rejoignis. La jeune femme tendit la main pour saisir la mienne.

— Merci d'être venue à leur secours, mademoiselle. C'est si vilain de la part de Jenny de s'être encore échappée ! Elle aime cette étendue d'eau, et il semble impossible de l'en tenir éloignée. Dès que nous avons le dos tourné elle y va !

— Il n'y a personne d'autre pour la surveiller pendant que vous travaillez ?

Demandai-je, sans pour autant vouloir émettre une critique.

— Habituellement, c'est mon garçon le plus âgé que nous laissons en charge des plus jeunes, mais il est allé à *Kendal* pour faire ferrer notre cheval. Avec la disparition de Jareth, nous n'avons plus de forgeron à *Ambleside*. Jem a dû les surveiller à sa place...

Elle regarda son fils avec un air dur, et le visage du garçon rougit tandis qu'il baissait les yeux.

... Eh bien...

Continua-t-elle.

...Si personne n'a pris froid, il n'y aura pas eu grand mal !

Elle me sourit et je vis combien la fatigue avait creusé le pourtour de ses yeux sombres. Je compris d'un coup quelle était ma chance et combien j'avais une situation enviable. Maggie ne devait pas être beaucoup plus âgée que moi, mais elle subissait déjà des effets de la vie difficile qu'elle menait.

La jeune mère renonça à une boisson chaude car elle voulait rentrer s'occuper des enfants. Elle nous dit au revoir, et j'attendis pendant que Dominic les regardait s'éloigner de la ferme.

Lorsqu'il fut de retour dans la cuisine, il rapprocha sa chaise de moi, puis il serra mes mains dans les siennes.

— Mon Dieu, Jillian Farraday... Tu dois te demander dans quel endroit sauvage tu as atterri depuis que tu es arrivée à *Ambleside* ! Une aventure chasse l'autre, n'est-ce pas ?

Je souris.

— Je ne dirais pas ça, Dominic. Mais tu as raison. Je n'ai pas le temps de m'ennuyer.

Je pressai sa main.

...Tu as fait une bonne action aujourd'hui en sauvant la petite Jenny. Tu es un homme courageux. Pas étonnant que je te trouve magnifique !

Il eut un léger rire,

— Alors, il est bien facile de t'impressionner, madame !

Ses yeux brillaient à la lueur du feu, et il se pencha vers

moi. Nos lèvres s'unirent en douceur et une onde de plaisir éveilla lentement mes sens, comme à chaque fois qu'il me touchait. Ce fut un baiser tendre et sans fin, sans urgence ni passion, juste pour apprécier le bonheur que nous avions d'être ensemble. Je m'éloignai au bout d'un instant et fixai son visage.

— Est-ce que tu vas bien ?

Osai-je lui demander doucement, car il avait l'air épuisé, ce qui n'était pas étonnant.

— Je vais bien. Froid, fatigué et inquiet, mais au moins tu es là, qui apportes un peu de lumière dans mon obscurité. Ta présence n'a pas de prix. Elle fait de toi mon amie la plus chère. Merci de m'avoir aidé.

Il leva mon menton vers lui, et nos regards se rencontrèrent.

...Je le pense sincèrement, Jilly. Tu es bien plus qu'un stimulant pour moi, dans ces moments difficiles.

Brusquement, il se leva et repoussa la chaise pour la remettre à sa place.

...Mais pour l'instant, je dois me préparer car je dois aller voir Billy plus tard dans l'après-midi. On dirait que la pluie commence à faiblir. Tu veux bien m'excuser pendant que je m'habille pour le trajet ?

— Bien sûr.

Je me levai à mon tour.

... Je ferais mieux de rentrer à la maison m'occuper d'Oncle Jasper. Je pourrai sûrement l'aider à quelque chose en préparation de la soirée. Tu viendras à la conférence, ce soir ?

— Oui, je ne voudrais pas manquer ça.

Il s'arrêta pour réfléchir.

— À propos de la découverte de la montre de Jareth... tu veux bien garder ça pour toi pour l'instant ?

— Pourquoi ?

Je fronçai les sourcils.

...C'était une découverte importante, après tout !

Dominic me regarda avec intensité.

— À cause des éventuelles retombées. Si c'est bien Evergreen que Flynn rencontrait dans le hangar à bateaux pour des rendez-vous galants, je préférerais que nous gardions Victor à l'écart de nos soupçons. Attendons d'obtenir des preuves substantielles. Il a déjà assez de problèmes à gérer en ce moment.

Dominic avait raison. J'acceptai sa proposition et remis mon manteau trempé. Je repris mon parapluie.

— Je te verrai ce soir, alors.

Nous nous embrassâmes d'une petite bise rapide, et je sentis que ses pensées étaient déjà happées par le problème suivant, ce que je ne pouvais lui reprocher.

À en juger par le désordre qui régnait dans le bureau de mon oncle, on aurait pu penser que la fin du monde était proche. Oncle Jasper était dans tous ses états, les cheveux hérissés comme des baguettes, les lunettes de travers et des documents éparpillés un peu partout. Madame Stackpoole se tenait près du bureau, les mains sur les hanches. Plusieurs mèches de cheveux blancs s'étaient échappées de son bonnet et elle semblait très contrariée.

— Quelque chose ne va pas ?

Lui demandai-je, alors que je venais d'arriver à la maison.

— C'est la page dix-huit…

S'exclama Oncle Jasper.

...Je ne la trouve pas !

Les yeux écarquillés, son inquiétude était évidente.

J'allai vers lui et pris ses mains qui tremblaient :

— Ne panique pas, Oncle Jasper. Elle doit être là, quelque part.

Derrière lui, Madame Stackpoole roulait des yeux. Je la regardai brièvement.

…Pourriez-vous faire chauffer la bouilloire pendant que j'aide Oncle Jasper ?

Elle leva un sourcil, puis haussa les épaules.

— Bien évidemment !

Et elle quitta la pièce.

J'accompagnai mon oncle au coin du feu et il s'assit. Quand il était contrarié, j'avais remarqué qu'il paraissait soudain plus fragile et plus âgé. Je n'aimais pas le voir comme ça.

— Mon oncle, tu as besoin d'une bonne tasse de thé, puis nous réfléchirons au dernier endroit où tu as pu poser tes documents.

Une longue conversation s'ensuivit. Lorsque Madame Stackpoole revint avec un plateau de boissons, la page dix-huit avait pu être réinsérée entre les pages dix-sept et dix-neuf. Tout allait pour le mieux dans le meilleur des mondes !

Je consacrai le reste de l'après-midi aux préparatifs de la soirée chez Lord Mountjoy. Je me donnai beaucoup de mal pour repasser la chemise, la cravate et le costume d'Oncle Jasper. J'espérais ardemment qu'il donnerait un bon coup de brosse à ses cheveux et qu'il taillerait sa barbe.

Je n'avais que trop conscience de la banalité de ma robe de soirée. Je l'avais déjà portée pour les deux dîners à *Hollyfield*, et j'aurais vraiment aimé avoir quelque chose de plus élégant à me mettre, ce soir. Je lissai mes jupes et tapotai l'arrière de ma coiffure. J'avais coiffé mes cheveux en chignon et placé quelques fleurettes en soie ici et là, dans l'espoir de paraître un peu moins terne. J'essayais d'imaginer ce qu'Evergreen porterait ce soir. Ce serait sans aucun doute une tenue à la mode d'un goût exquis, bien sûr. Elle était plus audacieuse que moi, à en juger par les décolletés suggestifs qu'elle affectionnait tant.

Je ne portais jamais de robes décolletées, et pas seulement par pudeur. J'étais venue au monde avec une tache de naissance brun foncé, de forme oblongue, de la taille d'une fraise. Peu visible, elle ne m'avait jamais gênée dans mon enfance. Devenue jeune femme, je me sentais beaucoup plus gênée par cette maudite chose. Même si personne d'autre que moi ne l'avait jamais vue.

La pluie s'arrêta en milieu d'après-midi, et lorsque la calèche de Lord Mountjoy arriva, à six heures précises, la température s'était considérablement radoucie. Un valet de pied aida Oncle Jasper à porter les boîtes de spécimens et les articles pour son exposé, tandis que Madame Stackpoole et moi montions dans la calèche. Nous étions aussi excitées que nerveuses à l'idée de passer une soirée à *Mountjoy House*. Je n'avais jamais vu le grand domaine, et Madame Stackpoole, bien qu'originaire de la région, n'y était jamais entrée non plus. J'étais également impatiente de parler avec Lady Louisa. Je trouvais fascinant qu'elle soit vraiment écrivaine. Je désirais sincèrement devenir une femme intellectuelle et libre comme elle. *Mountjoy House* était située de l'autre côté du lac, à l'opposé de *Hollyfield*. C'était plus loin que je ne le pensais, mais lorsque nous remontâmes la longue allée, j'arrêtai de respirer tant j'étais émerveillée par ce grandiose et superbe édifice. Impérial, majestueux et audacieux, dans le style Tudor noir et blanc. Même de là où nous nous trouvions, depuis les portes d'entrée dorées et ornementées, *Mountjoy House* brillait pareil à un joyau enchâssé au centre de la région.

Notre chauffeur prit place derrière une longue file de calèches, qui serpentaient puis ralentissaient à l'approche de l'escalier principal, avant de faire une brève halte permettant à chaque passager de descendre. L'excitation était palpable. En suivant mon oncle et Madame Stackpoole, je gravis d'énormes marches et franchis des portes grandes ouvertes où plusieurs valets de pied attendaient les invités. On escorta Oncle Jasper et Madame Stackpoole jusqu'à la grande salle afin qu'il se prépare pour la conférence, et on me fit entrer dans une salle de réception où de nombreuses tables étaient garnies de boissons et de mets raffinés.

Je jetai un coup d'œil autour de moi pour voir si Dominic était arrivé mais je ne le vis pas. Néanmoins, j'aperçus Evergreen. Elle écoutait un beau jeune homme, mais sa jolie frimousse arborait un air de profond ennui. Elle me remarqua, et, sans un mot, elle se tourna vers moi et laissa tomber son interlocuteur au milieu de sa phrase.

— Dieu merci, vous êtes là, Jillian.

Elle roulait les yeux d'un air dramatique.

...Je suis ici depuis moins de vingt minutes, et je m'ennuie déjà au-delà du raisonnable.

Je secouai la tête.

— Evergreen… il est si difficile de vous plaire ! Le

jeune homme à qui vous venez de parler était tout à fait charmant...

— Vos yeux doivent vous abuser, Jillian. C'est un scientifique d'Oxford. Plutôt parler à un canapé !

Elle inspecta rapidement ma tenue.

— Mon Dieu, ma chère, nous devons vraiment vous acheter une nouvelle robe. Je n'en peux plus de vous voir porter cette robe grotesque en toutes circonstances.

Elle avait réussi à me piquer au vif.

— Cela dit...

Répliquai-je,

...je préfère être mal fagotée et passer inaperçue que de me pavaner comme un paon dont on décompte les succès et les désillusions.

Elle émit un petit rire.

— Bravo, Jillian. Voilà qui s'appelle avoir de l'esprit !

Evergreen était incorrigible, mais on ne pouvait nier qu'elle était éblouissante ce soir. Le bleu *Wedgewood* de sa robe en soie s'harmonisait avec ses yeux, si bien qu'on avait du mal à croire que leur couleur était naturelle. Elle avait relevé ses cheveux en un entrelacs compliqué de boucles, avec une anglaise blonde de chaque côté du visage.

...Papa est avec Mountjoy, dans l'entrée, et Marabelle ...est ici quelque part...

Sa voix se teinta de dédain à la simple mention du nom de sa cousine. Je fus choquée par le ton d'intense aversion qu'elle avait employé.

...Et voici Perry et Marik. Ils sont rentrés de Bath cet après-midi et y ont passé un merveilleux séjour.

Les deux jeunes gens traversèrent la pièce pour nous rejoindre. Leur apparence tellement différente faisait des deux hommes un couple fort attrayant, et, alors qu'ils approchaient, plus d'un œil féminin examinait leurs traits séduisants.

— Miss Farraday !

Marik me tendit la main pour me saluer. Perry fit de même.

— Bon retour parmi nous, messieurs. Comment était Bath ?

— Humide !

Dit Marik en riant.

…Ce qui semble approprié pour un endroit portant un tel nom, n'est-ce pas ?

— En effet. J'espère que le temps n'a pas gâché votre séjour là-bas ?

— Au contraire.

Ajouta Perry.

…Il y a tellement d'endroits intéressants à explorer à Bath. La plupart sont à l'intérieur, heureusement.

— L'ingéniosité de l'architecture et de l'ingénierie romaines est impressionnante.

Poursuivit Marik.

…Cette civilisation dite antique avait des idées déjà bien en avance sur son temps.

— C'étaient des barbares…

Dit Evergreen sur un ton pince-sans-rire.

…Ils jetaient aux lions des hommes, juste à cause de leur amour pour Dieu. En quoi cette notion est-elle « moderne », Marik ?

L'Indien lui lança un regard acéré accompagné d'un rictus.

— J'ai souvent remarqué que les membres les plus barbares de notre société se cachaient sous une apparence anodine…

Il eut un sourire sarcastique et je ne pus m'empêcher de

remarquer une lueur d'irritation dans les yeux d'Evergreen, qui lui retourna son regard.

Perry paraissait peu intéressé par ces échanges à fleurets mouchetés.

— Nous avons déniché un tailleur fantastique et nous sommes tombés d'accord pour qu'il me confectionne plusieurs costumes. J'ai vraiment aimé Bath. Si ce n'était pas si loin à l'intérieur des terres, je ferais en sorte de persuader Père d'y ouvrir un bureau et je me porterais volontaire pour le diriger...

Il s'interrompit au moment où Lord Mountjoy entra dans la pièce. Celui-ci resta debout un instant en attendant que le brouhaha général se calme.

— Mesdames et Messieurs...

Annonça-t-il à voix haute.

... Veuillez-vous joindre à nous pour la conférence présentée ce soir par la *Royal Pharmaceutical Society de Grande-Bretagne*.

Le bourdonnement des conversations s'éleva à nouveau et la compagnie se dirigea lentement vers la grande salle pour la présentation de la soirée.

Je trouvai la conférence intéressante. En évoquant ses lichens et autres champignons, Oncle Jasper gagna chez moi une estime toute neuve. À la maison, ces sujets paraissaient rebattus, mais ici ils reprenaient vie tant il les traitait avec passion pour les nombreux auditeurs. Lorsqu'il eut terminé sa présentation, l'auditoire l'applaudit à tout rompre.

Après leurs interventions, les conférenciers restèrent dans la salle pour rencontrer le public, répondre aux questions et encourager ceux qui souhaiteraient parrainer l'association. Je remarquai que Madame Stackpoole restait près d'Oncle Jasper, et je décidai de rester à l'écart pour leur permettre de passer ce moment ensemble. Ce soir, Prunella Stackpoole était ravissante dans sa robe noire. Elle avait abandonné la coiffe qu'elle arborait habituellement. Ses cheveux étaient arrangés avec une certaine sophistication et sa félicité faisait plaisir à observer.

Pendant la conférence, j'avais été assise près des frères et sœurs LaVelle. À un moment donné, je m'étais retournée pour voir où était Victor, à quelques rangs de là, Marabelle à ses côtés dans une robe d'un rose éclatant. Je fus plutôt surprise par cette couleur vive, car d'ordinaire ses tenues étaient plus discrètes. Je n'avais pu m'empêcher de regarder par-dessus mon épaule pour voir où se trouvait Dominic, mais il n'était pas là. J'étais déçue et je supposais qu'il y avait une raison impérieuse à son absence. Dominic n'était pas du genre à ne pas tenir ses promesses.

Dans la salle de réception, les assiettes et les verres laissés un peu plus tôt par les convives avaient été débarrassés et de nouveaux mets étaient à la disposition de tous sur des plateaux. Les nombreux invités, dont la plupart m'étaient inconnus, semblaient apprécier la nourriture raffinée et les vins fins. Il était certain qu'un tel événement avait attiré les maisons les plus importantes à plusieurs kilomètres à la ronde autour d'*Ambleside*, et peut-être même jusqu'à *Workington*. Perry et Marik étaient un peu plus loin, en train de parler à un autre jeune homme élégamment vêtu, mais j'avais perdu de vue Evergreen dans la foule. Cela ne me dérangeait pas, car ce soir elle était irritable. Son caractère était souvent équivoque. Elle pouvait être aimable comme elle pouvait être mal intentionnée, sans jamais trouver le juste équilibre.

En dégustant mon verre de vin, je me dirigeai vers les baies vitrées donnant sur les jardins. Elles étaient grandes ouvertes pour laisser l'air frais entrer dans la pièce et aussi offrir aux invités une vue panoramique de la propriété. Même si le ciel s'était considérablement assombri, je pouvais encore voir la vaste étendue de pelouse, la fontaine et les parterres de fleurs qui se prolongeaient jusqu'en bordure du lac. La pluie avait depuis longtemps cessé et l'immense étendue d'eau était calme.

Je contemplai l'horizon. Les roses et les gris se mêlaient dans le ciel et des lambeaux de nuages s'accrochaient au-dessus de l'eau. Perdue dans mes pensées, je faillis faire tomber mon verre de vin au moment où un objet de grande taille jaillit brusquement devant la fenêtre située en face de moi pour s'écraser sur le sol avec un bruit sourd et terrible. C'était si inattendu que je poussai un cri de frayeur en sursautant. Je me précipitai sur la terrasse pour me rendre compte de ce qui s'était passé.

Au sol, dans un amas de soie froissée, gisait une masse rose. Il me fallut un certain temps pour réaliser ce que j'avais sous les yeux...

— Mon Dieu !

M'écriai-je.

...Qu'on aille chercher un médecin !

Car sur le gazon détrempé gisait le corps disloqué de Marabelle Pike...

XVIII

Mon corps tremblait encore. Je m'assis au chaud dans un bureau et je serrai entre mes mains tremblantes un verre de cognac. À côté de moi, sur le canapé, Lady Mountjoy regardait attentivement mon visage, ses doux yeux bruns emplis de compassion.

— Comment vous sentez-vous, ma chère ?

Demanda-t-elle calmement.

Je laissai échapper un souffle.

— Je ne saurais dire ! Cela semble irréel, Lady Mountjoy.

— Louisa, s'il vous plaît.

Elle toucha mon bras pour me rassurer.

— Comment Marabelle a-t-elle pu tomber de là-haut ?

Mon esprit tourbillonnait. Pour quelle raison cette femme s'était-elle rendue à l'étage, dans les quartiers privés de la famille ?

— Je ne sais pas, Jillian.

Répondit Louisa.

...C'est au gendarme d'élucider cela. Victor et Perry sont là-haut avec lui en ce moment-même.

Je terminai le cognac et posai le verre vide sur une table d'appoint.

— Je crois que je me sens mieux, maintenant. Je souhaiterais voir mon oncle, si cela ne vous ennuie pas.

Je me levai, et elle me suivit.

...Merci beaucoup d'avoir pris soin de moi, Louisa. Je crois que je vais rentrer chez moi à présent.

Nous quittâmes le bureau et trouvâmes la salle de réception vide. Alors que nous approchions du grand vestibule, Oncle Jasper me rejoignit et me prit dans ses bras. Je sentis mes yeux se remplir de larmes et fis tout pour les retenir. Ce n'était ni le moment ni l'endroit pour laisser mes émotions se déchaîner.

— Pouvons-nous prendre congé ?

Oncle Jasper hocha gravement la tête.

Quand la calèche des Mountjoy arriva chez nous, je me sentis heureuse comme jamais d'être à la maison. J'étais épuisée. Oncle Jasper insista pour que Madame Stackpoole m'emmène directement à l'intérieur pendant qu'il aidait le valet de pied à décharger les objets utilisés pour sa conférence.

J'étais déjà au lit quand Oncle Jasper monta à l'étage. Il frappa à la porte de ma chambre et je le fis entrer. Ma lampe à gaz brûlait encore et j'étais assise, avec, sur les genoux, un livre que je n'avais pas ouvert.

— Est-ce que ça va, ma chère Jilly ? As-tu besoin de quelque chose ?

Je secouai la tête.

— Ça va aller, mon oncle. Ça a été un choc de la voir…

J'entendis ma voix vaciller et déglutis difficilement.

…En vérité, il n'y avait aucune amitié entre nous, mais elle ne méritait pas de mourir d'une manière aussi affreuse.

— Tu as raison, ma chérie. Mais tu ne dois pas t'y attarder, car cela ne ferait que te causer du chagrin. En tant que membre de la famille LaVelle, tu peux être sûre que Victor ira au fond des choses. C'est leur problème, Jilly, pas le tien. Essaie de le chasser de ton esprit ce soir, car le repos est important après un choc violent. Tu seras capable de réfléchir plus clairement demain matin. Je te souhaite une bonne nuit.

Il me fit un pâle sourire, embrassa le sommet de ma tête et quitta la pièce. Je restai immobile, mais je voulais que mon esprit s'arrête de penser. Je pouvais sentir l'effet du cognac sur mon organisme, qui commençait à calmer mes nerfs, alors j'éteignis ma lampe et plongeai sous ma couette. Je fermai les yeux et réfléchis à l'ironie du fait que j'avais quitté le *Devon* pour échapper au chagrin causé par la mort de ma mère et que maintenant, après quelques semaines à *Ambleside*, la mort m'avait encore rattrapée…

Était-ce un cauchemar ? À mon réveil, il me fallut un moment pour mettre de l'ordre dans mes pensées. J'étouffai un cri d'angoisse en me rappelant que Marabelle Pike était morte et, qui plus est, sous mes yeux ! Je retins mes larmes. Je devais me ressaisir. Pourquoi étais-je si émotive ? C'était sûrement le choc ! Mais ce n'était pas acceptable. J'étais une femme solide, n'est-ce pas ? Je refoulai la boule dans ma gorge et me forçai à sortir du lit.

Le temps que je rejoigne Oncle Jasper et Madame Stackpoole dans la cuisine, je m'étais calmée. Des œufs cuisaient dans une poêle et la théière trônait sur la table.

— Bonjour, Jilly. J'espère que tu as bien dormi ? Demanda gentiment mon oncle en mangeant ses œufs brouillés.

Je pris une chaise et m'assis. Madame Stackpoole m'apporta une assiette et étala une cuillère d'œufs sur une tranche de pain grillé.

— J'ai dormi, je te remercie. Le repos m'a fait du bien. Je jetai un coup d'œil à la gouvernante dont le visage était tiré. Elle avait l'air fatiguée.

... Madame Stackpoole... comment allez-vous ?

Elle nous rejoignit à la table.

— Je suis une vraie boule de nerfs, ma pauvre chérie. Depuis que je vis dans ce village, il n'y a jamais eu autant de tragédies. C'est absolument affligeant, c'est le moins qu'on puisse dire.

— En effet !

Convint oncle Jasper.

...Madame Stackpoole est aux commandes. Je ne sais pas où l'on en est. Une honte, si vous voulez mon avis. C'était une soirée magnifique, jusqu'à cet accident.

Il but une gorgée de son thé.

...Au fait, je pense que l'agent de police va passer, ma chérie. Il l'a dit hier soir. Il veut aussi te parler, Prunella, donc tu ferais mieux de rester à la maison aujourd'hui. Tout bien considéré, c'est le meilleur endroit pour vous deux.

— Oui, mon oncle, c'était bien mon intention.

Je pris une bouchée d'œufs brouillés que je ne pus avaler. Je posai ma fourchette.

...Je n'arrête pas de me demander pourquoi Marabelle était à l'étage, dans les appartements de la famille Mountjoy ? Que faisait-elle là ? Et comment est-elle tombée de ce balcon ?

Oncle Jasper grignotait sa tartine, en pleine réflexion.

— Elle aurait pu avoir un vertige, ou être étourdie par un verre de sherry !

Il prit une autre bouchée. Je n'étais pas convaincue.

— Je ne suis pas d'accord avec toi.

Je me levai de table et débarrassai les restes de mon petit-déjeuner non consommé, tout appétit disparu.

...Je pense que quelque chose d'autre lui est arrivé.

Même si je n'avais aucune tendresse pour Marabelle, elle ne méritait pas un tel sort !

Oncle Jasper but une gorgée de thé et me regarda.

— Qu'est-ce que tu suggères ? Tu soupçonnes quelqu'un d'avoir participé à sa mort, Jilly ? Sûrement pas ! Cette femme n'était rien d'autre que la gouvernante de Victor.

Je lui lançai un regard dur.

— Et c'est peut-être la raison pour laquelle elle est morte…

Il me fallut toute une discipline pour me concentrer sur mon travail, ce matin-là. Mais une fois que je fus plongée dans l'interprétation de la sténographie brouillonne de mon oncle, je n'eus plus vraiment le loisir de penser à autre chose.

Avant le déjeuner, l'agent Bloom nous rendit visite. Il s'assit dans le salon avec une tasse de thé et une part de tarte à la confiture, prenant des notes pendant que je racontais ma version des événements de la soirée précédente.

— Miss Jillian, je suis désolé que votre séjour à *Ambleside* ait été marqué par de tels événements ! Déclara-t-il.

…C'est habituellement un village si tranquille ! C'est non seulement choquant que ces choses terribles se soient produites, mais c'est horrible pour une jeune femme comme vous d'en avoir été le témoin.

Vaguement nauséeuse, je le remerciai de sa prévenance. À dire vrai, je n'avais aucune envie de penser à l'un ou l'autre de ces horribles événements. Madame Stackpoole le rassasia de thé et d'un supplément de tarte pendant qu'il finissait de poser ses questions. Après en avoir terminé avec moi, il s'adressa conjointement à mon oncle et à Madame Stackpoole. Il partit finalement avec la gouvernante et Oncle Jasper, qui devaient faire quelques courses au village pour le repas du soir.

Seule à la maison, je luttai pour garder à distance des larmes prêtes à se répandre. Je me forçai à retourner au travail - tout était bon pour ne pas penser à ce que j'avais vu la veille - lorsqu'on frappa à la porte. Je crus d'abord que c'était l'agent de police qui revenait, mais c'était Dominic. Sans un mot il entra dans le couloir, me prit dans ses bras et me serra fort. Mon corps se laissa aller contre lui, mes os comme ramollis, et mon visage fut inondé de larmes. Je ne sais pas combien de temps nous restâmes ainsi. Je cessai finalement de pleurer et mes forces revinrent. À contrecœur, je me détachai de lui et fit un pas en arrière.

— Je suis désolée, Dominic. Je ne sais pas ce qui m'a pris.

Je le conduisis au salon. Devant la cheminée, il saisit ma main :

— Mon Dieu, Jilly, bien sûr que tu es bouleversée ! Tu as eu un choc terrible ! N'importe qui d'autre garderait le lit aujourd'hui. Ne sois pas si dure avec toi-même. Viens, asseyons-nous.

— L'agent Bloom vient juste de partir.

— Je l'ai croisé dans la rue. Comment ça s'est passé avec lui ?

— Il a posé des questions sur ce que j'avais vu hier soir, mais il n'y avait pas grand-chose à dire. Je ne sais pas ce qu'ils pensent de la façon dont Marabelle est tombée du balcon, mais ce n'était pas un accident.

Les yeux de Dominic s'écarquillèrent de surprise, et il se pencha en avant en fronçant les sourcils.

— Quoi ? J'ai entendu dire qu'elle avait fait un malaise et perdu l'équilibre !

— Je n'y crois pas un seul instant. Marabelle était une femme forte. Cela me semble peu probable. D'ailleurs, en premier lieu, elle n'avait rien à faire là-haut. Les invités n'étaient qu'au rez-de-chaussée. Pour une raison quelconque, Marabelle se trouvait dans les appartements privés des Mountjoy.

— C'est étrange…

Convint-il.

…Qu'est-ce qui l'aurait poussée à aller là-haut ?

— Je ne saurais le dire.

Je levai les yeux et posai mon regard sur lui.

…Dominic, pourquoi n'es-tu pas venu hier soir ?

Son visage s'affaissa.

— Je suis désolé, Jillian. Mais le temps que je revienne de *Kendal* après avoir vu Billy, et que je m'occupe des animaux, j'étais lessivé. La perspective de passer la soirée avec toi était plus que tentante, mais je n'avais aucune envie de me retrouver dans le monde, surtout dans l'état actuel des choses. Si j'avais été moins égoïste, tu n'aurais pas eu à endurer cela toute seule. J'en suis vraiment désolé.

Il s'avança et prit mes mains, un geste qui m'était devenu familier.

— Tu n'as pas besoin de t'excuser. Je comprends parfaitement. Il est de loin préférable que tu passes du temps avec ton frère. Je ne souhaite rien d'autre.

J'eus une pensée pour *Hollyfield*.

…Je me demande comment vont les LaVelle ce matin.

Ils doivent être anéantis.

Il hocha la tête.

— Ce n'était pas le grand amour entre Evergreen et Marabelle, mais c'était la cousine de sa mère. Ce sera un choc, je n'en doute pas. Je compte rendre visite à Victor cet après-midi car j'ai d'autres sujets à aborder avec lui. Je te ferai savoir comment la famille s'en sort une fois que nous aurons parlé. Puis-je revenir te voir ?

— J'en serais ravie.

Mon oncle revint juste après le départ de Dominic. Il n'était pas seul, car je l'entendis parler à quelqu'un en arrivant dans le hall. Je crus que c'était Madame Stackpoole, mais quand la porte du salon s'ouvrit, je me trouvai devant Oncle Jasper et Lady Mountjoy.

— Jilly, ma chère, regarde qui est venu nous rendre visite.

Il offrit un siège à Louisa Mountjoy et nous laissa seules pendant qu'il allait nous faire du thé. Louisa Mountjoy s'assit et me regarda.

—Comment vous en sortez-vous ?

Demanda-t-elle avec une inquiétude sincère. Elle-même avait l'air fatiguée. Son visage était pâle et tiré, sans la vitalité que je lui avais vue auparavant.

— J'ai à peine fermé l'œil !

Répondis-je sans mentir

….Et vous ?

— La même chose. Épuisée. Monty et moi sommes dévastés par le fait que quelque chose d'aussi tragique soit arrivé à une soirée qui était censée être agréable. La raison pour laquelle Marabelle était à l'étage dans nos appartements privés défie toute logique. C'est au-delà de mon entendement et cela rend les choses encore pires.

— Je me pose la même question.

Dis-je calmement.

Les yeux sombres de Louisa se firent compatissants.

—Vous étiez si près quand elle est tombée… J'en suis vraiment désolée.

— Lady Mountjoy...

— Louisa.

— Louisa… Puis-je être franche avec vous ?

— Bien sûr.

— Je ne suis pas sûre de ce qui s'est passé.

— Que voulez-vous dire ?

—Jareth Flynn a été assassiné récemment, et maintenant cet étrange accident avec Marabelle… Ne trouvez-vous pas que c'est une coïncidence, qu'un village de cette taille vive deux tragédies à quelques semaines d'intervalle ?

Elle prit une grande inspiration.

— Qu'est-ce que vous insinuez ? Vous pensez qu'elles sont liées ?

Je haussai les épaules.

— Je ne sais pas. Je ne suis pas détective, mais je ne peux m'empêcher de trouver cela étrange.

Son expression changea. Elle eut l'air effrayée.

...Qu'y a-t-il ? Êtes-vous troublée ?

Demandai-je.

À ma grande surprise, elle semblait au bord des larmes. Louisa fouilla dans son réticule, en sortit un petit mouchoir en dentelle et s'essuya les yeux. Pendant qu'elle se calmait, je restai silencieuse.

— Je voudrais vous confier quelque chose de délicat, mais cela doit rester confidentiel.

Dit-elle d'un ton feutré.

...Je ne vous connais pas bien, Jillian, mais je pense que vous êtes une fille sensée. En fait, vous me faites penser à celle que j'étais il y a de nombreuses années, avant que je ne fasse partie de la haute société. À l'époque, j'étais vendeuse dans un célèbre grand magasin de Londres, *Liberty*. C'est là que j'ai rencontré Monty, qui était veuf. Il n'avait pas d'enfant et se sentait seul, et il n'a pas fallu longtemps pour que nous devenions de bons amis. Contre la volonté de sa famille, il m'a demandé ma main et j'ai accepté. Après notre mariage, Monty m'a emmenée à *Ambleside*. Notre relation n'était pas romantique, mais plutôt amicale, vous comprenez...

J'étais à la fois surprise par ce récit et mal à l'aise qu'une femme de son rang me fasse part de détails aussi intimes. Mais par respect, je restai silencieuse. Elle poursuivit :

...Il y a quelques années, j'ai rencontré Jareth Flynn et j'ai été instantanément sous le charme. Vous ne connaissiez peut-être pas l'homme, mais c'était un beau diable qui savait l'effet puissant qu'il avait sur les femmes. Nous étions proches en âge et avions reçu une éducation similaire. Avant que je puisse m'en empêcher, j'étais tombée amoureuse de lui.

Elle s'interrompit quand le cliquetis des tasses de thé sur un plateau se fit entendre.

— Nous y voilà...

S'exclama Oncle Jasper en entrant dans le bureau et en posant le service à thé sur la table. Il nous regarda, et avec un tact inhabituel sentit qu'il avait interrompu une discussion privée. Il cligna des yeux plusieurs fois.

— Vous me trouverez dans mon bureau, Mesdames. Si vous voulez bien m'excuser...

Il se retira de la pièce.

Je me levai pour verser notre thé.

— Vous êtes choquée par ma confession, Jillian ?

— Oui, en effet.

Louisa eut un faible sourire.

— J'admire votre franchise, ma chère. Je n'ai jamais confié cela à quiconque.

— Je suis flattée de la confiance que vous me portez, Louisa. Sincèrement.

— Puis-je continuer mon histoire ?

— Mais bien sûr, je vous en prie.

— Jareth a ardemment répondu à mes sentiments, ou du moins, je le pensais. Nous avons passé trois merveilleuses années ensemble. Mon mariage avec Monty était sans histoires, il semblait heureux de m'avoir pour femme. J'ai placé ses désirs et ses envies avant les miens et j'ai essayé d'être une Lady exemplaire pour Mountjoy House. Mais Jareth était la seule personne dans ma vie qui m'acceptait pour moi-même. Une femme ordinaire, avec des désirs et des besoins. Je croyais qu'il tenait à moi autant que je tenais à lui. Jusqu'à ce printemps…

— Que s'est-il passé ?

— Quelque chose a changé. Il est devenu distant. Cela a commencé par le fait qu'il ne venait plus à nos rendez-vous arrangés, dans un endroit où nous nous sommes vus pendant plus de deux ans.

Elle ne put retenir ses larmes. Elle posa tasse et soucoupe pour prendre son mouchoir. J'avais trop peu d'expérience pour savoir quoi faire d'une telle confidence, surtout venant d'une personne du rang de Lady Mountjoy. Je ne pouvais prodiguer aucun conseil à cette femme. Que voulait-elle que je dise ?

...Jillian, je sais que vous vous étonnez que je vous en parle.

Elle renifla et but une gorgée de thé.

...Je vous livre mon secret à cause de ce qui s'est passé récemment. Quand j'ai appris la mort de Jareth, j'ai été complètement bouleversée.

— J'imagine très bien…

Surtout après ce qu'elle venait de me dire.

Elle leva sa main gantée.

— Non, s'il vous plaît, laissez-moi finir. J'ai été bouleversée mais aussi terriblement soulagée…

Je faillis faire tomber ma tasse.

— Je vous demande pardon ?

— Vous m'avez bien entendue. Je l'aimais, mais Jareth Flynn était une canaille. Il me faisait chanter depuis deux mois.

XIX

Je n'en crus pas mes oreilles ! Voilà bien la dernière chose que je m'attendais à entendre.

— Vous faire chanter ? Mais pourquoi ?

Elle posa sa tasse.

— À cause de notre liaison, bien sûr. Jareth a menacé de tout dire à Monty, à moins que je ne lui verse une allocation hebdomadaire.

Elle me regarda avec sévérité.

…S'il vous plaît, ne me dites pas que j'ai été stupide de payer ! Je n'avais pas le choix ! J'étais coupable, et j'ai donc payé le prix de cette inconséquence.

— Quelqu'un d'autre est-il au courant ?

— Bien sûr que non.

Souffla-t-elle.

…Et si vous en dites un mot à qui que ce soit, je nierai tout ! Écoutez…

Son ton s'adoucit.

…Je n'avais pas prévu d'en parler un jour, Jillian. Mais avec ce qui est arrivé à Marabelle, je suis troublée, même si je ne peux pas vous dire pourquoi. Vous êtes une jeune femme brillante, et Victor a remarqué que Dominic et vous faisiez des recherches sur la mort de Jareth - ce qui est compréhensible vu la situation dans laquelle se trouve Billy. Je voulais que vous ayez ma version de l'histoire au cas où vous découvririez quelque chose qui le relierait à moi.

Son joli visage était fatigué. Partager un secret aussi sombre l'avait épuisée.

— Comment avez-vous payé Jareth ?

— En pièces, car je ne pouvais pas risquer que

quelqu'un fasse le lien entre nous.

Elle se leva, et je fis de même.

...Jillian, je ne sais même pas si les deux morts sont liées. Pourtant, comme vous, mon instinct me dit des choses contradictoires.

Elle tendit une main gantée et prit la mienne.

...N'oubliez pas que j'ai placé ma confiance en vous, j'espère que vous la garderez.

— Bien sûr, Louisa.

Dis-je gravement, bien qu'au fond de moi je n'eusse aucune idée de ce qu'elle voulait que je fasse de ces informations.

Je fermai la porte d'entrée derrière Lady Mountjoy et réfléchis à tout ce qu'elle m'avait dit. Bien que je fusse plus que surprise par sa liaison avec Flynn, ce n'était pas invraisemblable. Je pouvais très bien imaginer une belle jeune mariée amenée à Mountjoy House et rencontrant finalement le beau forgeron. Ils étaient tous deux jeunes, séduisants, et la vie londonienne lui manquait. Mais dans un petit hameau comme *Ambleside*, il devait être difficile de garder secrète une histoire d'amour.

Puis une pensée me vint, en me rappelant les bouts de papier que Billy avait cachés dans sa boîte. Venaient-ils d'une lettre de chantage comme nous le soupçonnions ? Plus important encore : pouvaient-ils avoir été écrits par Jareth ?

J'eus toutes les peines du monde à ne pas me rendre en courant à la ferme Wolfe. Je devais parler à Dominic et lui faire part de mes soupçons. Cela serait difficile, sans trahir le secret de Louisa Mountjoy, mais j'avais l'intention d'essayer quand même.

J'arrivai à la ferme, et après avoir frappé plusieurs fois à la porte d'entrée, je me rendis compte que Dominic n'était pas à la maison. Je jetai un œil dans la grange et l'étable. Il était probablement parti voir son frère. Pourtant, il avait mentionné avoir à parler à Victor. Peut-être était-il à *Hollyfield House* ?

Je finis par me décider et quittai la ferme pour aller chez les LaVelle. J'étais tellement concentrée sur ma mission que je ne saurais dire si je croisai quelqu'un en chemin. Alors que j'approchai de l'embranchement, quelque chose me poussa à changer de direction et mes pas me portèrent vers le hangar à bateaux et non vers la maison elle-même.

Le hangar à bateaux était bien plus accueillant qu'il ne l'était la veille pendant la terrible tempête. Un seul jour s'était-il écoulé depuis que j'étais venue ici avec Dominic ? J'avais du mal à me faire à l'idée que Marabelle Pike était encore en vie à ce moment-là. Je chassai cette pensée de ma tête. Le temps du deuil viendrait plus tard. Il y avait beaucoup à faire d'abord.

Alors que je m'approchai du bâtiment, je perçus un murmure de voix et je m'arrêtai dans mon élan. D'où venaient-elles ? En silence, je me rapprochai du hangar à bateaux et m'adossai au mur. Je fermai les yeux pour me concentrer. À nouveau me parvint le bourdonnement d'une conversation. Une zone boisée séparait la maison principale du bâtiment. J'en déduisis que la personne qui parlait devait être quelque part à l'intérieur. Lentement, je me dirigeai vers le bruit, heureuse que le sol détrempé étouffe mes pas. Je me déplaçai avec la discrétion d'un félin, peu désireuse de dévoiler ma présence. Plus je me rapprochais, plus les voix étaient claires. Puis d'un seul coup, je pus distinguer deux silhouettes devant moi. Je m'arrêtai et m'abritai derrière l'écorce épaisse d'un chêne. Je regardai autour de moi avant de risquer un autre coup d'œil.

Evergreen et Marik étaient en train de discuter d'une manière animée. Je m'efforçai d'écouter.

— Mon Dieu, c'est tragique ! Et je me sens d'autant plus malheureux que je suis aussi soulagé...

Dit solennellement Marik.

— Ne sois pas si faible, Marik. Nous n'avons évidemment pas voulu cet accident, mais ta culpabilité ne rend pas la situation plus facile. Il ne nous reste plus qu'à espérer qu'elle s'est tue comme promis.

Dit Evergreen avec dédain.

De qui parlaient-ils ? Ce devait être de Marabelle !

— Si elle l'a dit à qui que ce soit, je serai soupçonné.

Sa voix semblait inquiète.

— Oh, franchement, Marik, pourquoi dois-tu toujours être dominé par la crainte ? Cette femme n'avait pas d'amis et parlait rarement à d'autres personnes que les domestiques. Si elle avait dit quelque chose à Papa, nous le saurions, maintenant. Et tu n'as rien fait. En fait, la seule personne responsable de la mort de Marabelle est Marabelle elle-même. Alors s'il te plaît, ressaisis-toi. Ne parlons plus de ce drame. Ça me donne la migraine.

— Je suis désolé, Evie.

Marik alla vers elle et lui donna une brève accolade avant de se retirer.

...Je m'en veux d'être aussi exaspérant. Tu sais combien je m'inquiète pour Perry. Je ne veux pas d'ennuis.

— Tout ira bien. Allez ! Viens, Perry va nous chercher.
Je restai immobile tandis qu'ils se dirigeaient vers la
maison. C'était sournois d'écouter aux portes, mais
chaque mot était gravé en moi. La conversation n'était
pas claire, si ce n'est que Marik s'inquiétait pour lui-
même, ou que Perry était lié à la disparition de
Marabelle. Mais de quoi devait-il s'inquiéter ? Et
qu'est-ce qu'ils voulaient dire par « elle s'est tue » ? Ils
faisaient manifestement référence à Marabelle !

Je retournai vers le village et la maison, témoin
malheureux de quelque chose que je ne comprenais pas.
J'étais impatiente de fuir la proximité de *Hollyfield*.
Mais en revenant vers le hangar à bateaux, j'eus une
sensation étrange et je me retournai en m'attendant à
voir quelqu'un. Il n'y avait personne. J'étais seule, ou
du moins je semblais l'être. Ce n'est que lorsque
j'atteignis *Lake Road* que je me défis enfin de la
sensation d'avoir été observée.

Je brûlai d'impatience de parler à Dominic. Rentrant au
village, je comptais en profiter pour vérifier s'il était
chez lui. Je m'éloignai d'un pas vif du lac en direction
de la ferme, mon esprit tournant à plein régime. Un
puzzle mental se trouvait devant moi, les bords formant
un carré qu'il me fallait maintenant combler avec les
pièces manquantes. Cette analogie sembla m'aider à
mettre mes idées en ordre. Je m'approchai de la ferme
et remarquai un magnifique cheval noir de jais attaché à
l'extérieur. Je n'en connaissais pas le pedigree, mais
même un œil béotien comme le mien vit tout de suite
qu'il s'agissait d'un magnifique spécimen de haute
lignée. Lorsque je m'approchai, l'étalon hennit et se

retourna pour me fixer de ses yeux d'obsidienne. Je le rejoignis et tendis délicatement la main pour lui caresser le cou, quand il se retourna pour poser son nez dans ma main.

— Qu'est-ce que c'est que ça ? Voulez-vous me voler l'affection de Cressidio ?

Une voix amicale nous fit nous retourner, le cheval et moi. Victor LaVelle s'approcha, un sourire aux lèvres, bien qu'il eût l'air épuisé. Rien d'étonnant à cela : il avait un fils en prison, et maintenant un parent à enterrer !

— Pas du tout.

Répondis-je en laissant tomber ma main.

...Mais il est sublime, Monsieur LaVelle.

Nos regards se croisèrent et il sourit gentiment.

— Appelez-moi Victor, ma chère. Nous étions d'accord pour qu'il n'y ait aucune formalité entre nous, vous vous souvenez ?

J'eus un signe de reconnaissance.

...Jillian, je suis consterné que vous ayez été témoin du tragique événement de la nuit dernière.

Son expression était austère, sa voix calme.

...On ne connaissait pas bien Marabelle, mais c'était une personne bien et très loyale envers notre famille.

Sa voix pleine de chagrin s'interrompit. J'étais de tout cœur avec lui car il ne pouvait pas dissimuler sa douleur.

— Victor, il n'y a pas besoin de dire quoi que ce soit. Je suis juste profondément désolée pour la perte que vous venez de subir.

J'eus un petit sourire d'encouragement.

...Je suis ici pour parler à Dominic de nouvelles informations que j'ai récemment apprises. Voulez-vous revenir à l'intérieur pour que je puisse vous en parler à tous les deux ?

Je me dirigeai vers la porte. Son comportement changea brusquement. Ses yeux verts s'illuminèrent, et il serra ses mâchoires.

— Bien sûr.

Il me suivit à l'intérieur.

Dominic fut surpris de voir son invité revenir, et je pris un certain plaisir à constater qu'il semblait aussi heureux de me voir. Il nous fit entrer dans l'accueillante cuisine et nous prîmes immédiatement place autour de la table, comme nous l'avions fait lors de ma précédente rencontre avec ces deux messieurs.

— Il y a quelque chose que je souhaite partager avec vous deux, mais en le faisant, je brise une confidence.

Je pus les sentir se tendre dans l'attente de ce qui allait suivre. Je regardai attentivement le visage de chaque homme, mal à l'aise face à mon dilemme. Lady Mountjoy n'était pas une amie, mais je devais tout de même honorer sa confiance.

…Je ne fais ça que parce que je veux aider Billy de toutes les façons possibles, mais je dois avoir votre parole qu'aucun de vous ne soufflera cela à quiconque.

Je fis une pause.

— Bien sûr, répondit Victor promptement. Vous avez ma promesse.

— La mienne aussi.

Les yeux de Dominic brillaient de ce que je pensai être de l'espoir. Mon cœur se réchauffa, car c'était un frère tellement gentil !

— Ce matin, j'ai eu la visite de Louisa Mountjoy…

Je rapportai une partie de notre conversation plus tôt dans la journée. J'omis de nombreux détails et ne racontai que le strict minimum : que Jareth était un maître-chanteur et très probablement un malfaiteur, d'après sa réputation. Ils ne m'interrompirent pas et, quand je me tus, ils restèrent silencieux. Je supposai qu'ils avaient digéré l'information en rapport avec le meurtre du forgeron.

Victor fut le premier à faire un commentaire.

— Je suppose que vous en déduisez que Flynn a été tué à cause d'une propension au chantage !

— Eh bien, vous devez admettre que c'est une théorie qui tient la route, Victor. Surtout si l'on considère le bout de papier que Billy a trouvé.

— Je suis d'accord avec Jillian.

Dit Dominic.

...Jareth a exprimé le désir de s'améliorer. Nous savons qu'il jouait, il est donc possible qu'il ait été capable de menacer de faire des dégâts s'il n'était pas payé !

— Très bien !

Reconnut Victor.

...Cela nous donne un motif pour qu'une personne veuille le tuer. Pourtant, je crois que Lady Mountjoy est aussi susceptible que Billy de l'avoir assassiné de sang-froid.

— Oui.

Ajoutai-je.

...Mais il est logique que Louisa n'ait pas été sa seule cible pour le chantage. Pensez-y ! L'homme pourrait avoir amassé de grosses dettes de jeu. Peut-être y a-t-il d'autres personnes dans la communauté qui ont été victimes de l'escroquerie de Jareth Flynn !

— Jillian a raison, Victor. Je crois qu'elle est sur une piste.

Victor hocha la tête et ses sourcils se froncèrent.

— Comment diable allons-nous nous y prendre pour les chercher ? On ne peut pas vraiment aborder le sujet à froid. Imaginez demander au vicaire s'il y a des péchés qui méritent d'être révélés !...

Cette déclaration nous fit tous sourire et la tension retomba.

— Il doit y avoir un moyen de découvrir les frasques de Flynn.

Dit Dominic.

...Je peux commencer par me renseigner sur ses intérêts en matière de jeu. S'il y a d'autres personnes qui partagent son amour des paris, vous pouvez être sûrs qu'ils seront heureux d'en parler, surtout si j'offre une pièce ou deux pour le raconter.

— Excellente idée !

Acquiesça Victor.

...Mais faites attention. Vous rencontrerez des hommes rudes, j'en suis sûr.

Il se leva de table et fouilla dans sa poche. Il en sortit une petite pochette en cuir et la lança à Dominic, qui l'attrapa au vol.

...Prenez ça.

Dit Victor en faisant le geste.

...Ce n'est pas beaucoup, mais vous devrez graisser quelques pattes, et je ne veux pas que vous utilisiez votre propre argent. Vous aurez besoin de tout ce que vous possédez pour faire tourner la ferme quand Billy rentrera à la maison.

Dominic marqua un temps d'arrêt, puis hocha résolument la tête. Il n'y avait nul besoin d'une théâtrale démonstration de gratitude, ou même d'un refus, ce qui aurait sonné faux.

...Bien, poursuivit Victor. Je dois partir. Il y a beaucoup

à faire aujourd'hui, comme vous le comprenez sans doute.

Son visage se décomposa, et, pendant un instant, j'eus honte que, dans ma hâte de parler de la propension de Jareth Flynn au chantage, j'aie oublié trop rapidement que les LaVelle étaient en deuil.

Dominic et moi nous levâmes tous les deux.

— Victor, s'il y a quoi que ce soit que je puisse faire pour vous aider, vous n'avez qu'à le dire.

Dis-je doucement.

Il tourna son beau visage pour me regarder, et je fus frappée par la profondeur du chagrin que je lus dans ses yeux. Il se força à sourire tandis qu'il me remerciait pour l'offre et me dit au revoir.

Je restai dans la cuisine pendant que Dominic l'escortait jusqu'à la porte.

Quand il revint, Dominic vint se placer derrière moi. Il se pencha et déposa un doux baiser dans ma nuque.

Je soupirai.

— Je me sens si mal pour Victor...

Dis-je tendrement.

...J'ai encore du mal à l'accepter, et pourtant je l'ai vu tomber de mes propres yeux. Je ne peux pas imaginer ce que la famille doit ressentir.

Il déposa un autre baiser affectueux sur le dessus de ma tête.

— C'est une triste situation. Je ne crois pas avoir jamais vu Victor aussi fatigué.

Il retourna à sa place à table.

— Je suis désolée pour lui.

Je déglutis.

...Dominic, j'ai autre chose à te dire. Je ne voulais pas en parler devant Victor.

Ses yeux dorés se rétrécirent.

— Qu'est-ce que c'est ?

Je décrivis ma visite au hangar à bateaux et la conversation que j'avais surprise entre Marik et Evergreen.

Il fronça les sourcils.

...Pourquoi Marik s'inquiéterait-il d'être considéré comme un suspect ? Personne ne pense qu'il a quelque chose à voir avec la chute de Marabelle du balcon ! C'était un accident.

— C'est ce que tout le monde pense, Dominic. Pourtant, si c'est le cas, pourquoi Evergreen a-t-elle mentionné que sa cousine pourrait ne pas avoir su garder un secret ? Que pouvait savoir Marabelle, qui les inquiéterait ? Réfléchis-y...

Insistai-je.

...Marik ne me semble pas être quelqu'un de facilement effrayé, mais sa voix trahissait indéniablement de la peur.

— Qu'est-ce que tu dis, Jillian ? Que Marik est inquiet parce qu'il avait des raisons de vouloir se débarrasser de Marabelle Pike ?

Je hochai la tête solennellement.

— Il ne peut y avoir aucune autre raison pour qu'il agisse de la sorte ! Marik doit avoir quelque chose à cacher. Quelque chose que Marabelle savait et qu'elle a menacé de partager.

XX

Depuis la mort prématurée de Marabelle, je m'étais entretenue tous les jours avec Dominic.

Il était venu chez nous prendre le thé et était même resté une fois pour le dîner. C'était étrange de voir à quel point il s'intégrait facilement dans notre petite famille, comme s'il y appartenait.

Beaucoup de choses me préoccupaient et m'inquiétaient, mais je parvenais toujours à trouver des instants de bonheur lorsque Dominic était là. Un baiser volé, un contact de sa main, un regard brûlant émanant de ses beaux yeux... pendant ce petit temps suspendu, toute la tristesse qui semblait ronger ma vie s'envolait.

Victor n'était pas revenu voir Dominic et nous comprîmes que la famille était occupée par les funérailles de Marabelle et son cortège de parents en visite à *Hollyfield House*. L'enterrement aurait lieu le mercredi suivant, et je crois que la plupart des habitants du village avaient prévu de lui rendre hommage.

C'était étrange de ne pas voir Evergreen. À part l'entretien surpris avec Marik, je ne l'avais pas revue depuis la nuit de la conférence et la chute de Marabelle. Je pensais souvent à aller la voir, mais mon oncle m'avait assuré qu'il était préférable de laisser à la famille son intimité.

Dominic avait commencé à interroger les hommes de la région sur le « passe-temps » du forgeron, et petit à petit, il parvint à se faire une meilleure idée de Jareth Flynn et de ses habitudes douteuses. Dire que l'homme était joueur relevait clairement de l'euphémisme ! Flynn traînait localement - et dans toute la Région des Lacs - une réputation d'« aventurier ». Son intérêt premier était les courses de chevaux, et il avait pour habitude de se rendre à l'hippodrome de *Cartmel Village* au moins une fois par mois. C'était à une demi-journée de route d'*Ambleside*, et il y passait généralement une nuit ou deux, en fonction du calendrier des courses. Dominic décida qu'il serait utile de s'y rendre lui-même et de voir ce qu'il pourrait y découvrir. Il partit donc un samedi matin pour *Cartmel* et ne revint que le lendemain. Je ne voulais pas qu'il parte seul, mais il préféra ne pas attendre que Victor soit disponible. Il m'affirma que plus vite il partirait, plus vite il serait revenu. Victor était absorbé par les préparatifs des funérailles de Marabelle et n'était pas en mesure d'aller où que ce soit.

Dominic parti, il s'avéra difficile de me concentrer sur mon travail. Je n'arrivai pas à m'y intéresser. J'abandonnai la tâche et passai la journée à aider Madame Stackpoole à la lessive. Cette activité m'apporta une diversion bienvenue. En fin de matinée, alors que nous étendions des vêtements mouillés sur la corde à linge et que le soleil réchauffait mes épaules, j'eus envie de rester dehors.

Ayant obtenu de Madame Stackpoole une liste de courses, je récupérai mon panier à provisions et partis me promener au village. Oncle Jasper serait de retour à la tombée de la nuit, et je fus envoyée faire l'emplette d'une épaisse tranche de jambon à servir avec une salade du jardin.

Ambleside était un petit village densément peuplé. On y croisait toujours des gens qui faisaient leurs courses ou qui se promenaient. Ce jour-là ne faisait pas exception car le temps était magnifique. La promesse d'un été chaud flottait dans l'air. J'étais en train de me l'imaginer quand j'entendis quelqu'un appeler mon nom.

— Mademoiselle Jillian ?

C'était la voix fluette d'un enfant. Je m'arrêtai et me retournai, puis souris en reconnaissant le jeune visage de Jem Riley. J'attendis qu'il me rattrape et nous reprîmes ensemble notre marche.

— Bonjour Jem. Comment vas-tu ? Et ta sœur ? J'espère qu'elle n'a pas attrapé froid. Je ne serais pas surprise si c'était le cas ! La pauvre petite puce a failli se noyer.

Jem eut un sourire radieux.

— Elle va bien, elle se porte comme un charme maintenant, Mademoiselle. Mais mon père m'a donné une raclée pour l'avoir laissée s'enfuir.

Le souvenir de cette injustice crispa ses traits.

...Ce n'était pas ma faute. Elle échappe toujours à mon attention quand maman n'est pas là.

— Les petites sœurs peuvent être très difficiles, Jem.

— Oui !

Convint-il d'un ton sombre.

…Elle m'avait aussi fait ça la semaine d'avant ! C'est une coquine.

— J'espère qu'elle n'a pas fini dans le lac cette fois-là aussi ?

— Non.

Dit-il joyeusement.

...Elle s'est cachée dans ce hangar à bateaux de riches.

J'ai eu un mal fou à la trouver avant que maman ne rentre du travail.

Je gloussai. Jenny Riley était une petite coquine. C'est alors ce que je relevai de ce que le garçon venait de dire.

— Quel hangar à bateaux de riches était-ce, Jem ?

Je le regardai. Il avait l'air penaud.

— Je ne veux pas avoir de soucis…

Je m'arrêtai et posai une main sur son épaule.

— Tu n'auras pas de soucis. Tout ce que tu as fait, c'est d'aller chercher ta sœur. Il n'y a rien de mal à ça.

Je remarquai l'éclair de culpabilité qui ombra son visage.

…Y a-t-il quelque chose que tu voudrais me dire ?

Demandai-je sur le ton le moins menaçant possible. Pour une raison quelconque, je sentais instinctivement que le garçon cachait quelque chose. Il hocha la tête d'un air sombre.

— J'y suis allé pour retrouver Jenny…

Dit-il à contrecœur. Il s'essuya le nez avec sa manche et me fixa de ses grands yeux noisette.

…Mais une fois que je l'ai eue retrouvée, j'ai piqué un chou dans le jardin, et j'ai failli me faire prendre.

Il fit une pause, attendant une réprimande immédiate, puis cligna plusieurs fois des yeux devant mon silence. Je repris la marche, et il suivit mon rythme.

…Vous êtes en colère contre moi, Mademoiselle ? Je ne suis pas vraiment un voleur, mais maman et papa travaillent si dur, et il n'y a jamais assez de nourriture pour nous tous.

— Voler est très mal, Jem.

Dis-je doucement.

— Je sais.

Plaida-il.

...Je ne le ferai plus jamais, Mademoiselle. Je n'ai pas pu m'en empêcher. Puis j'ai vu la dame et le monsieur aller vers le hangar à bateaux et je savais que les carottes étaient cuites pour nous. Dès qu'ils ont été occupés, Jenny et moi nous avons couru. Personne ne nous a suivis. Nous avons eu de la chance. J'avais tellement peur que j'aie quand même laissé tomber ce fichu chou. Nous n'avons même pas pu le manger !

Je ne me souciai pas du chou, mais plutôt de son autre remarque.

— Jem... qui as-tu vu ? La dame et le monsieur, je veux dire. Tu les connaissais ?

Nous étions arrivés à la boucherie.

— Bien sûr, je les connaissais.

Dit-il en gémissant.

...C'est pour ça que j'avais peur d'avoir des ennuis. C'était le forgeron et la jolie dame de la maison, celle avec les cheveux jaunes.

Mon cœur s'accéléra.

— Jareth Flynn et Mademoiselle LaVelle ?

— Oui. De qui pensez-vous que je parlais ?

J'ignorai la question.

— Que voulais-tu dire par « été occupés » ?

Son visage prit une teinte rosée.

— Ils s'embrassaient et se faisaient des câlins.

Son nez se plissa de dégoût. Je ne pus m'empêcher de sourire à son expression.

— Et ils ne t'ont pas vu ?

— Pas au début, mais ensuite le forgeron nous a vus et il m'a fait un clin d'œil.

Maintenant, sa confiance revenait et Jem réalisait que je n'étais pas en colère contre lui.

…Mais moi et Jen, on sait qu'il vaut mieux ne pas croiser mon père, surtout quand il a bu un coup ou deux. On s'est donc cachés dans les buissons, et pendant que les amoureux s'occupaient, nous avons couru à la maison. Le truc c'est que, Mademoiselle...

Il leva les yeux vers moi, le visage à nouveau ravagé par la culpabilité.

...Quand j'ai appris la mort du forgeron, je n'ai pensé qu'à la chance que j'avais. Personne ne saurait jamais, pour moi et le chou…

Ce que venait de raconter Jem était limpide. Il avait raconté une histoire innocente, dans laquelle Evergreen et Flynn avaient un rendez-vous romantique au hangar à bateaux. Nos soupçons étaient confirmés. Cela semblait une bien curieuse union, mais plus important encore : j'étais maintenant absolument sûre que Jareth Flynn était à l'intérieur du hangar à bateaux quand sa montre était tombée, et que cela avait eu lieu juste avant sa mort.

Lorsque Dominic rentra de *Cartmel*, le dimanche soir, je fus si prompte à lui ouvrir la porte qu'il manqua basculer. Je faisais les cent pas depuis si longtemps que le tapis du hall aurait dû être usé jusqu'à la corde ! Mon esprit ruminait les informations en assemblant tout ce que j'avais appris sur Jareth Flynn.

Dominic demanda si Oncle Jasper était à la maison. Je répondis par la négative et il m'attira dans ses bras pour un baiser langoureux. Toute pensée me déserta et je me concentrai sur sa bouche passionnée, puis il mit fin au baiser et me regarda fixement.

— Mon Dieu, comme tu m'as manqué, Jillian...

Dit-il, ses iris brûlant comme de l'or en fusion.

— Toi aussi, Dominic.

Murmurai-je.

Et il m'embrassa à nouveau.

Nous dûmes lutter pour séparer nos lèvres et réprimer notre désir. Mais nous avions beaucoup de choses à nous dire, et j'étais impatiente de commencer. Je préparai une tasse de thé et nous nous assîmes dans la cuisine.

— Qu'y a-t-il, Jillian ? Tu sembles bien agitée. Dominic me sourit.

...J'aimerais que mon baiser en soit la cause, mais je crains d'avoir tort.

— J'ai quelque chose à te dire. Mais d'abord, je veux savoir ce que tu as découvert à *Cartmel Village*. As-tu appris quelque chose de plus sur Flynn et ses habitudes de jeu ?

Dominic eut un sourire en coin et posa sa tasse.

— En effet, j'ai appris des choses. J'ai eu le malheur de passer une soirée entière à l'auberge *The Pig and Whistle*. Un véritable repaire de voyous et d'escrocs des courses comme je n'en avais jamais vu.

— Oh non ! J'espère qu'il n'y a pas eu de problème ?

— Aucun. Mais Flynn était bien connu des clients, et pas spécialement en bien.

— Pourquoi ça ?

— Selon les hommes avec qui j'ai parlé, notre forgeron avait accumulé de sérieuses dettes chez plusieurs parieurs locaux. Beaucoup de sommes assez importantes pour un homme ne disposant que d'un maigre revenu.

— Alors voilà qui explique pourquoi on aurait voulu assassiner cet homme.

— Oui, en effet. Cependant, la nouvelle de la mort de Flynn n'est parvenue à *Cartmel* que plusieurs jours après l'événement. Et bien que je ne sois pas expert en criminels, les hommes que j'ai rencontrés étaient capables de voler des portefeuilles et autres petits délits - mais pas de meurtre. Il me semble que Flynn pouvait s'attendre à être brusqué par quelqu'un qui voulait être remboursé, mais si on tue la personne qui vous doit de l'argent, alors adieu la dette !

Il disait vrai. À quoi bon tuer Flynn ? J'en convins rapidement.

— Tu as raison. Sauf acte de colère impulsive, j'ai tendance à penser que c'était quelqu'un qui avait besoin de le faire taire.

— Et à en juger par ses dettes…

Ajouta Dominic,

…Jareth avait besoin de mettre la main sur une grande quantité d'argent.

— Nous savons qu'il a fait chanter Louisa Mountjoy.

Je me mordillai la lèvre inférieure.

… Mais je ne pense pas qu'elle soit la meurtrière. Lord Mountjoy n'avait aucune idée de cette liaison ou du chantage, c'est donc un suspect peu probable.

Nos regards se croisèrent, puis ses yeux se posèrent sur ma bouche, et il sourit, ses pensées revenant manifestement à notre récent baiser. Je levai un sourcil et m'efforçai d'avoir l'air sévère.

— Dominic !

Il cligna des yeux.

— Désolé…

— Qui d'autre Jareth aurait-il pu faire chanter ?

Dominic passa ses doigts dans ses épaisses boucles sombres.

— J'aimerais bien le savoir. Kemp dit que nous avons environ trois semaines avant le début du procès de Billy et encore beaucoup à faire. Je parlerai avec Victor, après les funérailles de Marabelle. Ensuite, nous pourrons envisager quoi faire.

À l'évocation du procès de Billy, mon cœur se serra. L'énormité de notre tâche me dépassait parfois.

— Laisse-moi te faire part de mes nouvelles.

J'avais hâte de partager l'histoire du petit Jem. Je racontai rapidement à Dominic l'essentiel de ce que l'enfant avait dit et, comme je le prévoyais, il fut heureux d'avoir l'information, mais quelque chose dans son expression me laissa penser qu'il n'appréciait pas le fait qu'Evergreen ait eu une relation amoureuse avec cet homme.

— Tu penses qu'Evergreen constituait une autre cible à faire chanter ?

Dit-il.

Je hochai la tête.

— Si elle a quelque chose à voir avec Jareth et qu'elle l'a rencontré en secret, alors c'est possible. Après tout, il l'a fait avec Louisa, alors pourquoi pas avec Evergreen ? Elle est riche. Peut-être Flynn a-t-il découvert qu'elle avait été envoyée à *Ambleside* en punition de ses frasques londoniennes. Que pourrait faire Victor s'il découvrait qu'elle se conduisait toujours mal ?

— Restreindre sa liberté encore plus, j'imagine.

— Alors quel meilleur moyen, pour Flynn, d'obtenir plus d'argent ? Dieu sait qu'Evergreen pourrait payer grassement pour éviter une perte de liberté !

Je sentais toujours l'aversion de Dominic à reconnaître le penchant d'Evergreen pour les flirts. À chaque fois que je m'en faisais la réflexion, cela me troublait davantage.

— Mais qu'en est-il de la note que Billy a trouvée ? Elle fait référence à quelque chose de non naturel !

— Flynn n'aurait pas écrit la lettre à Evergreen s'il était la personne impliquée dans son secret !

Dit Dominic.

— Ah !...

Dis-je triomphalement.

...Mais si cette note n'était pas destinée à Evergreen ?

Mercredi, la promesse d'un temps ensoleillé fut tenue. Les oiseaux chantaient avec éclat et il n'y avait pas une once de vent. Il semblait incongru d'organiser des funérailles par une si belle journée, soulignant ainsi la tristesse d'avoir perdu Marabelle, qui ne verrait plus jamais la beauté de la nature. Lorsqu'oncle Jasper, Madame Stackpoole et moi-même arrivâmes à *Saint. Mary's*, l'église était pleine à craquer. Heureusement, nous avions demandé à Dominic de garder des places s'il arrivait avant nous, ce qu'il avait fait. Les LaVelle et leurs proches s'installèrent à l'endroit où le chœur s'asseyait habituellement, leur offrant ainsi une certaine intimité. Le révérend Fothergill prononça son sermon, et l'éloge funèbre de Marabelle fut bref et précis. Les hymnes furent chantés et, à la fin de la messe, nous nous levâmes et regardâmes la famille descendre l'allée. Ils gardaient leurs regards droits devant eux, le visage stoïque. Victor était sombre et le visage d'Evergreen était caché derrière un voile. Seul Perry jeta un coup d'œil vers nous à leur passage. À l'extérieur, dans le soleil du matin, la famille n'attendit pas pour recevoir les condoléances. Au lieu de cela, leurs calèches repartirent à *Hollyfield*. Dominic me dit qu'il y avait un petit caveau familial sur le terrain à l'arrière de la maison, et que c'était là que Marabelle serait enterrée. Pour être honnête, j'étais contente qu'il n'y ait pas d'enterrement public. Le fait d'assister à l'enterrement me rappelait trop la perte récente dont j'avais fait la douloureuse expérience. En rentrant chez nous, Dominic et moi suivîmes mon oncle et Madame Stackpoole. Après notre conversation à son retour de *Cartmel,* nous avions encore beaucoup de choses à prendre en considération. Dominic avait passé les deux derniers après-midis à *Kendal* avec Billy et l'avocat, mais aucun progrès réel n'avait été fait. Il était impératif que nous en sachions le plus possible avant que Billy ne passe en jugement. Le temps nous manquait.

— Quels sont tes projets pour le reste de la journée, Jillian ? Demanda Dominic en rompant le silence.

Je laissai échapper un soupir.

— Je n'ai pas très envie de travailler. Je pense que je préférerais être dehors. Il fait si beau.

— C'est vrai.

Il m'observa.

...Et peut-être encore plus après avoir assisté à un enterrement. La vie est si précieuse, Jilly, et pourtant nous gaspillons notre temps jusqu'à ce qu'il soit trop tard.

— C'est assez morose, Dominic. Tu es bien sombre.

— Pas vraiment. La mort d'une personne si jeune devrait être une leçon suffisante pour que nous ne perdions pas le peu de temps dont nous disposons.

Son expression était sérieuse.

— Il y a eu trop de chagrin à *Ambleside,* ces derniers

temps. Plus que je n'aurais souhaité en subir.

Sans me soucier du qu'en dira-t-on, je pris sa main et la serrai.

— Je suis désolée. Ce n'est pas facile pour toi, Dominic. Pense à tout ce que nous avons appris. Je suis certaine que nous irons au fond de cette horrible affaire.

— Qu'en penses-tu, Jilly ?

Oncle Jasper s'arrêta brusquement et se retourna pour nous regarder. Je relâchai rapidement la main de Dominic, mais cela ne lui avait pas échappé. Ses yeux pâles croisèrent les miens pendant un bref instant, et je ne pus interpréter ce qu'il pensait de ma démonstration d'affection.

— Madame Stackpoole a une belle tourte au porc à partager avec nous pour le déjeuner. Dépêchez-vous, tous les deux.

Après le déjeuner, Dominic m'accompagna et nous partîmes en direction du lac.

— Comment était ton frère, hier ?

De façon générale, j'attendais que Dominic aborde le sujet de Billy. Je ne savais pas si cela le rendait malheureux qu'on lui rappelle leur situation difficile.

— Il va étonnamment bien. Billy aime que les choses soient familières et stables. Il est en prison depuis assez longtemps maintenant et il en est moins effrayé. Les gardiens le comprennent mieux et sont donc plus gentils qu'au début. Mais Billy ne saisit toujours pas la gravité de sa situation.

Il haussa les épaules.

...C'est peut-être mieux ainsi.

— Maître Kemp a-t-il parlé de sa stratégie pour le procès ?

— Non. Mais je crois qu'il discute régulièrement avec Victor. Kemp est un homme intelligent. Il est sincère dans sa volonté d'aider mon frère. Mais tout repose sur le couteau utilisé et sur le fait que Billy n'a pas d'alibi.

Il s'arrêta alors que nous atteignions la fin de *Lake Road*.

...Ça te dit de marcher un peu plus loin ? Nous pourrions nous aventurer jusqu'aux arbres ?

Il fit un geste en direction de la rive où commençait la forêt. Trois bancs étaient placés à des endroits pittoresques, où l'on pouvait se reposer et profiter du panorama. Je donnai mon accord et nous nous dirigeâmes vers l'un des sièges. Le soleil de l'après-midi était intense et brillant. Je m'assis sur le banc, le visage tourné vers le soleil. Les taches de rousseur et le teint foncé n'étaient pas à la mode, mais je m'en moquais. La chaleur apaisante qui chauffait ma peau était relaxante. À côté de moi, je sentais que Dominic faisait de même.

— Nous sommes comme un couple de lézards se prélassant dans la chaleur, Jilly. C'est agréable, n'est-ce pas ?

— Oui, soupirai-je. J'imagine que ça doit être tout le temps comme ça, sur le continent. Pas étonnant qu'il soit populaire d'y voyager en hiver. Mais imagine à quel point il faisait plus chaud, lorsque les LaVelle vivaient en Inde ? Cela a dû être étrange pour la famille de s'y habituer. Je suppose que sa maison manque à Marik.

— Je crois qu'il est heureux ici. D'après ce qu'il a dit, ce fut un grand chamboulement de venir en Angleterre, mais il a embrassé notre culture et nos traditions de tout son cœur.

Je me retournai pour regarder Dominic. C'était un si bel homme ! Sa tête était inclinée vers le soleil et j'observai avec fascination la lumière jouer sur sa mâchoire forte, ses sourcils épais et sa bouche sensuelle. Ses cheveux foncés retombaient en une masse de vagues, et je demandai comment un homme pouvait être aussi viril et séduisant à la fois.

— Est-ce que tu m'étudies, Jillian ?

Dit Dominic en ouvrant les yeux.

Prise au dépourvu, je lui répondis par un sourire nerveux :

— Oui.

— Et ai-je passé le contrôle ?

Un sourire languissant traversa son visage et me coupa le souffle. Comment un autre être humain pouvait-il provoquer en moi de telles réactions ?

— Tu feras l'affaire !

Le taquinai-je.

Et Dominic saisit ma main pour la presser contre ses lèvres.

— Eh bien, te voilà maintenant coincée avec moi, Miss Farraday, alors tu ferais mieux d'apprendre à vivre avec.

Son regard se posa sur ma bouche, et bien que nos visages ne soient pas proches, la profondeur sensuelle qui se dégageait de ses yeux me donna l'impression qu'il m'avait embrassée.

L'aboiement d'un chien mit fin à cet instant et je recouvrai rapidement mon calme.

— Quand vois-tu Victor ?

— Je prévois de lui rendre visite demain. Les visiteurs seront partis d'ici là.

Un cortège de parents s'était succédé à *Hollyfield*.

— Il mérite un deuil beaucoup plus long, mais le temps est une chose dont nous disposons peu. À la lumière de tes découvertes, nous avons besoin de son aide.

À cette pensée, Dominic se raidit, puis se redressa et passa ses doigts dans ses cheveux.

...Viens, allons un peu plus loin.

Il désigna d'un geste la zone boisée.

...Il y a une petite chute d'eau à proximité. Veux-tu la voir ?

— Oui.

Je me levai.

...Montre-moi le chemin.

Le sentier à travers bois était étroit, nous avançâmes donc en file indienne. Dominic fit des remarques sur divers points d'intérêt, puis me régala d'un vieux conte populaire sur un sorcier local qui avait vécu dans ces bois. Quand il prononça le nom de l'homme, Jacob Nash, je l'interrompis.

— Est-il apparenté à Peggy Nash ?

— C'était son père.

— Je me demande pourquoi ils vivaient ici.

— Jacob était druide. Le vieil homme était excentrique, et personne ne savait exactement où se trouvait sa demeure. Mais d'une manière ou d'une autre, il parvenait à subvenir à ses besoins et à ceux de sa fille en vendant des potions médicinales. Si les remèdes étaient efficaces ou pas, je ne saurais le dire.

— J'aimerais que Peggy ne soit pas le seul alibi de Billy. Quel dommage qu'elle soit si bizarre ! Le témoignage de n'importe quel autre villageois rendrait à Billy sa liberté.

— Je ne le sais que trop.

Dit Dominic à voix basse, et je regrettai immédiatement ma remarque.

Nous marchions depuis un certain temps lorsque j'entendis le bruit de l'eau. Alors que le sentier s'élargissait et que je me trouvais au niveau de Dominic, il me tendit la main.

— Nous sommes proches maintenant. C'est un endroit charmant, que j'ai peint plusieurs fois pour mes cartes postales.

Il me conduisait au-delà des fourrés lorsque je perçus le babil caractéristique d'une conversation. Dominic dut le remarquer aussi car il ralentit brusquement.

...Il semble que nous ne soyons pas les seuls à chercher un endroit magnifique aujourd'hui, Jillian.

Au moment où il prononçait ces mots, nous arrivâmes dans une clairière, et le sentier menait à une petite lagune. Une chute abrupte dégringolait d'une butte rocheuse en faisant jaillir de grands panaches d'eau. Les voix reprirent. Mes yeux furent attirés par la silhouette dénudée d'un homme grand et maigre. Au moment où mes yeux se posèrent sur lui, il s'élança dans l'eau depuis les rochers.

Je clignai des yeux et sentis mon visage s'empourprer au moment même où j'identifiais ce corps nu. Impossible de confondre cette peau sombre avec celle d'un Anglais pâlichon : il s'agissait de Marik Singh.

— Oh, mon Dieu…

Balbutiai-je.

Dominic afficha un large sourire, pas perturbé le moins du monde.

— Ne te tracasse pas, Jilly. C'est juste un corps tel que

la nature l'a fait.

Un autre cri retentit, et cette fois je vis Perry LaVelle escalader le rocher sur lequel se tenait son ami quelques instants plus tôt. Je détournai le regard avec embarras.

...Je suis désolé...

Dit Dominic avec gentillesse.

...Je n'avais pas pensé qu'il y aurait quelqu'un d'autre ici.

Il leva les yeux vers le ciel bleu.

...Mais c'est une journée particulièrement belle, et chaude en plus. Pas étonnant que Marik et Perry se soient échappés ici pour se rafraîchir. Ils essaient probablement de fuir une maison pleine de monde.

— Dominic, ils viennent d'enterrer leur cousine ! Il semble quelque peu inapproprié d'être ici à s'amuser dans des circonstances aussi tristes !

— Tu ne dois pas penser du mal d'eux parce qu'ils se comportent comme de jeunes hommes sains. Être malheureux ne ramènera pas Marabelle ! Ils veulent simplement libérer un peu d'énergie après tout ce qui s'est passé. Je ne peux pas leur en vouloir pour cela.

Nous nous tournâmes tous les deux pour fixer l'eau bleue. Elle semblait vraiment tentante, et une partie de moi ne pouvait vraiment pas leur en vouloir. Perry nagea jusqu'à la base de la cascade où Marik s'ébrouait dans l'eau. Perry éclaboussa son ami, et nous les entendîmes rire tous deux. Perry nagea ensuite vers le bel Indien. Marik ouvrit les bras et Perry se rapprocha. Perplexe, je les vis s'embrasser, puis mon souffle resta suspendu tandis que leurs bouches se joignaient en un baiser passionné.

XXI

— Jillian… attends…

Je restai sourde à la demande de Dominic et me précipitai pour mettre le plus de distance possible entre la lagune et moi.

Je courais presque, sans bien savoir pourquoi.

…Jillian.

Répéta Dominic plus fort, et quelque chose dans sa voix me fit ralentir pour lui permettre de me rattraper. Il saisit mes mains et me força à m'arrêter.

…Voyons, Jilly. Ne sois pas troublée par ce que tu as vu…

L'image des deux hommes en train de s'embrasser me revint en mémoire et j'eus un frisson.

— Mais ils étaient ensemble comme un homme et une femme. Ce n'était tellement pas normal !

Il poussa un profond soupir.

— Je t'accorde que c'est choquant de voir deux hommes ainsi, surtout quand c'est la première fois. Mais tu dois comprendre que cela n'a rien de hors du commun. Certains hommes ne ressentent aucune attirance pour les femmes, sans que ce soit un choix de leur part - et c'est le cas de Perry et Marik. J'ai longtemps trouvé étrange que Perry ne soit attaché à personne et ne se soit pas marié. Mais je n'avais jamais deviné que c'était à cause de cela. Ils ont pris soin de cacher leur relation.

L'expression de Dominic était réfléchie. Il ne montrait ni dégoût ni jugement.

— Ils ne cachaient pas grand-chose à ce moment-là !

Répondis-je d'un ton sec.

...Pour se comporter de la sorte en public.

— Oui, Jilly. C'était bête.

Et il avait raison. Même moi, je savais qu'un tel comportement était contraire à la loi.

...Ils ont été imprudents.

Ajouta-t-il

...Car n'importe qui aurait pu les voir et ils auraient pu avoir des problèmes. Viens.

Il tira ma manche pour me faire avancer.

…Retournons à la ferme, et nous prendrons un rafraîchissement. Je suis déshydraté à cause de cette chaleur, et tu dois l'être aussi.

La marche de retour à la ferme Wolfe fut calme. Je filtrai encore les souvenirs de ce dont j'avais été le témoin à la lagune. Je fus surprise de voir à quel point je trouvais leur attitude choquante. Bien sûr, je savais qu'il y avait des hommes qui ne recherchaient pas la compagnie des femmes, mais je n'en avais jamais été le témoin direct. Les images de Perry et de Marik à *Hollyfield*, et des quelques occasions où j'avais été en leur compagnie, tourbillonnaient dans ma tête. Je passais en revue les scènes, à la recherche de quelque chose qui m'aurait échappé. Ce n'était pas la répulsion ou le dégoût qui me consumaient... J'étais tout simplement choquée ! Après un grand verre d'eau fraîche, je me sentis plus calme. Debout dans la cuisine, le dos appuyé contre la cheminée, je regardai Dominic se servir un verre.

— Je suis désolée…

Commençai-je.

...Je ne sais pas pourquoi j'ai réagi de façon excessive. C'était ridicule de ma part.

Dominic sourit et vint se placer devant moi. Il prit mon menton dans sa main et inclina mon visage vers le sien.

— Oh, Jillian…

Dit-il calmement.

…Je comprends. Pour la plupart des gens, être le témoin de deux hommes agissant de manière romantique est déstabilisant parce qu'on n'en a pas l'habitude.

Il inclina la tête, et ses lèvres effleurèrent les miennes. Puis il s'éloigna.

…À Londres, je connaissais beaucoup d'hommes comme Perry et Marik, surtout au sein de la communauté artistique. Il y a longtemps que j'ai appris à considérer cela comme naturel. Il s'agit juste d'un être humain qui prend soin d'un autre, après tout.

Même si cette notion m'était encore étrangère, je ne pouvais qu'être d'accord.

…Imagine...

Poursuivit-il.

…Ce que ça doit être d'aimer un autre et de vivre dans une société qui vous condamne. En effet, il n'y a pas si longtemps, les hommes étaient mis à mort pour s'être engagés dans une relation avec quelqu'un de leur sexe. Une punition cruelle et injuste, et je suis heureux qu'il n'en soit plus ainsi.

— Tu as raison. Personne ne devrait mourir parce qu'il tient à une autre personne. Pourtant, c'est toujours contraire à la loi que deux hommes aient une liaison, n'est-ce pas ?

— Oui. Aux yeux du monde, ou du moins dans la plupart des pays, la passion pour quelqu'un du même sexe est considérée comme un acte contre-nature. Perry est imprudent en affichant en public des signes d'affection envers Marik.

— Tu diras à Perry que nous les avons vus ?

— Je dirai que j'étais là, mais je préfère ne pas mentionner ta présence, Jillian. Il est juste qu'ils sachent, ainsi à l'avenir ils ne seront pas aussi imprudents.

Je finis mon eau et posai mon verre dans l'évier pendant que je réfléchissais aux paroles de Dominic. Il était bien plus libéral que moi, pourtant je partageais ses opinions et je n'avais pas le droit de les juger. Je n'avais jamais eu besoin de réfléchir à ce sujet auparavant. Mais comment me sentirais-je en revoyant Perry ? Est-ce que je penserais à lui différemment maintenant ? Peut-être…

Dominic m'accompagna jusqu'à la route.

…Je voudrais que tu fasses une chose pour moi. Cela pourra t'aider à comprendre. Imagine, si tu veux bien, un monde où toi et moi pourrions-nous montrer mutuellement de l'affection en public. Si c'était le cas, je t'embrasserais pour te dire au revoir à l'instant même. Mais la société dicte que ce serait inconvenant, que nous ne pouvons pas montrer notre affection sans une bague. Si je t'embrassais, ici et maintenant, ta réputation serait ternie si nous étions vus. Perry et Marik ne pourront jamais avoir de bague pour sceller leur amour. Ils sont obligés de cacher leurs sentiments l'un pour l'autre. Aux yeux du monde, leur amour est considéré comme un amour contre -nature. Voilà ce que c'est que d'être homosexuel.

Quelque chose me vint soudain à l'esprit. Je poussai un petit cri.

…Qu'est-ce qu'il y a ?

Demanda-t-il avec inquiétude.

— Aux yeux du monde, c'est contre-nature…
Répétai-je.

...Rappelle-toi, la note disait « contre-nature » ...

Le visage de Dominic resta impassible.

...Dominic, le morceau de papier de Billy provenait d'une lettre de chantage. Celui qui l'a écrit a fait référence à un acte contre-nature, et...

— Mon Dieu, tu as raison !
Dit Dominic avec étonnement.

...Flynn a dû faire chanter Marik et Perry également.

Le jour suivant, Oncle Jasper partit pour l'université de *Wadham* à *Oxford*, où il comptait passer la nuit. Dominic prévoyait de contacter Victor et de rendre visite à Billy, mais promit de s'arrêter en rentrant chez lui plus tard dans la journée. Il n'y avait rien de plus à faire concernant Flynn, tant que Victor n'avait pas été mis au courant. D'un commun accord, nous avions décidé qu'il était préférable pour Victor de rester dans l'ignorance du fait que nous soupçonnions Perry d'être une autre victime du chantage de Flynn. Au lieu de cela, Dominic parlerait avec Perry à la première occasion, plutôt que de rajouter des problèmes à la famille. Ils avaient déjà assez souffert.

J'étais en train de terminer une transcription particulièrement délicate lorsque j'entendis une calèche à l'extérieur, et je me levai pour regarder par la fenêtre du bureau. C'était Evergreen LaVelle qui venait me voir. J'ouvris la porte d'entrée avant qu'elle n'ait eu le temps de frapper et la fis entrer. Elle était vêtue de noir, ce qui convenait à son deuil. Pourtant, l'inclinaison mutine de son petit chapeau démentait la solennité de son costume. Evergreen se laissa tomber dans le fauteuil face au mien, rejeta le thé que je lui proposai et poussa un soupir théâtral.

— Ça a été épouvantable à la maison...

Se plaignit-elle, le front noué par la contrariété.

— J'imagine.

Dis-je doucement.

...Perdre un membre de sa famille n'est jamais facile.

— N'importe quoi !

Rétorqua-t-elle sèchement.

...Je ne parlais pas de ma cousine maladroite tombée d'un balcon, mais du troupeau de parents ternes et ennuyeux qui sont venus présenter leurs respects à Papa. Je n'arrive pas à croire que je suis apparentée à des gens aussi mornes, Jillian.

Elle roula les yeux en signe de dégoût.

...Bien sûr, ils sont tous du côté de la famille de mère. Je préfère de loin les Symington en Inde. Seuls les lords vivent en Angleterre.

Je secouai la tête et ravalai ma réprimande, qui serait inutile. Evergreen LaVelle était peut-être instruite et riche, mais elle manquait cruellement de civilité. Au lieu de cela, je demandai des nouvelles de son père.

— Oh, il est occupé comme d'habitude. Dominic est venu à la maison ce matin, et ils sont tout le temps restés enfermés dans le bureau.

Elle posa sa main gantée sur ses genoux et s'absorba dans sa contemplation.

...D'après ce que j'entends, vous passez beaucoup de temps avec notre artiste bohème, Jillian. Je connais Dom depuis assez longtemps pour pouvoir vous aider si vous vouliez savoir quelque chose à son sujet...

Elle eut un sourire félin. Je me demandai si elle

nourrissait des sentiments pour Dominic.

— Non, merci. Je n'ai pas besoin de votre aide. Dominic et moi sommes amis. Dieu sait qu'il en a eu bien besoin depuis l'arrestation de Billy. Il ne pourra pas trouver de repos, en tout cas pas avant que Billy ne soit acquitté.

— Acquitté ?

Elle était sidérée.

...Pourquoi cela se produirait-il ? Ce garçon a tué Jareth Flynn, et il va payer pour ça !

Aucune compassion ne transparaissait dans sa voix. En fait, je perçus même une petite lueur dans son regard. Comment Evergreen pouvait-elle se réjouir que Billy Wolfe puisse être pendu ?

— Le fait que son couteau ait été utilisé ne prouve pas sa culpabilité.

Dis-je en la réprimandant.

...Une enquête approfondie est toujours en cours. Billy mérite un procès équitable.

— Jillian, vous êtes nouvelle par ici, et par conséquent, je garde cela à l'esprit lorsque j'écoute ce que vous dites. Mais croyez-moi, cet idiot de garçon a toujours été étrange. En fait, il m'a même fait peur une fois ou deux, bien que je ne l'aie jamais dit à Papa, ni à Dominic d'ailleurs.

Je fixai son joli visage avec incrédulité. Disait-elle vrai ? Je ne pouvais le dire, et pourtant, instinctivement, je ne la croyais pas. Il en fallait beaucoup à Evergreen LaVelle pour être effrayée, et elle n'aurait pas hésité un instant à dénoncer Billy si son comportement l'avait ennuyée. Je décidai de changer de sujet.

— Vous connaissiez bien Jareth Flynn ?

Elle changea de posture de façon imperceptible, et je

sentis qu'elle était mal à l'aise. Cela me fit plaisir.

— Pourquoi diable me demandez-vous cela ? Vous savez, Jillian, votre propension à la franchise peut être très déconcertante, mais parfois elle est insultante ! Evergreen LaVelle montrait un profond mécontentement.

— Je ne veux pas vous offenser, mais j'aimerais connaître votre relation avec le forgeron.

Elle se leva et se dirigea vers la fenêtre du salon. Evergreen resta quelques instants dos à moi, puis se retourna pour me faire face. Je pouvais voir son irritation par la rigidité de son maintien, et elle avait retrouvé des couleurs.

— Je suppose que vous avez une bonne raison pour me poser cette question impertinente ?

Je hochai la tête.

...Eh bien, d'accord, je vais vous le dire. Flynn était un ami, mais surtout ne le dites à personne car mon père me tuerait s'il le découvrait.

Elle revint pour prendre son siège.

...Écoutez, Jillian. Je me suis mis dans un petit pétrin à Londres. Rien de bien terrible, mais Papa en a fait tout un fromage. Il m'a envoyée à *Hollyfield* pour m'éviter des ennuis et pour que je fasse pénitence. Je m'ennuyais à mourir et j'ai fait la connaissance de Flynn le jour où mon cheval a perdu un fer. Bien sûr, ce n'était pas le genre de personne que je fréquenterais d'ordinaire, mais je pourrais en dire autant de vous.

J'ignorai sa pique.

...L'homme était sympathique, beau, et il me faisait rire. Nous sommes devenus amis. Et c'est tout.

— Combien de fois vous êtes-vous rencontrés ?

— Je vous demande pardon ?

— Jareth. Vous vous êtes rencontrés de temps à autre en tant qu'amis ?

Elle eut la décence de rougir. Elle s'apprêtait à me répondre, mais je n'en avais pas fini :

— Quand l'avez-vous vu pour la dernière fois ?

— La veille du jour où ils ont trouvé son corps. Nous nous sommes rencontrés près de notre hangar à bateaux car il avait à faire à *Hollyfield*.

Je me demandai quelles étaient ces affaires, mais je n'insistai pas. J'étais franchement surprise qu'elle m'en ait dit autant.

...Jillian, je n'ai rien à voir avec ce qui est arrivé à cet homme. J'admets avoir été coupable d'un petit flirt, mais c'est tout.

— Pourtant, vous êtes convaincue que Billy Wolfe l'a tué. Un garçon dans un corps d'un homme, qui n'avait aucune raison de tuer Flynn !

— Oui, c'est lui.

Sa voix était ferme.

...Jareth taquinait Billy tout le temps, et il a probablement juste craqué.

— Si c'était le cas, il aurait frappé l'homme, il ne l'aurait pas tué !

— Oh ! Donc, maintenant, vous êtes limier ? On dirait que vous êtes déterminée à rejeter la faute sur quelqu'un d'autre !

— Peut-être est-ce parce que je ne comprends pas votre aversion pour Billy. Comment pouvez-vous le considérer comme inférieur parce qu'il souffre d'un handicap de naissance ?

— Que savez-vous de mes sentiments ?

— Je sais que vous êtes dure quand vous parlez de lui, que vous méprisez sa condition. Mais pourquoi ?

Qu'est-ce que Billy vous a fait ?

Je le savais déjà : Billy avait l'audace d'être un demi-frère indésirable et non désiré ! Je ne lui dis pas que je connaissais le secret de la famille, tout en me demandant si elle allait elle-même m'en faire l'aveu.

Elle retourna s'asseoir.

— Jillian, vous ne savez rien de moi ou des LaVelle, et pourtant vous êtes très prompte à juger. Je viens d'une famille ambiguë. Du côté de mon père, nous sommes issus de la classe ouvrière. La famille de ma mère était aristocratique et franchement prédisposée à des maladies nerveuses, surtout chez les femmes.

Elle soupira.

...Ma mère a perdu deux enfants avant notre naissance, à Perry et à moi. Vincent était mort-né, et Lucien a vécu six semaines. Lorsqu'elle a accouché de jumeaux, quand elle vivait en Inde, cela l'a beaucoup éprouvée. Selon notre ayah, Simka, Mère parlait souvent des garçons qu'elle avait perdus comme s'ils étaient encore vivants. Elle passait beaucoup de temps alitée, et Simka s'occupait de Perry et de moi. Je ne sais pas ce qui n'allait pas avec notre mère. C'était très probablement une dépression, parce qu'elle s'est suicidée quand nous avions deux ans.

Je poussai un petit cri.

— Oh non !

J'avais honte de l'avoir provoquée ! La pauvre fille était malheureuse, et à juste titre. Perdre sa mère à un si jeune âge était tragique.

— Donc, vous voyez, Jillian, j'ai fait l'expérience directe de ce que fait la maladie mentale. Si je suis cruelle dans l'opinion que j'ai de Billy, alors qu'il en soit ainsi, je ne m'en excuse pas. Maintenant...

Elle se leva.

...Je dois partir. J'avais vraiment besoin de m'éloigner de cette maudite maison. C'est pourquoi je suis venue.

Je me levai, rongée par la culpabilité.

— Je suis désolée de vous avoir fait vous sentir encore plus mal en rappelant le passé. Veuillez accepter mes excuses, Evergreen. J'espère que je ne vous ai pas rendue malheureuse.

— Ne vous inquiétez pas.

Dit-elle, reprenant son habituel ton désinvolte.

...Je vis avec les conséquences depuis maintenant dix-neuf ans. Je crois que je peux m'accommoder d'une petite conversation comme celle-ci.

Je l'accompagnai dans le couloir.

Elle s'arrêta à la porte et se tourna vers moi.

...Pourriez-vous venir à *Hollyfield* vendredi ? Venez pour le déjeuner, Jillian, et passez l'après-midi avec moi.

Elle sentit mon hésitation.

...Oh, dites que vous pouvez, s'il vous plaît, sinon je vais devenir folle à force d'être seule.

J'aurais vraiment voulu refuser, mais après mon indélicatesse concernant sa mère, je ne pus me résoudre à décliner son invitation.

Dominic vint à la maison en fin de journée et je fus incroyablement heureuse de le voir. Nous allâmes directement à la cuisine où il accepta avec reconnaissance un épais sandwich au jambon et une chope de bière mousseuse. Madame Stackpoole était sortie rendre visite à un voisin et nous avions la maison pour nous seuls. Il y avait beaucoup de questions que je brûlais de poser mais je pensais qu'il valait mieux le laisser apaiser sa faim d'abord.

Puis j'engageai la conversation.

— Evergreen est passée aujourd'hui. La compagnie de sa famille l'ennuyait depuis trop longtemps, et elle a cherché une diversion auprès de moi.

Dominic fronça les sourcils.

— Comment ça s'est passé ? Je parie qu'elle tournait en rond comme une bête en cage.

— C'est à peu près ça. Je l'ai choquée parce que j'ai posé des questions sur la relation qu'elle avait eue avec Flynn.

Dominic leva un épais sourcil.

— Tu as eu du courage !

— En effet. Bien que j'aie été plutôt surprise, parce qu'elle a répondu à ma question, en fait. Bien sûr, elle n'a pas avoué avoir un quelconque attachement romantique pour lui, mais elle m'a dit que c'était un léger flirt et qu'il la faisait rire.

— Voilà donc le secret pour qu'une femme ait envie d'un homme, alors ? Mon Dieu, je vais jeter mon pinceau et apprendre à être drôle.

Il eut un sourire diabolique, et je lui souris en retour, amusée.

— Elle a aussi parlé de sa mère. J'ai été assez dure avec elle concernant la façon dont elle parle de Billy, mais il semble qu'elle ait maladivement peur de tout type d'indisposition mentale.

Je regardai Dominic boire une gorgée de bière.

…Tu sais ce qui est arrivé à sa mère ?

Il fit un signe de tête.

— Oui, ce n'est pas un secret, même si la plupart des gens n'en parlent pas, par respect pour la famille.

— C'est pour cela que j'ai eu honte d'avoir été si

inconsidérée. Mais Evergreen m'a néanmoins ignorée et a décidé de partir. Mais j'ai quand même découvert qu'elle avait vu Jareth la veille de sa mort. Elle a dit qu'il était près du hangar à bateaux car il avait à faire à *Hollyfield.*

— Eh bien, cela explique la présence de la montre làbas. Je me demande ce qu'un forgeron pouvait avoir à faire avec les LaVelle ?

— Elle ne l'a pas dit. Je pense toujours que la montre a dû se détacher lors d'une bagarre. Et si Jareth était là la nuit précédente et qu'Evergreen a vu quelque chose, elle ne veut pas s'avancer afin de protéger sa réputation. Pour une raison quelconque, elle tient à faire endosser à Billy le rôle du méchant, et j'aimerais savoir pourquoi. Dominic repoussa son assiette vide.

— Evergreen était furieuse contre Victor quand elle a découvert qu'il était le père de Billy. Je pense qu'elle se sent souillée par sa condition, que cela salit en quelque sorte son pedigree. Elle ne le montre peut-être pas, mais elle est farouchement jalouse de tous ceux qui reçoivent l'attention de son père.

— Vraiment ? Je ne l'aurais pas deviné. Evergreen semble le contrarier à la moindre occasion.

— Un moyen sûr de gagner son attention.

Dit Dominic.

Il avait raison. Cela fonctionnait. Mademoiselle LaVelle était quelqu'un de bien plus complexe qu'il n'y paraissait.

Dominic éloigna sa chaise de la table mais resta assis. Je me levai et fis le tour pour enlever son assiette, mais il me saisit par le poignet et m'attira sur ses genoux. Ses cuisses fermes et fortes supportaient facilement mon poids. Son bras se saisit de ma taille tandis que je glissai le mien autour de son cou. Je savourai la douce attente avant que ses lèvres ne s'emparent des miennes et je me perdis dans la chaleur de son baiser. C'était sans fin, et quand nous cessâmes finalement de respirer, ma bouche était gonflée et me piquait délicieusement. Nos respirations étaient à l'unisson, et nous nous regardâmes dans les yeux, lorsque, de son doigt, il traça doucement une ligne sur ma joue.

— Tu es si belle, Jilly ! Tu ressembles à une sirène, avec tes yeux de chat et tes cheveux de soie. Mon Dieu, Je suis torturé entre le désir de te traîner vers mon lit ou de te peindre.

Une vague de chaleur m'assaillit. Personne ne m'avait jamais parlé de cette manière. Le désir montait dans mes veines alors que je savourais le compliment, intimidée malgré tout.

— Je ne sais quoi répondre pour maintenir ma réputation.

Balbutiai-je faiblement.

Dominic me dévisagea un instant, puis il eut un petit rire.

— Oh, je t'ai embarrassée ? Je suis désolé...

Il se pencha en arrière pour mieux voir mon visage.

...Je voulais dire que c'était un compliment, ma douce Jilly. Je n'avais pas l'intention de te mettre mal à l'aise.

Il était si sincère ! J'inclinai mon visage vers le sien, le corps étourdi de sensations. À ma grande surprise, je lui donnai un baiser profond et passionné.

À l'instant où la poignée de la cuisine tourna, je me levai d'un bond et mon genou heurta la table.

— Je suis de retour, Mademoiselle Jillian...

Madame Stackpoole entra dans la cuisine et s'arrêta net en voyant Dominic à table, et moi, toute rouge, en train de me frotter le genou.

...Oh... je suis désolée. Je ne savais pas que vous aviez de la compagnie ce soir.

Son visage exprimait la désapprobation, sans équivoque sur le fait que je sois sans chaperon, seule dans la maison avec un homme.

— C'est seulement Dominic, Madame Stackpoole. Il est de retour de *Kendal* et pensait voir mon oncle. J'étais en train de partager un sandwich avec lui et nous parlions justement de l'enterrement d'hier.

La mention de l'enterrement eut exactement l'effet que j'escomptais.

Madame Stackpoole changea instantanément d'expression et prit le relais, comme une insatiable commère du village qu'elle était.

— C'était une étrange affaire, n'est-ce pas ?

La vieille femme s'installa en face de Dominic.

...Je n'ai jamais vu une famille aussi pressée de mettre un corps en terre ! Ils ne sont même pas restés pour recevoir les condoléances à la sortie de l'église. Des manières choquantes, si vous voulez mon avis. Surtout venant de leur part... La grande bourgeoisie...

Dominic fit semblant d'acquiescer, tout en se préparant à s'échapper. Je ne lui fis aucun reproche. Sa journée avait déjà été longue, mais j'étais réticente à ce qu'il parte sans me parler de sa rencontre avec Victor.

— Je ne vais pas m'attarder. Si vous voulez bien m'excuser, Madame Stackpoole...

Il se leva et la gratifia d'un sourire.

— Je ne vous ai pas chassé, n'est-ce pas, Dominic ? Ce n'était pas mon intention, je vous l'assure.

Elle lui jeta un regard coquin.

— Pas du tout. J'ai été absent une bonne partie de la

journée. Il vaut mieux que je rentre à la ferme m'occuper des animaux avant qu'ils ne s'enfuient pour trouver leur pitance ailleurs.

Il jeta un coup d'œil dans ma direction.

...Peux-tu passer demain quand tu voudras, Jillian ?

— Oui, bien sûr.

— Bien, alors je vous souhaite une bonne nuit à toutes les deux, mesdames.

Il se retourna et sortit par la porte de la cuisine, laissant un vide dans la pièce.

Une fois la maison bouclée pour la nuit et les lampes éteintes, Madame Stackpoole me souhaita bonne nuit et nous nous retirâmes dans nos chambres respectives. Je m'allongeai sur le lit. J'avais la tête remplie d'une foule de pensées enchevêtrées, la plupart ayant trait à Dominic et au moment que nous avions passé ensemble. Je récapitulai le catalogue des souvenirs que j'avais déjà avec lui. Notre première rencontre ne datait-elle vraiment que de quelques semaines ? C'était étrange, mais il m'était difficile d'imaginer ma vie sans lui. En quoi aurait-elle pu être différente, si Billy n'avait pas été arrêté ? En fait, il était surprenant que notre relation soit née dans ces terribles circonstances. Je m'approchai de ma table de nuit et, mue par une impulsion subite, je n'éteignis pas la lampe mais ouvris le tiroir pour prendre la boîte contenant la pierre de lune. Tous les événements de la semaine précédente m'avaient empêchée d'y songer. Mais voilà que je la tenais dans mes mains, détaillant ses irisations brillantes. Qui l'avait donnée à ma mère ? Était-ce un homme qu'elle aimait vraiment ? Mes pensées allaient vers Dominic. Avait-elle éprouvé pour cet étranger des sentiments aussi forts que ceux que j'éprouvais pour Dominic Wolfe ? Cette idée me surprit. Que ressentais-je pour le bel artiste ? De l'amour ? De l'affection ? De la compassion ? Je fermai les yeux. Je ne voulais pas aimer Dominic Wolfe, car ceux que j'aimais finissaient toujours par me quitter.

XXII

J'étais en route pour la ferme des Wolfe et mes doigts jouaient avec la pierre de lune que j'avais glissée dans ma poche. Je m'étais endormie avec la pierre précieuse dans la main, et quelque chose me disait de la garder sur moi aujourd'hui. La pierre avait une telle signification ! Ou du moins, elle en avait eu une pour ma mère à un moment de sa vie. Quoi qu'il en soit, d'une certaine manière, cela me faisait me sentir plus proche d'elle.

Il était tôt, mais je savais que Dominic serait déjà debout en train de s'occuper du bétail. J'étais certaine qu'il ne verrait pas ma venue d'un mauvais œil. La matinée promettait une autre belle journée. Le chant des oiseaux résonnait dans l'air. Même la faune était heureuse que l'été arrive.

Je trouvai Dominic dans les écuries, en train de nettoyer les stalles.

— Bonjour, Jillian.

Il fit une pause et s'appuya sur sa fourche.

…Je te saluerais bien plus chaleureusement, mais je sens le fumier.

Je ris en remarquant la sueur qui perlait sur son front. On voyait qu'il travaillait depuis un certain temps.

— Je peux aider ?

La proposition semblait dérisoire, mais je la formulai quand même.

— Pas ici. Mais si tu as l'intention de mettre la bouilloire à chauffer, je viendrai tout à l'heure partager une tasse de thé avec toi.

Je hochai la tête et le laissai à son travail.

Lorsque Dominic me rejoignit dans la cuisine, l'eau était chaude et les saucisses grésillaient dans la poêle. Je n'étais pas sûre qu'il ait pris son petit-déjeuner, mais le regard de plaisir qu'il me lança m'informa du contraire. J'avais fait chauffer une casserole d'eau et je la versai dans une bassine en fer blanc pour qu'il puisse se nettoyer le visage et les mains. Cela fut vite fait, et pendant qu'il se lavait, je mis des œufs à frire avec un morceau de pain croustillant.

Je le rejoignis à la table avec une tasse de thé chaud et le regardai avec intérêt dévorer l'assiette que j'avais placée devant lui. Pendant qu'il mangeait, je lui montrai la pierre de lune.

— Où as-tu trouvé ça ?

Me demanda-t-il en la prenant.

Il l'examina attentivement et la regarda à la lumière, puis fronça les sourcils.

...C'est un joli pendentif. Tu as un admirateur que je devrais connaître, peut-être ?

Je me mis à rire.

— Bien sûr que non. Il appartenait à ma mère. C'était plutôt elle qui avait un admirateur, avant de rencontrer mon père. Apparemment, un homme mystérieux lui a donné cette pierre de lune, et quand leur relation a pris fin, ma mère l'a laissée aux bons soins de mon oncle. Je l'ai trouvée rangée au fond d'une armoire, et Oncle Jasper m'a raconté son histoire.

Dominic me la redonna.

— Eh bien, maintenant que tu as déterré un trésor caché, tu devrais me laisser te trouver une chaîne pour que tu puisses le porter en collier. Ma mère avait des pièces de joaillerie pas chères. Je vais voir si je peux en trouver une qui pourrait convenir.

— Oh non, Dominic !

Dis-je rapidement.

...Je ne peux pas prendre quelque chose qui appartenait à ta mère.

Je remis la pierre dans ma poche et croisai son regard. On aurait dit qu'il voulait dire autre chose, mais il se ravisa. L'instant était embarrassant.

— Je voudrais savoir comment s'est passé, ta rencontre avec Victor, hier.

Je changeai de sujet, désireuse d'être plus à l'aise avec lui.

Il but une gorgée de son thé.

— Oui, il est regrettable que Madame Stackpoole ait décidé de nous interrompre hier soir avant que je puisse te le dire.

Il sourit, et une lueur méchante brilla dans ses yeux ambrés.

...Même si c'était peut-être une bonne chose, car je ne me serais peut-être pas du tout comporté comme il faut...

Mes joues s'empourprèrent, mais je ne fus pas gênée, bien au contraire. J'aimais l'attention et les louanges de cet homme.

— Comment as-tu trouvé Victor ?

— Il étouffe, dans une maison pleine de parents bien intentionnés qui mettent sa patience à rude épreuve. Cependant, nous avons bien parlé, et il m'a mis au courant des découvertes de Kemp.

— Que t'a-t-il dit ?

— Kemp prévoit de se servir de l'idée que le couteau de Billy ait été utilisé par un autre pour tuer Flynn. Par conséquent, que ce soit intentionnellement ou par hasard, Billy sera accusé de meurtre. Il fera part des informations de Peggy Nash, bien qu'il ne s'attende pas à ce qu'elles tiennent la route en raison de son état mental et de son manque de crédibilité. Mais elles peuvent étayer la théorie de son innocence. Les dettes de Flynn envers quelques personnages douteux montrent que d'autres peuvent avoir des motifs qui dépassent de loin ceux de mon frère. Chaque fois qu'il y a de la violence, il y a souvent des histoires d'argent dessous.

— Et qu'en est-il du chantage ?

— C'était un terrain glissant…

Dominic s'appuya sur sa chaise avec un profond soupir.

…C'est là que les choses deviennent obscures, Jillian. Le morceau de papier que l'on a trouvé montre que Flynn était un maître-chanteur. Mais comme le souligne Victor, il faudrait analyser l'écriture pour être sûrs qu'il en est l'auteur. Si on peut prouver qu'il a écrit le mot, alors à qui a-t-il été envoyé ? En ce qui concerne Victor, Louisa Mountjoy est sa seule victime. Nous ne pouvons pas la convoquer au tribunal et exposer sa relation avec le forgeron !

Ce fut mon tour de soupirer :

— Et tu ne peux pas parler à Victor de la relation entre Evergreen et Flynn, ni de ce que nous savons de Perry et Marik, tous trois victimes potentielles de chantage, sans tout dévoiler et déshonorer la famille.

— Sans parler du fait que Perry et Marik ont enfreint la loi. Ce genre de scandale pourrait ruiner Victor, et peut-être même causer la chute de son entreprise.

— Mais ce sont bien toutes ces raisons qui sont à l'origine de la mort de Flynn ! Ses dettes de jeu ne suffisent-elles pas à semer un doute sur la culpabilité de Billy ?

— Si.

Son ton était résolu. Il avait effectivement réfléchi à cette information depuis qu'il avait parlé à Victor.

— Donc, nous sommes coincés.

— Il semblerait que nous le soyons. Au moins pour le moment. La date du procès approche. Si seulement nous pouvions trouver une autre personne que Peggy qui ait vu Billy ce jour-là, et si nous pouvions établir que mon frère était loin de la scène du crime...

La frustration totale que je perçus dans sa voix me fendit le cœur.

— Eh bien, Monsieur Wolfe...

Je me forçai à sourire bravement.

...Je suggère que nous nous mettions au travail.

Mon oncle était rentré de l'université de *Leicester* avec un nouveau projet qui absorbait totalement ses pensées. À son retour, il m'embrassa distraitement sur la joue, puis disparut dans son bureau en s'exclamant simultanément :

— Je prendrai tous mes repas ici jusqu'à ce que j'en aie fini avec cette satanée dissertation.

Fidèle à sa parole, il resta enfermé pendant toute la soirée, chassant même Madame Stackpoole, qui prit ce rejet pour un affront. Je tentai d'apaiser son amour-propre avec une tasse de thé et de gentils compliments sur le tissu de sa robe, jusqu'à ce qu'elle se calme enfin. Je souhaitais plus que tout monter dans ma chambre et réfléchir sans être interrompue. Peut-être étais-je un peu comme mon oncle, après tout ! Plus tard dans la soirée, je m'assis à ma petite table d'écriture, face à la feuille blanche placée devant moi. Je n'étais pas sûre de savoir par où commencer. Ce puzzle comportait tellement de pièces manquantes ! Si j'arrivais à tout écrire, alors peut-être qu'un schéma m'apparaîtrait. Je me mis à noter tout ce que j'avais appris depuis ma première rencontre avec Evergreen. En énumérant les noms des personnes que j'avais rencontrées et les événements qui s'étaient produits, je remarquai que son nom, plus qu'aucun autre, revenait sans cesse. Evergreen LaVelle pouvait-elle être le lien entre eux tous ? Bien des gens avaient évidemment des raisons de s'opposer à Jareth Flynn et de souhaiter sa mort, mais vouloir la mort de quelqu'un était une chose, et commettre un meurtre en était une autre. Je soupirai. C'était en effet un beau fouillis, et les jours passaient vite. Dans peu de temps, Billy Wolfe serait jugé, et sa vie était en jeu. Si j'avais un jour soupçonné Billy de meurtre, mes soupçons avaient été levés à maintes reprises, car nous avions découvert que beaucoup d'autres personnes avaient des secrets. Il était méprisable pour le tueur d'attirer l'attention sur Billy et de faire porter le chapeau à ce pauvre garçon, sachant qu'il n'aurait aucune chance de prouver son innocence.

Par conséquent, je devais le voir de ce point de vue ! Qui avait quelque chose à gagner en se débarrassant de Billy ? Faisait-il d'une pierre deux coups ? Je notai mentalement de parler à Dominic de cette nouvelle théorie. Après tout, il était logique d'aborder les choses sous un angle nouveau.

Billy Wolfe !... Je ne l'avais rencontré que brièvement, et je ne connaissais pas sa personnalité en dehors de ce qui avait été relayé par d'autres, mais si je pouvais lui parler, j'aurais sûrement une meilleure idée de qui il était ? Et en retour, cela pourrait m'aider à déterminer qui étaient ses ennemis.

Il était évident que les enfants LaVelle se moquaient comme d'une guigne du lien de parenté qui les unissait, puisqu'il était leur demi-frère. Ni Evergreen ni Perry ne reconnaissaient Billy. D'ailleurs, Evergreen ne cachait pas son mépris pour le garçon. Mais seule une personne exceptionnellement cruelle et vindicative pouvait souhaiter qu'il soit accusé de meurtre et pendu au bout d'une potence ! Avoir un lien de sang avec un frère ou une sœur « handicapé mental » pouvait être un fardeau pour une famille parfaite comme les LaVelle, mais on ne pouvait pas regarder un garçon innocent se balancer au bout d'une corde sans réagir.

J'en conclus que je demanderais à Dominic de m'emmener avec lui lors de sa prochaine visite à la prison de *Kendal*. Accéderait-il à ma demande ? Je l'ignorais. Peut-être apprécierait-il un peu de compagnie, dans ce qui devait être si difficile, émotionnellement.
Le visage de Dominic emplissait mes pensées. J'avais une grande admiration pour lui. Outre l'indéniable attirance entre nous, en le regardant mener sa barque dans cette période inquiétante et difficile avec son frère, je me rendais compte à quel point c'était un homme exceptionnellement bon. Dominic avait perdu sa seule chance de devenir un artiste à succès à Londres en revenant s'occuper de Billy après la mort de leurs parents. Maintenant, il faisait face à de terribles

conséquences, si Billy était reconnu coupable. Pourtant, d'une manière ou d'une autre, il conservait son sens de la décence et essayait de garder les choses aussi normales que possible. Étais-je amoureuse de Dominic ? Mon regard sur lui était-il ensorcelé par son charme ? C'était bien possible. Rien d'étonnant à ce qu'un homme comme lui puisse m'intéresser. Maintenant que mes deux parents n'étaient plus là, je me savais à la veille d'un nouveau départ dans ma vie. Je n'avais pas de famille, à part Oncle Jasper. Et à en croire les apparences, sa relation avec Madame Stackpoole continuait à s'approfondir. Si ces deux-là convolaient en justes noces, il faudrait bien que je cherche un autre endroit où vivre.

Il y avait beaucoup de choses à penser. Je posai mon stylo et fixai le papier rempli de gribouillages. D'abord, j'allais parler à Billy Wolfe. Dans cette histoire, quelque chose nous échappait, à Dominic et à moi. Même si je n'en avais pas conscience, je savais qu'un détail perdu dans les recoins de mon esprit ne tarderait pas à éclairer le tout d'un jour nouveau ; ce n'était qu'une question de temps. Pour l'instant, je me devais de me concentrer sur le problème en cours. À cet instant précis, quelque chose en moi se fit jour. J'avais enfin l'impression d'avoir un véritable but. Je fermai les yeux et me fis une promesse : j'allais découvrir ce qui était arrivé à Jareth Flynn et à Marabelle Pike, même si c'était la dernière chose que je ferais !

Plus tard dans la journée, Dominic passa. J'attendis que nous soyons assis dans la cuisine avant de lui demander la permission de voir son frère. Il fut surpris par ma demande.

— Je ne suis pas sûr que ce soit prudent, Jillian. Tu sais, Billy peut avoir des sautes d'humeur importantes dans son état actuel. Il pourrait mal interpréter ton intention.

J'y avais déjà pensé.

— J'en suis consciente. Mais je peux lui dire que j'ai vérifié que les veaux se portaient bien. Billy aimerait ça, tu ne crois pas ? J'ai aussi un nouveau livre à lui faire lire. Il pourrait même apprécier de voir quelqu'un de différent, pour changer !

Il n'était pas convaincu. Dominic était extrêmement protecteur envers son jeune frère, ce qui était louable. Pourtant, à ce niveau de notre enquête, nous devions faire feu de tout bois.

— Écoute, Dominic. Qu'y a-t-il à perdre à ce stade ? Nous nous sommes tellement concentrés sur les victimes de ce crime que nous n'avons pas considéré Billy comme une victime lui-même ! En quoi serait-il répréhensible d'explorer cette théorie, voir s'il y a un autre angle que nous aurions manqué ? Je ne connais pas bien Billy, donc je ne serai pas aussi partiale dans l'analyse de son attitude, comme toi et même Victor pouvez l'être. Je ne représente pas une menace. Il devrait donc se sentir à l'aise pour me parler. Surtout si tu lui dis à l'avance que je dois venir.

Les épaules de Dominic s'affaissèrent. Je me sentais mal pour lui. Je posai une main sur son bras.

— Cher Dominic, je ne veux que t'aider. Je crois que ton frère est innocent, et je veux seulement avoir la possibilité de voir ce que je peux faire pour le prouver.

Il leva alors les yeux vers moi, et j'eus le souffle coupé tant la douleur transparaissait dans ses beaux yeux.

Dominic avait déjà tant supporté ! Quel courage il avait, de contrôler ses émotions, de dissimuler chaque jour le poids de ses préoccupations.

— Alors tu peux le voir, Jillian. Je demanderai aujourd'hui la permission à la prison.

— Merci.

J'exprimai en un sourire tout le réconfort que je voulais lui apporter. Il était épuisé, et j'étais de tout cœur avec lui. Mais en regardant son visage, une boule d'angoisse se forma au creux de mon estomac, car je réalisai que, si Billy Wolfe était pendu pour un crime qu'il n'avait pas commis, je ne savais pas ce que ferait Dominic.

XXIII

Le dimanche soir, Dominic nous rejoignit pour le dîner. Je lui trouvai une mine affreuse. Je compris que plus le procès de Billy approchait, plus ses inquiétudes et ses craintes augmentaient. Cela se voyait dans la dureté de ses traits, les ombres sous ses yeux. Mon Dieu comme, j'espérais pouvoir soulager sa détresse !

Après le dîner, Dominic eut l'air pressé de partir. J'en conçus une petite déception, mais lorsqu'il prit congé de mon oncle et de Madame Stackpoole, il me demanda de l'accompagner au moins jusqu'au bout de la rue. C'était une belle nuit, et j'acceptai volontiers. Je pris mon châle pour l'enrouler sur mes épaules, car le fond de l'air était un peu frais. Aussitôt dehors, il se mit à parler.

— Je vais voir Billy demain matin, Jillian. La prison t'autorise à venir avec moi.

Je glissai mon bras sous le sien.

— C'est une bonne nouvelle, Dominic. À quelle heure dois-je être prête ?

— Nous pouvons nous retrouver au village pour la diligence de dix heures, si cela te convient ?

— Oui, ce sera parfait.

Nous étions déjà arrivés à la dernière maison de la rue. Dominic s'arrêta sous la lumière du bec de gaz, puis se tourna vers moi.

—Jilly...

Murmura-t-il.

...Tu es la personne la plus gentille et la plus adorable que je connaisse. Je ne pourrais jamais te remercier assez pour tout ce que tu as fait - et fais encore - pour aider ma famille.

Il se pencha et déposa un doux baiser sur mes lèvres. C'était une sensation tendre, et les larmes me piquèrent les yeux. Lorsque Dominic s'éloigna, j'étudiai son visage avec attention.

— J'aimerais pouvoir faire disparaître tes ennuis. Billy et toi ne méritez vraiment pas tout ce qui vous est arrivé. Je ne peux te dire à quel point j'admire la façon dont tu as maîtrisé cet épisode sombre de vos vies. Ta gentillesse, ta dignité et ta grâce dans un tel moment de tourmente sont un exemple pour nous autres. J'ai tellement de chance de te compter parmi mes amis les plus chers !

Ma voix vacilla. Dominic leva sa main et essuya de son pouce une larme, puis caressa lentement ma lèvre inférieure.

— Et tu es à moi, Jilly. Je ne pourrais pas endurer cela sans t'avoir à mes côtés.

Il se tut, mais le désir se lisait dans ses yeux. J'embrassai son pouce, et nous sourîmes tous les deux.

— À demain…

Chuchota-t-il.

Lors de notre voyage à *Kendal*, je repérais beaucoup d'endroits familiers, car j'y avais accompagné Evergreen assez récemment. Mais là où la ville m'avait apporté de la joie lors d'une journée d'emplettes, la visite de la prison me déprima. La gendarmerie était un vieux bâtiment lugubre, et bien que la prison attenante ait été ajoutée par la suite, elle était minable, glauque et malpropre. Dominic me précéda, passant une à une la myriade de portes verrouillées jusqu'à ce que nous arrivions finalement à une rangée de cellules. L'air était humide, une odeur de corps mal lavés et d'insalubrité saturait l'air.

Alors que le jeune agent s'arrêtait devant la première porte métallique, je me ressaisis et ravalai une remontée acide due à l'odeur repoussante de l'endroit.

Il détacha un gros trousseau de clés de sa ceinture et frappa à la porte.

— Éloigne-toi, Billy, tu as de la visite.

Il déverrouilla la porte et la poussa.

— Entrez donc, et faites attention à ne pas le contrarier. Il nous a emmerdé la moitié de la nuit avec ses pleurs.

Dominic fit un signe d'assentiment, et je le suivis dans la cellule.

Billy était allongé en position fœtale sur un étroit lit de camp, les genoux repliés contre la poitrine. En voyant Dominic, il se redressa, et je fus choquée de voir à quel point il avait maigri. Le robuste garçon joufflu dont je me souvenais s'était transformé en un jeune homme aux joues creuses et aux yeux éteints.

— C'est toi, Dom ?

Dit-il en se levant.

Les frères s'embrassèrent, et leur vue était si émouvante que je déglutis pour me ressaisir.

— Écoute, Billy. Mademoiselle Jillian est venue te voir comme je te l'avais promis. Tu te souviens d'elle ?

Dominic fit un geste vers l'endroit où je me tenais. Le garçon me regarda un instant avec une expression perplexe sur le visage.

Je lui fis un grand sourire.

— Bonjour, Billy, Je voulais venir te dire que je suis allée voir tes vaches et qu'elles se portent très bien.

Il cligna des yeux.

— Tu as vu leurs bébés aussi ?

— Oui.

Je le rassurai.

…Ils sont maintenant très gros et grandissent chaque jour.

— Ils me manquent vraiment.

Il avait l'air abattu et je me sentis coupable.

— Ne sois pas triste.

Lui dis-je avec toute l'assurance dont j'étais capable.

…Ils seront toujours là quand tu rentreras à la maison.

Je surpris le regard rapide de Dominic et compris qu'il me réprimandait pour avoir tenu des promesses en l'air.

— Billy !

Dit Dominic

…Mademoiselle Jillian veut te poser quelques questions. Tu veux bien ?

Il ramena son frère vers le lit, et ils s'assirent tous deux.

…Je sais que tu as dû parler à beaucoup de gens. Mais Jillian est ma chère amie, ce qui fait d'elle ton amie aussi. Elle essaie de nous aider.

— Je suis fatigué de parler, Dom. Ça me fait mal à la tête, vraiment.

— Je comprends. Mais, Billy, tu sais que je ne te demanderais rien si ce n'était pas vraiment important.

Billy hocha la tête et Dominic regarda dans ma direction. Il y avait un petit tabouret en bois près d'un mur. Je le posai à côté du lit et m'assis. Cela m'obligeait à lever la tête pour croiser le regard des frères Wolfe, mais je pensais que c'était une bonne idée d'avoir la tête plus basse que celle de Billy – j'aurais l'air moins intimidante comme ça...

— Billy, je voudrais te parler de ton travail à *Hollyfield*.

Il fit un signe de tête. Je souris.

…Je sais que tu travailles très dur pour la famille

LaVelle.

Autre hochement de tête.

— Ce Victor, je l'aime bien, c'est le numéro deux. Pas vrai, Dom ?

Il regarda son frère.

— Oui, Billy.

— Es-tu ami avec le reste de la famille ?

Demandai-je doucement.

…Ou avec les autres personnes qui travaillent à *Hollyfield* ?

Billy fit un petit sourire.

— J'aime bien cette jolie fille qui fait la poussière et passe la serpillière. Elle a les cheveux jaunes et elle me donne parfois un biscuit de la cuisine.

— C'est adorable.

Dis-je.

…Elle est gentille de faire ça. Et les autres femmes de la maison ? Tu connais Mademoiselle Marabelle ?

Il hocha la tête.

— Son visage est toujours triste.

Dit-il.

...Et elle ne me parle pas beaucoup.

— Et Miss Evergreen ? Ajoutai-je.

L'expression de Billy changea complètement, et il s'agita. Ses yeux commencèrent à balayer la cellule, sans se fixer sur quelque chose en particulier. La mention du nom de sa demi-sœur avait provoqué une forte réaction.

…Est-ce que Mademoiselle Evergreen te parle parfois, Billy ?

Il ne répondit pas.

— Allez, Billy…

Lui dit son frère.

...C'est bien de parler à Jillian comme tu me parles. N'aie pas peur.

Il serra la main de son frère.

Les yeux de Billy croisèrent les miens, et je vis tout de suite combien il était troublé. Que s'était-il donc passé ? Quelque chose avait sûrement eu lieu pour qu'il soit si réticent à parler d'elle !

— S'il te plaît, Billy, cela m'aiderait beaucoup si tu répondais à mes questions. Tu n'auras pas d'ennuis en me parlant de Mademoiselle Evergreen, je te le promets.

Billy se lécha les lèvres.

— Elle ne m'aime pas.

Poursuivit-il.

...Elle me traite de tous les noms. Mais je me suis endurci. Je ne peux pas lui montrer à quel point ses mots me fâchent. Plus tard elle comprendra.

— Quel genre de noms ?

Demandai-je

— Elle dit que je suis stupide et un gros idiot. Elle ne veut pas que je m'approche de la maison.

Dominic se raidit – c'étaient des propos si difficiles à entendre pour lui. J'espérai qu'il resterait silencieux.

— Pourquoi crois-tu qu'Evergreen dise ces choses désagréables, Billy ?

— Parce qu'elle ne veut pas être ma sœur. Elle n'aime que Perry, Marik et Dom. Elle n'aime pas non plus Mademoiselle Marabelle. Je l'ai entendue lui crier dessus, c'est vrai.

Il regarda Dominic comme s'il venait de partager un secret. Dominic ne dit rien mais passa un bras autour des épaules de son frère.

— Est-ce que Mademoiselle Evergreen est méchante

avec d'autres personnes ?

Billy eut l'air de réfléchir intensément, puis il eut un sourire narquois.

— Eh bien, Je pensais qu'elle était méchante, parce qu'on aurait dit qu'elle essayait de l'écraser. Mais ensuite il a éclaté de rire, alors j'ai pensé qu'elle le chatouillait, en fait.

À côté de lui, Dominic fronça les sourcils.

Je continuai.

— Avec qui l'as-tu vue, Billy ?

— Elle jouait, et son vêtement haut est tombé. Il s'est mis à rire et à la chatouiller à son tour. Je n'avais jamais vu Mademoiselle Evergreen comme ça. Ce doit être son meilleur ami.

— Avec qui jouait-elle ?

Cette fois, c'est Dominic qui posa la question.

Billy se tourna vers lui et sourit.

— Jareth. Ils se roulaient par terre en se mettant de l'herbe dans les cheveux. Ils se sont bien amusés jusqu'à ce qu'ils me voient.

— Que s'est-il passé ensuite ?

Demandai-je en retenant mon souffle.

La peur se lut sur les traits de Billy.

— C'est une grosse brute. Il m'a poursuivi dans les bois, je me suis enfui et il ne m'a jamais rattrapé. Je me suis caché près des lapins.

— C'était malin, Billy.

Dis-je.

— Avais-tu peur que le forgeron vienne te trouver plus tard ?

— J'avais peur au début, mais je ne l'ai jamais revu. Puis elle est venue et m'a vu dans la remise à bois à la fin de la journée. Elle m'a insulté, et j'ai eu peur qu'elle me dénonce.

— Mademoiselle Evergreen ?

Lui demandai-je.

Il hocha vigoureusement la tête.

— Je ne lui ai jamais fait de mal, mais elle a dit que si je racontais que le forgeron l'avait chatouillée, elle dirait à Victor que je l'avais blessée. Elle a dit que j'aurais beaucoup d'ennuis, qu'on m'enverrait à la maison de fous et qu'elle tuerait aussi tous les bébés lapins.

Ses yeux s'emplirent de larmes et il regarda son frère.

...Ne la laisse pas tuer les lapins, Dom. Ce ne sont que des petits bébés.

— Les lapins sont en sécurité,

dit Dominic très vite.

…Personne ne leur a fait de mal.

J'eus alors une idée.

— Peggy Nash s'occupe des lapins, Billy. Tu connais Peggy, n'est-ce pas ?

— Mon amie…

Il sourit.

...Elle me donne parfois du miel et j'aime ça.

— Tu te souviens de la dernière fois que tu as vu Peggy ?

Continuai-je.

Il réfléchit un moment, et je savais qu'il était difficile pour Billy d'analyser les événements en temps réel, mais ça valait le coup d'essayer.

— On regardait les lapins.

— Ça a l'air d'être une bonne amie. Tu regardais les lapins avec Peggy avant que la brute ne te poursuive, ou après ?

— Oh, c'était après. Peggy m'a vu et j'étais à bout de

souffle. J'ai dit à Peggy que le forgeron était un mauvais homme et qu'il me poursuivait. Elle ne l'aime pas non plus. Il insulte Peggy aussi.

Il eut un regard vers Dominic.

— Tu m'as apporté des bonbons, Dom ?

Dominic me jeta un coup d'œil rapide pour me faire comprendre que l'interrogatoire devait prendre fin. Il fouilla dans sa poche et tendit à Billy un petit cornet de papier contenant plusieurs bonbons aromatisés. Tout en suçant les menthes, il regardait le livre que je lui avais apporté et nous dit combien il aimait les images du train.

Je fus silencieuse tout le reste de notre visite. J'observais attentivement comment Dominic conversait calmement avec le garçon, montrant un tel dévouement. Quel autre homme aurait été aussi attentif ?

Finalement, Dominic se leva pour partir. Je quittai la cellule en premier pour leur laisser de l'intimité pendant qu'ils se faisaient leurs adieux. Aucun de nous ne parla jusqu'à ce que nous retrouvions l'air frais et que la prison soit derrière nous.

— Je ne peux pas croire qu'Evergreen ait été si cruelle avec ton frère !

Dis-je à brûle-pourpoint avant de réfléchir.

Je lui en voulais de s'en prendre à un garçon qui était incapable de se défendre ou d'exprimer ses sentiments.

— C'est tout à fait elle !

Dit Dominic d'une voix atone.

...Elle a toujours été terriblement méchante avec ceux qu'elle jalousait.

Je m'arrêtai dans mon élan.

— Evergreen jalouse de ton frère ? C'est une idée ridicule !

Dominic n'avait pas les idées claires ! Je le rattrapai.

...Je ne comprends pas ce que tu veux dire.

— C'est simple.

Dit-il en s'écartant pour laisser le trottoir à une femme avec plusieurs enfants.

...Evergreen a toujours détesté voir quelqu'un d'autre recevoir l'attention de son père. Elle n'aimait pas Marabelle pour la même raison. Le fait que Victor reconnaisse Billy l'a irritée, car à ses yeux, c'est un simple d'esprit indigne de ce privilège.

Il me prit le bras et me guida dans la rue jusqu'à l'endroit où nous allions attendre la diligence pour *Ambleside*.

— Pourtant, son opinion ne semble pas te déranger, Dominic !

C'était vrai. Aucune indignation ! Il était curieusement silencieux.

— Cela fait longtemps que je ne suis plus choqué par le comportement de femmes comme Evergreen. N'oublie pas, ajouta-t-il. ...j'étais à Londres quand elle était la coqueluche de la ville. Rien de ce qu'elle fait ne me surprend.

— Même sa liaison avec Jareth Flynn ?

Cette fois-ci, il s'arrêta et je fis de même. Je regardai son visage et je vis un mélange d'émotions passer dans ses yeux. Je sentis quelque chose changer en moi, sans bien savoir de quoi il s'agissait.

— Il semble que notre forgeron ait été la cible des nombreuses femmes seules qui s'ennuient à *Ambleside*. Dit-il.

...Qu'Evergreen ait participé n'est pas une surprise pour moi. Ce qui m'étonne, c'est qu'elle soit si négligente. C'est une affaire similaire qui l'a amenée à *Hollyfield*.

Si Victor découvre un jour l'histoire de Flynn, il la renverra sans doute et elle perdra son héritage.

Il se remit à marcher.

— Viens Jillian. Je vois notre diligence ; nous devons nous dépêcher sinon nous allons la rater.

La diligence était pleine, et ni l'un ni l'autre n'avions grand-chose à raconter alors qu'elle traversait la campagne à grand bruit. Lorsque nous arrivâmes à *Ambleside*, Dominic m'invita à déjeuner avec lui et nous nous dirigeâmes vers un salon de thé situé en face du pub.

Nous commandâmes des sandwichs au fromage et une tasse de thé. L'endroit était calme, et nous étions assis à l'abri des oreilles des autres clients.

— Merci d'avoir rendu visite à mon frère !

Dit Dominic avec sérieux.

…La prison n'est pas un endroit pour une dame, et je sais combien tu as trouvé cela odieux.

Il s'approcha de la table et prit ma main.

…La façon dont tu as interrogé Billy était à la fois compatissante et brillante. Tu as instinctivement semblé savoir quelle était la meilleure approche. Je suis agréablement surpris par l'ouverture et la réactivité dont il a fait preuve face à ta tendre manière de l'amadouer.

Ses yeux brillaient.

…Bien joué, Jilly. Mais vraiment, bien joué !

Il lâcha ma main.

— Merci.

Répondis-je.

…Billy est un garçon intelligent, simplement son cerveau utilise les informations différemment de la plupart des gens. J'ai gardé cela à l'esprit pendant que je parlais avec lui.

La serveuse nous apporta nos assiettes de sandwichs. Nous la remerciâmes, et elle nous laissa à notre repas.

Je poursuivis :

…Le fait que Billy se souvienne avoir été avec Peggy confirme l'affirmation selon laquelle elle l'a vu le jour de la mort de Jareth. Je pense que celui-ci a chassé Billy quand il a été pris en flagrant délit avec Evergreen. Il a dû retourner au hangar à bateaux et c'est là qu'une altercation a eu lieu. Une altercation qui lui a fait perdre sa montre, et finalement la vie. Billy n'était pas près du hangar à bateaux. J'aimerais juste qu'on puisse en convaincre les autorités. Il est évident que quelqu'un d'autre a tué cet homme ! Dieu sait qu'il avait assez d'ennemis ! Cette situation devient de plus en plus complexe à mesure que le temps passe.

Dominic dégusta son thé.

— J'aimerais que nous puissions confier tout ce que nous savons à Victor. J'aurais bien besoin de ses compétences pour démêler tout ça.

— Alors peut-être est-il temps d'être honnête avec lui ! Et les menaces d'Evergreen contre Billy ? Tu ne peux pas ignorer ce qu'elle lui a dit ! À un moment donné, tu devras tout dire à Victor. Garder des secrets maintenant n'en vaut pas la peine. Tu dois tout mettre sur la table et empêcher que ton frère soit déclaré coupable. Je sais que nous n'avons pas encore toutes les réponses, mais ces informations sont sûrement suffisantes pour faire douter le jury.

— Tu as raison !

Convint-il. Il fronça les sourcils

…Mais je n'aime le fait de devoir dire à cet homme que

sa fille a fait des cabrioles avec un forgeron et que son fils aime un autre homme. Cela va le dévaster, Jillian. Victor est une personne forte et résiliente, mais il n'est qu'humain.

— Seulement humain ? De qui parlez-vous donc ?

Nous levâmes tous les deux les yeux à cause de cette interruption inattendue. Evergreen LaVelle haussa un sourcil en regardant Dominic, tandis que je me demandais quelle partie de notre conversation elle avait entendue.

XXIV

— Il s'agit de mon oncle, bien sûr !
Répondis-je rapidement.
…Nous parlions de son affection croissante pour notre gouvernante. Dominic vient de me dire qu'il pensait qu'oncle Jasper s'adoucissait en vieillissant. J'ai laissé entendre que les humains ne sont pas faits pour être seuls. Nous avons besoin de la compagnie des autres. N'êtes-vous pas d'accord ?
Evergreen roula des yeux.
— Pitié, Jillian, quel tas d'inepties ! Honnêtement, vous pensez les choses les plus étranges !
Elle balaya la table du regard.
...C'est plutôt douillet. Je n'avais aucune idée que vous vous connaissiez aussi bien tous les deux.
Elle eut un sourire malveillant.
— Ah…
Répondit Dominic.
...Il semble que Mademoiselle LaVelle ne soit pas toujours au courant de tout ce qui se passe à *Ambleside*.
Son ton était sévère.
— Oh, ça va...
Dit-elle en faisant la moue.
...Je passais et je vous ai vus par la fenêtre. Je voulais savoir si vous aviez reçu l'invitation des Mountjoy ?
 Elle nous regarda successivement. Nous devions avoir l'air interloqués.
...À leur dîner !
Elle avait l'air exaspéré.
...Vraiment ! Où étiez-vous, tous les deux ? Les invitations sont arrivées aujourd'hui. C'est samedi

prochain. N'est-ce pas merveilleux ?

Ses beaux yeux bleus brillaient.

— Non. Cela semble inapproprié, compte tenu des événements récents.

Dit Dominic avec dédain.

...Vous n'avez sûrement pas l'intention d'y assister. Après tout, vous êtes en deuil !

— C'est absurde !

Répondit-elle.

...Ce n'est pas comme si Marabelle était un membre de la famille proche, n'est-ce pas ? De plus, nous devons y aller. Wilkie Collins a accepté une invitation pour le week-end, et le dîner est en son honneur.

— L'auteur Wilkie Collins ?

Demandai-je sans pouvoir m'en empêcher.

C'était un écrivain brillant.

— Oui ! Qui d'autre ? Répondit-elle avec désinvolture.

Une silhouette apparut à la fenêtre. C'était Perry. Il frappa sur la vitre et fit un signe de la main, puis fit comprendre à sa sœur de se dépêcher. Evergreen roula des yeux. Elle se retourna pour partir, puis s'arrêta et me fixa.

— Jillian, venez demain matin, s'il vous plaît. Il y a quelque chose d'important dont j'aimerais discuter avec vous.

Avant que je puisse répondre, elle disparut dans un tourbillon de jupes.

Dominic regarda par la fenêtre sa silhouette qui s'éloignait, l'air dubitatif. Je la regardai aussi, et l'image de Jareth Flynn me vint à l'esprit, puis celle de Billy. Mes sentiments étaient mitigés, maintenant que j'en savais davantage sur la véritable Evergreen

LaVelle. Je n'étais même pas sûre d'avoir envie être son amie.

Sur le chemin du retour, je ressassai la conversation que j'avais eue avec Dominic après le départ d'Evergreen. Il avait insisté pour que nous nous abstenions de tout dire à Victor, au moins pour quelques jours encore. Il voulait davantage de preuves, voir ce qu'il pourrait y avoir d'autre à découvrir d'abord. Je n'étais pas d'accord, mais c'était sa décision – Billy était son frère, pas le mien.

En arrivant à la maison, Oncle Jasper lança un joyeux bonjour, suivi de près par un gloussement qui ressemblait beaucoup au rire de Madame Stackpoole. Je les laissai en tête à tête, montai dans ma chambre et m'écroulai sur mon lit en soupirant. Quelle journée étrange ! Ma première et, je l'espérais, ma dernière expérience de visite d'une prison, puis les informations données par Billy, auxquelles je devais réfléchir. Cela me déconcertait. D'un seul coup, je me sentis vidée de toute énergie. Une légère brise entra par la fenêtre ouverte de ma chambre et je fermai les yeux.

À mon réveil, je me rendis compte que j'avais dormi tout l'après-midi. Je me levai et me précipitai en bas, où Madame Stackpoole préparait le dîner. Elle cuisinait de la purée de pommes de terre, des petits pois frais et des rissoles de bœuf, avec de la rhubarbe et de la crème anglaise pour le dessert. Je mangeai avec appétit.
Oncle Jasper me montra notre invitation au dîner des Mountjoy. Notre conversation tourna autour de Wilkie Collins, le célèbre auteur, qui serait présent. Même si je

n'avais pas envie de me rendre à l'endroit même où j'avais assisté à la mort de Marabelle dix jours plus tôt, j'étais ravie à l'idée de rencontrer un écrivain d'une telle renommée. Il ne faisait aucun doute que Monsieur Collins était un ami de Louisa. Je serais honorée de rencontrer l'homme qui avait écrit un livre portant le même titre que le pendentif qui était dans ma poche ! *La Pierre de Lune* s'était révélé une lecture passionnante du début à la fin. J'avais toujours mon exemplaire et avais dans l'idée de le relire. Aussi, à la grande surprise de Madame Stackpoole et d'Oncle Jasper, je m'excusai et me couchai tôt.

Le lendemain, je me trouvais seule dans la maison après le déjeuner quand j'entendis une calèche s'arrêter dehors.

J'ouvris la porte et me trouvai nez à nez avec Evergreen debout sur le perron.

— Evergreen ? Qu'est-ce qui vous amène ?

Sans répondre, elle s'écarta assez brusquement et se dirigea droit vers le salon. Heureusement qu'Oncle Jasper était dans les collines, sinon elle l'aurait terrifié.

— Je suppose que vous vous croyez maintenant trop importante pour respecter ce que je vous demande, Jillian ?

Elle me tournait autour avec colère, alors que je lui emboîtais le pas.

— Je vous demande pardon ?

J'étais décontenancée par son ton rageur.

— Quelque chose ne va pas, Evergreen ? Un problème ?

Elle me fit face.

— Oui, en effet, il y a un problème ! Ne vous rappelez-vous pas avoir accepté une invitation à *Hollyfield House* pour ce matin même ? Que vous n'avez pas honorée ? J'ai attendu deux heures, et pourtant, vous n'êtes pas venue. Je suppose qu'il y a une bonne raison pour que vous n'ayez pas envoyé un mot pour me dire que vous aviez changé vos plans !

Je fronçai les sourcils, ses paroles me semblant insensées. Puis je me souvins de ce qu'elle avait dit au salon de thé. Je soupirai.

— Oh, je suis vraiment désolée, Evergreen. Cela m'a complètement échappé. J'ai…

— Oublié ?

Cria-t-elle avec incrédulité.

…Une invitation à *Hollyfield* est-elle si anodine que vous puissiez l'oublier ?

Elle me lança un regard noir.

… Êtes-vous si éprise de Dominic Wolfe que vous n'ayez de temps que pour lui et pas pour moi ?

Je fis un pas vers elle et laissai ma colère éclater.

— Comment osez-vous me parler ainsi, Evergreen ! Vous n'êtes pas la seule personne vivant à *Ambleside* que je connaisse. Si j'ai oublié une invitation si rapidement mentionnée, alors je suis vraiment désolée. Mais cela ne vous donne pas le droit de me manquer de respect ! Vous pensez peut-être que vous êtes importante parce que vous êtes riche et que vous vivez à *Hollyfield House,* mais en ce moment, vous ne ressemblez qu'à une enfant gâtée !

Ses épaules s'affaissèrent. Elle ne se battait plus. Puis elle eut une réaction tout à fait inattendue : elle éclata de rire. Je ne m'y attendais absolument pas, et à ma grande surprise je me mis aussi à rire.

— Oh, Jillian.

Soupira-t-elle quand nous fûmes calmées.

...Il n'y a que vous pour avoir le courage de me parler comme ça. C'est pour ça que je vous aime tant, j'en suis certaine.

— Vous avez pourtant une drôle de façon de le montrer ! Écoutez, Evergreen, j'ai vraiment oublié votre invitation. Cela ne vous est pas venu à l'esprit que même moi, je suis parfois fatiguée ? Après vous avoir vue hier, je suis rentrée et j'ai dormi toute la journée.

— Vous aviez l'air un peu pâle, c'est vrai.

Concéda-t-elle en prenant un siège près de l'âtre.

...Faites-nous du thé et je vous raconterai mes projets.

Je la priai de s'asseoir et je partis m'occuper du thé. En préparant les tasses et les soucoupes, je réfléchissais à mon emportement. Je me demandais si mon empressement à lui crier dessus venait, non pas du ton qu'elle avait employé avec moi, mais plutôt de ce que Billy m'avait dit de son attitude avec lui. J'en étais sûre, mes sentiments envers Mademoiselle LaVelle s'étaient métamorphosés en quelque chose que je ne cernais pas encore très bien.

Je revins avec nos tasses et une petite assiette de tartelettes au cassis. Je m'assis en face d'Evergreen et nous les dégustâmes. Elles étaient délicieuses.

— Allez-vous me dire quelle affaire importante justifie toute cette agitation ?

Demandai-je.

Elle posa son assiette vide sur la desserte.

— Le dîner des Mountjoy, bien sûr ! Jillian, je veux que vous veniez à *Hollyfield* pour vous habiller.

— Quoi ?

Ses yeux brillaient d'excitation.

— Vous êtes allée deux fois à *Hollyfield* pour le dîner et vous avez porté la même robe démodée.

— Comment osez-vous...

Dis-je, haletante.

— Attendez !

Elle leva la main.

...Ce n'est pas une insulte. Je suis tout à fait franche.

Elle sourit.

...Pas de la même manière que vous, mais ce n'est pas le sujet. J'ai tellement de choses que je ne porte pas, et j'aimerais que vous choisissiez quelque chose pour la fête.

Je fis la grimace.

— Non, Evergreen. C'est gentil de votre part, mais je ne préfère pas.

— Pourquoi ?

Elle était scandalisée par mon refus.

...Qu'y a-t-il de mal à ce que vous portiez quelque chose qui convienne mieux à une femme de votre âge ? Jillian, votre robe est décente, mais elle convient mieux à une vieille fille qu'à quelqu'un d'aussi jeune que vous.

Je ne répondis pas.

— Écoutez...

Poursuivit-elle.

...Faites-moi plaisir un instant. Ne le prenez pas si personnellement. Le fait est que j'ai beaucoup de vêtements, et pas vous. Nous sommes amies, alors pourquoi ne pas arrêter de faire la fière et dire oui. Ce serait tellement amusant de vous aider à choisir quelque chose ! Surtout que je dois porter du noir pendant les trois prochains mois...

J'observai son visage pendant qu'elle parlait,

remarquant à quel point elle se donnait du mal pour me convaincre de faire ce qu'elle voulait. Tandis qu'elle poursuivait son argumentation, je pensai à tout ce que je savais d'elle, et aux informations qui m'avaient été récemment révélées. Evergreen était la personne qui reliait tous les événements récents entre eux. Passer plus de temps en sa compagnie pourrait m'aider à découvrir certains de ses secrets. S'il y avait quelque chose à apprendre qui puisse aider Billy, alors cela en valait la peine.

— Vous avez peut-être raison.

Dis-je soudainement, l'arrêtant au milieu de sa phrase.

— Vous allez me laisser vous habiller ?

Demanda-t-elle avec enthousiasme.

Je hochai la tête en signe d'accord.

— Mais que les choses soient claires : je refuse de porter quoi que ce soit de rose !

Evergreen tapa dans ses mains avec joie.

— Oh, ça va être une vraie partie de plaisir. Je vous le promets, Jillian. Vous ne le regretterez pas !

J'espérais sincèrement que non…

Je partis pour *Hollyfield* le lendemain matin sans m'arrêter à la ferme Wolfe. Dominic avait beaucoup de travail à faire dans les champs, et je ne voulais pas le distraire. La promenade le long de *Lake Road* fut tout de même agréable et, comme toujours, je pris plaisir à observer le bétail dans les champs verdoyants.

Evergreen était d'excellente humeur, ce qui contrastait fortement avec l'atmosphère de la maison, profondément endeuillée. Du crêpe noir ornait les portes et les fenêtres de chaque pièce, et les domestiques portaient des brassards noirs par-dessus leurs uniformes. Evergreen elle-même était vêtue d'une robe gris foncé, mais portait des boucles d'oreilles en rubis brillants, comme une sorte de défi.

— Montons dans ma chambre !

Dit-elle gaiement, en me prenant le bras et en m'entraînant dans le vaste escalier.

Je n'étais jamais allée au deuxième étage d'*Hollyfield* et je fus tout de suite impressionnée par le mobilier somptueux et les magnifiques tableaux qui ornaient les murs.

Au moment d'entrer dans la chambre à coucher d'Evergreen, je poussai un cri d'étonnement. Sa chambre était si magnifiquement décorée que je pensai être entrée dans la Caverne d'Ali Baba. Des couleurs si éclatantes que je n'en avais jamais vues de telles auparavant. Et quels tissus ! Son lit était orné de soies chatoyantes orange et roses, et d'une abondance d'oreillers en satin. Des rideaux flottaient à la fenêtre, aussi transparents que des nuages, ornés de petits bijoux qui scintillaient lorsqu'ils captaient la lumière du soleil. Des tentures de soie étaient suspendues au plafond au-dessus du lit, et on avait l'impression de pénétrer dans un pays exotique plutôt qu'au cœur de la campagne anglaise.

— Oh, Evergreen… C'est la plus belle pièce que j'ai jamais vue !

J'étais complètement sous le charme. C'était envoûtant.

— N'importe quoi ! Ce ne sont que des soies indiennes et autres, qui me rappellent l'époque où nous vivions là-bas. Je préfère de loin les couleurs orientales. Les couleurs anglaises sont si monotones, vous ne trouvez pas ?

Je me mis à rire. Cette fille avait plus de sang anglais dans les veines que moi : sa famille remontait probablement aux Croisades… Mais je ne fis pas de commentaire. Je la suivis jusqu'à une partie de la pièce où se trouvait une vaste armoire sculptée et ornée.

— Ça alors !

Dis-je.

…C'est une armoire ? Je pensais que c'était une autre pièce !

Je souris et elle eut un regard noir.

— Arrêtez de faire l'idiote. Je veux vous montrer la robe que j'ai à l'esprit pour vous. Ce sera le parfait complément de vos cheveux.

En pivotant, les portes révélèrent une étonnante variété de robes de bal suspendues à l'intérieur. J'aurais pu facilement me trouver dans un atelier de styliste. Toutes les couleurs et tous les tissus imaginables s'offraient à mes yeux. Même si je n'étais pas très enthousiaste à l'idée d'emprunter une robe, maintenant que je voyais la beauté qui s'offrait à moi, je me laissai porter par le moment.

— Oh, elles sont magnifiques, Evergreen. Vous avez de si jolies choses !

Dis-je avec admiration.

Mon compliment la fit presque ronronner.

— Elles sont superbes, n'est-ce pas ? Je suppose que c'est l'un des avantages d'avoir un père riche. Il ne se plaint pas de la facture de ma couturière. Maintenant…

Elle entra et prit un vêtement au centre.

…Voyez ce que vous en pensez. C'est celle-là que j'ai choisie. Vous l'aimez ?

Elle me tendit la robe, et je dus reprendre mon souffle.

La robe en soie me rappelait un morceau de jade foncé que j'avais vu une fois dans une vitrine. Une teinte si riche qu'elle était presque irisée.

— Evergreen… c'est tout simplement magnifique !

Je fis courir mes doigts sur le tissu. C'était doux et frais sur ma peau. Je levai les yeux vers son visage qui rayonnait de plaisir.

…Je ne peux pas porter quelque chose d'aussi beau que ça !

Dis-je avec nostalgie.

…C'est bien trop joli pour moi.

— Ne soyez pas ridicule !

Me dit-elle sèchement en me plaçant devant un miroir en pied, où elle tint la robe devant moi.

…Maintenant, regardez. N'ai-je pas raison ? Avec vos cheveux bruns, la soie verte est parfaite, n'est-ce pas ? Nous pouvons tresser vos cheveux en un chignon lâche, et vous serez magnifique. Alors ?

J'hésitai. J'étais tiraillée. Ma vanité tournait à plein régime alors que mon bon sens se cachait à l'abri des regards. Mais la vérité était que, malgré tout, je voulais porter la robe. Je pouvais au moins l'essayer… Où était le mal ?

Evergreen m'aida à me déshabiller et je me retrouvai en sous-vêtements face au miroir. Je me sentis un peu gênée, car je n'avais pas de bonne et je n'étais pas habituée à ce qu'une autre personne me voie si dévêtue. Evergreen était devenue silencieuse. Je me retournai pour la regarder. Elle observait mon reflet, les yeux fixés sur ma tache de naissance.

— Mon Dieu, qu'est-ce que c'est que ça ?

Demanda-t-elle.

J'étais gênée.

— Une tache de naissance. Je la garde cachée. Vous la trouvez laide ?

Je la couvris instinctivement de ma main.

Elle cligna des yeux.

— Pas spécialement ! Je me demandais seulement si le décolleté de la robe ne serait pas trop bas. Mais je pense que ça va la dissimuler.

— Bien ! Je préfère que personne ne la voie.

Elle m'aida à enfiler la robe.

— Je pense que c'est sage. Cela ne servirait qu'à distraire.

Elle examina le corsage.

... Ah, oui ! Le décolleté est parfait !

Elle ferma les boutons à l'arrière de la robe. ...Maintenant, laissez-nous vous regarder.

Je fis un pas devant le miroir, et je ne pus proférer aucun son. La robe était magnifique. Le corsage était serré, le col tout simple, carré et haut. À la taille, l'étoffe tombait en vagues de soie vert foncé, si brillantes que le tissu semblait mouillé. Les manches étaient amples en haut et se rétrécissaient jusqu'au poignet où elles se fermaient avec de minuscules boutons en perles.

— Je pense que cela convient !

Sa voix avait perdu de son enthousiasme.

— Oui, je l'aime beaucoup.

— Alors c'est à vous de la porter, samedi. Vous devez venir ici pour vous habiller et vous préparer. Ma servante, Peters, peut vous coiffer. Puis vous pourrez venir avec nous à *Mountjoy House*. Ce sera très amusant et nous passerons une joyeuse soirée !

Il y eut ensuite quelques idées de coiffure, puis nous passâmes un agréable moment à sélectionner des accessoires. En vérité, je m'amusai énormément, et lorsque je pris le chemin de la maison, il était presque quatre heures de l'après-midi. Je rentrai à pied. C'était comme si je flottais dans l'air. La tête me tournait et je savourais d'avance le plaisir idiot que me procurerait la joie de pouvoir porter cette jolie robe.

Ce n'est qu'en montant dans ma chambre et en affrontant le contraste entre celle-ci, nue et terne, et la somptueuse chambre d'Evergreen, que je m'aperçus que j'avais oublié mon enquête. J'étais tellement absorbée par la sottise et la mode que j'avais oublié la cruauté d'Evergreen envers Billy ! Étais-je donc si superficielle, pour qu'une robe de soirée puisse me distraire de mon but ? J'avais échoué dans ma mission, et j'en fus malheureuse.

XXV

Dominic fut peu disponible toute la semaine car il était occupé par la ferme. Nous nous étions vus aussi souvent que possible, mais nous nous étions limités à des repas ensemble et à un baiser volé çà et là. Ce soir, j'avais hâte de le voir au grand dîner, presque aussi impatiemment que j'avais hâte de rencontrer Monsieur Wilkie Collins. Oncle Jasper était invité et accompagnerait Madame Stackpoole, tandis que j'irais avec le groupe de *Hollyfield*. Contrairement à ma précédente expérience à *Mountjoy House*, et peut-être dans le but d'effacer de malheureux souvenirs, l'endroit avait un air festif et joyeux. Pas de conférence de société ce soir, mais plutôt une assemblée de personnes partageant un amour commun pour l'art et la littérature, et non pour la science. Ce fut exaltant d'enfiler la belle robe, à *Hollyfield*. La femme de chambre d'Evergreen coiffa mes cheveux en un chignon lâche et saupoudra mes pommettes et mes lèvres d'une légère couche de rouge. Je me sentais transformée. Mais je n'avais pas l'air aussi exotique que mon amie, car lorsqu'Evergreen descendit les escaliers menant dans le hall, nous eûmes tous un sursaut collectif. Respectant toujours les couleurs du deuil, elle était vêtue d'un magnifique sari indien en soie noire, le tissu scintillant sous de petites perles de jais. Elle était particulièrement éblouissante. Ses cheveux avaient été coiffés dans un arrangement élaboré de boucles rehaussées de morceaux de jais généreusement disposés dans ses tresses d'or. La tunique était taillée pour épouser son corps et arrivait juste au-dessus de son genou. Un pantalon assorti épousait ses jambes galbées, et elle portait aux pieds des pantoufles décorées.

En entrant dans la maison des Mountjoy, Evergreen suscita l'attention aussi bien des dames que des messieurs, mais pour des raisons différentes bien entendu. Cela ne me dérangea pas. J'étais heureuse de rester dans son ombre, tant que Dominic aimait ma tenue.

Dans le salon, Monsieur Wilkie Collins, l'invité d'honneur, me sembla être un gentleman à l'allure formidable. En grande conversation avec sa cour d'admirateurs, Louisa montait la garde à ses côtés. Lady Mountjoy était ravissante ce soir-là. Sa beauté austère était mise en valeur par une robe couleur rubis, tandis que ses yeux, à la douce lueur de la pièce, prenaient une teinte ambrée. Elle me vit entrer et me fit signe de m'approcher. Je la rejoignis avec une certaine appréhension. Je n'avais encore jamais rencontré quelqu'un comme Monsieur Collins. Non seulement il était célèbre, mais je l'admirais beaucoup.

— Wilkie, voici une amie très chère. Jillian Farraday, je vous présente Monsieur Wilkie Collins.

Il me tendit la main, et je la serrai. Il me regarda à travers ses lunettes, et ses yeux se posèrent directement sur mon décolleté.

— Dites-moi... c'est une pierre de lune que vous avez là, Mademoiselle Farraday ?

Il sourit. Je tendis instinctivement la main pour toucher le pendentif. J'avais fabriqué une sorte de chaîne pour pouvoir le porter, et il était enfilé sur un mince ruban de cuir.

— Tout à fait, Monsieur Collins. Bien que je ne

connaisse pas son origine, ce bijou appartenait à ma mère. Je crois qu'il vient d'Inde.

Il hocha la tête avec enthousiasme.

— Très probablement, à mon avis. Ils en exploitent les mines près du Cachemire. Mes pierres préférées. Je les trouve fascinantes.

— Oui, mon cher.

Renchérit Louisa.

...D'où le titre de votre livre. Avez-vous lu *La Pierre de lune,* Jillian ?

— Oh, oui ! C'est un livre merveilleux. Je l'ai lu plus d'une fois. J'apprécie votre travail, Monsieur Collins, et je tiens à vous en remercier.

— C'est un plaisir, chère Mademoiselle.

Dit-il gentiment.

Je me rendis alors compte que d'autres personnes attendaient de rencontrer l'auteur. Je lui fis mes excuses et me retirai.

Quand Dominic arriva, je sentis sa présence avant même de le voir. Je lui souris alors qu'il conversait avec Perry et ils s'approchèrent tous les deux.

— Que penses-tu de notre Mademoiselle Farraday, Dom ? N'est-elle pas élégante ?

Je scrutai le visage de Dominic pour voir sa réaction et je vis son regard s'assombrir comme il détaillait mon costume.

— Jillian, tu es éblouissante…

Dit-il à voix basse, et je ne pus réprimer le sourire qui se dessina sur mes lèvres.

...La couleur…

Poursuivit-il,

...fait ressortir le cuivre de tes cheveux, et tes yeux brillent comme des émeraudes. Tu ressembles à quelqu'un venant d'un monde mystique.

— Peut-être suis-je envoyée par la cour de Merlin…

Je ris, appréciant son attention et me sentant plus femme que jamais.

— Et que dis-tu de ma tenue, Dom ? Ronronna une voix derrière nous.

Evergreen s'avança, et j'observai de la surprise sur le visage de Dominic. Il mit quelques secondes à répondre, et je ressentis une pointe de jalousie.

— Quel beau sari ! C'est très inhabituel de le voir dans cette partie du monde. Tu es magnifique. Je suis sûr que tu vas faire parler de toi dans tout le village.

Dit-il.

— Je crois que c'est le but recherché, mon vieux, murmura Perry.

…Elle aime faire parler d'elle, n'est-ce pas ?

— Oh, vous nous ennuyez, tous les deux !

Se plaignit Evergreen. Elle prit mon bras.

…Venez, Jillian, allons trouver quelqu'un d'intéressant à qui parler. Ces garçons sont fatigants.

Elle m'éloigna avant que je puisse protester. Je jetai un coup d'œil à Dominic par-dessus mon épaule et levai un sourcil. Il sourit.

Après avoir discuté avec plusieurs des autres invités, nous nous dirigeâmes vers la salle à manger quand le dîner fut annoncé. Je découvris, à mon grand soulagement, que j'étais assise à côté d'Oncle Jasper, et que Victor LaVelle serait juste en face de moi.

Je dénombrais au moins vingt personnes pour le dîner. Jamais je n'avais assisté à un événement aussi grandiose. Monsieur Collins fut fêté et loué, et la nourriture se révéla exceptionnelle. Je n'eus pas le loisir de parler à Victor, car la table était trop large et encombrée de plats et de mets de toutes sortes. Il semblait occupé à discuter avec les personnes à ses côtés, mais je surpris plus d'une fois ses yeux fixés sur moi, avec une curieuse expression dans le regard, comme s'il trouvait quelque chose de bizarre. Était-ce ma robe ? Avais-je vraiment l'air si changée, pour n'être pas à son goût ? Dominic était assis à plusieurs places de moi. J'étais déçue de ne pas être en sa compagnie, mais je savais qu'il ne s'ennuierait pas car il était assis à côté d'Evergreen, dont je pus percevoir les rires tout au long du repas.

Après le dîner, nous, les dames, laissâmes ces messieurs à leurs cigares et Evergreen vint aussitôt s'asseoir près de moi.

— N'est-ce pas amusant ?

Dit-elle avec une étincelle dans le regard.

...Je suis tellement soulagée d'être hors de la maison ! Vous vous amusez, Jillian ? Vous a-t-on beaucoup admirée ?

Elle était fière de la métamorphose qu'elle avait opérée sur moi, et j'en profitai pour la remercier une fois encore.

— Ne dites pas de sottises.

Dit-elle.

...C'était amusant de vous voir passer du caneton au cygne.

Et voilà ! C'était reparti ! Evergreen avait vraiment le don étrange de couper court à l'amitié par une petite pique bien sentie. Tout en sirotant mon xérès, je me demandais quel genre de relation nous aurions pu avoir sans sa langue acérée. Je pensais à ses commentaires sur Billy. Malgré sa gentillesse à mon égard, Evergreen avait une horrible propension à blesser. À l'autre bout de la pièce, Madame Stackpoole parlait avec l'un des autres invités. Prunella était ravissante dans sa robe lilas, ses cheveux relevés en un chignon soigné. C'était attentionnée de la part de Louisa Mountjoy d'inclure des gens comme nous. Si nous avions vécu à Londres, les chemins de nos classes sociales ne se seraient jamais croisés.

— Et voici ces charmantes dames…

Lord Mountjoy entra dans le salon avec le reste des gentlemen, enveloppés de volutes de cigare. Mes yeux cherchèrent avidement Dominic, mais il n'était pas là. C'est Victor qui s'approcha de moi.

— Vous appréciez la soirée, Jillian ?

Il souriait agréablement, et Evergreen se raidit à mon côté. Je me souvins de ce que m'avait dit Dominic : elle cherchait à attirer l'attention de son père.

— Oui, merci. C'est une belle assemblée, n'est-ce pas, Evergreen ?

Répondis-je en essayant de l'inclure dans la conversation.

— Je préfère n'importe quoi plutôt que d'être enfermée à *Hollyfield.*

Lança-t-elle avec irritation.

— Je n'ai pas pu m'empêcher de remarquer votre pendentif tout à l'heure.

Dit Victor.

…N'est-ce pas une pierre de lune ? Si oui, je suppose que vous la portez en l'honneur de notre invité !

— Oui.

Répondis-je, réalisant que c'était l'objet de sa curiosité à la table du dîner.

…Elle appartenait à ma mère, et maintenant elle est à

moi. Je ne connais pas grand-chose à cette pierre, mais je la trouve jolie et réconfortante à porter, juste parce que c'était la sienne.

Victor fronça les sourcils.

— Si j'ai bien compris, votre mère est décédée il n'y a pas longtemps, et c'est ainsi que vous vous êtes retrouvée à *Ambleside*.

Je perçu distraitement qu'Evergreen s'était brusquement levée de la banquette et s'était éloignée. Je levai les yeux vers Victor. Il avait une expression pensive. Sa pâleur était quelque peu blafarde.

— Vous ne vous sentez pas bien, Victor ?

Lui demandai-je en me levant.

— Je suis désolé…

Dit-il en se raclant la gorge.

…Je crains que le cigare n'ait été un peu fort et n'ait perturbé mon métabolisme. Je dois aller chercher un verre d'eau. Veuillez m'excuser.

Je le regardai s'éloigner et scrutai la pièce pour voir si Dominic avait pu nous rejoindre. Il n'était pas là, et son absence me troubla. Il n'y avait qu'une chose à faire : partir à sa recherche.

Je le découvris enfin dans la salle de billard, en plein jeu avec Perry et Marik. À ma grande surprise, Evergreen se tenait dans un coin, un verre de cognac à la main.

— Te voilà, Dominic !

Dis-je…

…Je croyais que tu étais rentré chez toi.

Il posa sa queue de billard et s'approcha de moi.

— Je suis désolé, Jillian. Ces deux apaches m'ont kidnappé après le dîner et m'ont lancé un défi.

— Nous voulions jouer contre quelqu'un que nous

pouvions battre !

Dit Perry en riant, et en envoyant une boule rouge dans le filet latéral.

— Joli tir !

S'exclama Marik en se versant un verre.

Il se tourna vers moi.

...Mademoiselle Farraday, vous êtes tout à fait charmante ce soir. Le vert de votre robe met en valeur la magnificence de votre chevelure.

— Mon Dieu !

Dit Evergreen,

...Voilà que vous êtes poète ce soir, Marik ? Je ne pensais pas que Mademoiselle Farraday était votre genre !

Il y eut une sorte de crispation dans l'air, puis cela passa. Je compris sa référence, bien que ni les LaVelle ni Marik ne fussent au courant que Dominic et moi connaissions leur secret.

— Merci pour le compliment, Marik. Evergreen a eu l'amabilité de me prêter cette robe et de me laisser aux bons soins de sa femme de chambre. Elle a été des plus adorables.

— Ce n'est pas un adjectif que j'utiliserais pour décrire ma chère sœur !

Déclara Perry ; et je remarquai un éclair de colère chez sa sœur jumelle.

Il régnait dans la pièce une atmosphère troublante, tendue, de façon telle que l'on s'attendait à ce que quelque chose se produise. Je n'avais pas envie de rester et je décidai rapidement de laisser les hommes à leur billard. Dominic semblait avoir terminé sa partie. Je lui fis part de mon intention de retourner au salon, supposant qu'il me proposerait de m'accompagner.

Mais au lieu de cela, il sourit et me dit qu'il me verrait plus tard.

Je quittai la pièce, irritée. Dominic d'ordinaire si galant avait paru indifférent. Qu'est-ce qui n'allait pas chez lui ce soir ? J'avais imaginé qu'il passerait un peu de son temps avec moi. En effet, n'avais-je pas revêtu ces atours dans le simple but de lui tourner la tête ? Tous les espoirs que j'avais nourris avant la soirée se dissipèrent d'un coup, et une vague de déception me submergea.

Je retournai à la fête, où je sirotai du xérès et parlai avec les autres invités sans en avoir vraiment envie. Mon cœur était resté dans la salle de billard, là où se trouvaient Evergreen LaVelle et Dominic.

La cheminée de l'horloge m'indiqua qu'une heure était passée. Lorsqu'elle sonna onze heures, Oncle Jasper m'invita à le rejoindre, ainsi que Madame Stackpoole. Il était temps de prendre congé. La calèche de Lord Mountjoy nous ramènerait chez nous, et je n'eus guère d'autre choix que d'obéir à ses ordres. Nous rassemblâmes nos affaires, et bien que j'eusse envie de retrouver Dominic pour lui dire au revoir, on me fit sortir et monter dans la voiture.

Alors que nous nous éloignions, je me retournai pour jeter un regard vers la grande demeure illuminée par les lampes à gaz. Pourquoi Dominic n'avait-il pas passé de temps avec moi ? Cela lui était-il égal ?

Je n'étais pas dans un bon état d'esprit. Après une nuit d'un sommeil agité, je fus réveillée par une pluie battante qui tambourinait sur le toit, un léger mal de tête, et l'impression désagréable que ma vie avait bifurqué. Je restai allongée sous mes couvertures, répugnant à me lever, tandis que je ressassais pour la quatrième fois au moins les événements de la soirée.

Qu'est-ce qui avait poussé Dominic à se comporter si bizarrement ? Habituellement affectueux et attentionné, il s'était conduit, la veille, comme une simple connaissance, pas comme un homme qui m'avait témoigné son amour. Qu'avait-il pu se passer pour provoquer ce changement soudain ? Le visage d'Evergreen surgit dans ma tête et j'eus un nouveau pincement au cœur. Y avait-il quelque chose entre eux ? Quand Evergreen était présente, je remarquais toujours un léger changement dans l'attitude de Dominic. Une partie de moi désespérait de lui poser la question, mais je craignais sa réponse. Je devais croire que Dominic était un homme sincère. Il n'aurait sûrement pas encouragé mon affection si ses propres sentiments allaient à une autre !

L'humeur d'oncle Jasper était l'exact inverse de la mienne. Il avait travaillé presque toute la matinée, et je l'entendis pourtant siffler à plusieurs reprises. Étrangement, sa joie renforçait ma mélancolie, et à la fin de la journée j'étais au plus bas. Reverrais-je Dominic ? Je savais pourtant qu'il était à *Kendal* auprès de Billy, mais je m'attendais à moitié à ce qu'il frappe à la porte et rentre, comme il avait l'habitude de le faire. Il ne vint pas. Au dîner, je touchai à peine à ma nourriture.

— Jilly, que t'arrive-t-il ?

Demanda Oncle Jasper avec un froncement de sourcils inquiet.

— Rien !

Fut ma réponse mensongère.

...Je ne me sens pas très bien. Je pense que l'abondance de nourriture et les vins fins du dîner d'hier soir y sont peut-être pour quelque chose.

— C'est sûrement ça !

Affirma-t-il.

Il se lança alors dans une histoire où il décrivit par le menu les effets délétères d'une trop grande bombance. Madame Stackpoole semblait vissée à son fauteuil. Je n'écoutai pas un traître mot.

Mon oncle se retira dans son bureau tandis que j'aidais Madame Stackpoole à débarrasser les assiettes du dîner. Dans mon esprit se bousculaient de nombreuses pensées, mais elles revenaient sans cesse à Dominic et à la façon dont il m'avait traitée chez les Mountjoy. Finalement, j'en eus assez. Ce n'était pas dans ma nature de faire traîner les choses et de m'inquiéter. Je préférais dire ce que je pensais et le faire savoir. J'ôtai mon tablier, l'accrochai à la patère et dis à Madame Stackpoole que j'allais faire une petite promenade avant la nuit. Je n'attendis pas sa réponse.

Dominic ne s'attendrait pas à me voir si tard dans la journée. Je savais que c'était stupide de ma part d'aller à la ferme Wolfe sans prévenir, mais je ne pouvais pas m'en empêcher. Je cherchais désespérément des réponses. La ferme avait un aspect différent, maintenant que le crépuscule laissait place à la nuit qui descendait. Les formes si familières à la lumière du jour devenaient à la fois étranges et assombries. Mais je chassai mes inquiétudes et m'approchai de la ferme, attirée comme un papillon de nuit par la fenêtre éclairée de la cuisine. Par chance, Dominic semblait être là. Au moment où j'allai frapper à la porte de la cuisine, un bruit de voix suspendit mon geste. Dominic n'était pas seul. Ne voulant ni déranger ni interrompre quoi que ce soit, je collai mon oreille à la porte et écoutai attentivement. J'entendis une femme parler, et me figeai. Qui donc pouvait être chez Dominic à cette heure-ci ? Je me dirigeai vers la fenêtre de la cuisine, en me demandant comment observer l'intérieur sans être vue. Je regardai lentement autour de moi. Deux silhouettes se faisaient face devant l'âtre.

Les voix se firent plus fortes. Je ne pouvais saisir la teneur de la conversation, mais le ton était franchement hostile. Je voulais en savoir plus. Pleine d'audace, je m'avançai devant la fenêtre au moment même où Evergreen LaVelle se rapprochait de Dominic. Mon estomac se noua instantanément de jalousie. Le sang battait follement dans mes tempes. Que faisait Evergreen ici ? Je crus d'abord qu'elle voulait le frapper. Bien que très mal placée, je pouvais saisir la dureté de son expression. Mais alors qu'elle allait vers lui, le souffle me manqua : Evergreen enlaça le cou de Dominic, se rapprocha et l'embrassa. Mon cœur battait à tout rompre. Je me sentis mal et mon esprit s'enflamma. Je détournai le regard, dégoûtée, le visage baigné de larmes. Mes soupçons étaient donc justifiés ! J'avais été bernée pendant tout ce temps ! Evergreen et Dominic étaient sûrement ensemble avant que je n'arrive ici. Mon Dieu ! Dominic Wolfe s'était joué de moi comme d'une enfant en mal d'amour !

Je quittai cette scène répugnante et m'enfuis à toutes jambes. Je n'ai aucun souvenir du temps que je mis à rentrer à la maison : j'étais trop désemparée, trop brisée pour faire attention ou voir à travers mes larmes.

J'entrai dans la maison et montai directement à l'étage dans ma chambre. J'envoyai valser mon manteau par terre et me jetai sur le lit où j'enfouis mon visage dans l'oreiller en pleurant le plus discrètement possible. Comment pouvaient-ils ? J'avais tellement honte ! Une infinité de pensées tourbillonnait dans mon esprit. L'absence de réaction de Dominic lorsque nous avions découvert qu'Evergreen avait certainement eu un rendez-vous galant au hangar à bateaux, sa tolérance quand elle avait dit des choses effroyables sur Billy, son manque d'attention, la veille…

Était-ce une mascarade depuis le début ?

Il avait été si facile de me tromper ! En effet, bien que peu expérimentée avec les hommes, je n'étais pourtant pas une imbécile. Je savais assez bien jauger les gens. Mais Evergreen ?... Je bouillonnais en pensant aux efforts qu'elle avait fait pour être gentille, puis s'était servie de moi quand bon lui semblait ! Rien d'étonnant à ce qu'elle soit si désagréable avec moi : elle voulait Dominic pour elle seule, et je la gênais.

Mes larmes firent rapidement place à la colère. Je fulminais Je me retournai sur le dos et fixai le plafond. Mes doigts tordaient le pendentif que je portais toujours à mon cou, mais cela ne m'apporta que peu de réconfort.

Dominic Wolfe avait pris mon cœur, et maintenant mon désir de vengeance faisait rage ! Je n'allais pas me laisser humilier ni être utilisée pour son bon plaisir ! Quant à Evergreen, elle pensait avoir gagné mon amitié, mais elle allait maintenant découvrir ma colère ! Je ne pourrais jamais leur pardonner, ni à l'un, ni à l'autre !

XXVI

Dominic vint à la maison le lendemain matin, mais j'avais déjà prévenu mon oncle que je n'étais pas du tout en forme et que je ne voulais voir personne. Je les entendis parler, puis les pas de Dominic s'éloignèrent sans que cela m'affecte. J'avais prévu de me plonger dans le travail et de laisser passer l'orage. Au fur et à mesure que la matinée avançait, mes pensées revenaient sans cesse sur notre enquête concernant la mort de Jareth Flynn et la situation de Billy en prison ? Pouvais-je honnêtement oublier tout ce que j'avais appris ces dernières semaines à cause d'un flirt insensé ? Non, c'était impensable ! Mes sentiments n'étaient que bien peu de chose en comparaison du danger que Billy Wolfe encourait s'il était jugé. Par conséquent, quelle que soit mon opinion, il me fallait poursuivre mon enquête.

Cet après-midi-là, je pliai la robe d'Evergreen, l'emballai dans du papier et partis pour *Hollyfield House*. Outre le fait que la robe ne m'appartenait pas, je ne souhaitais garder aucun souvenir d'une soirée qui avait été si prometteuse, mais qui avait été gâchée par la trahison de deux personnes que je considérais comme des amis. J'avais prévu de déposer la robe d'Evergreen sans lui parler. Par chance, en quittant notre rue pour *Lake Road*, je tombai sur sa femme de chambre, Peters, la jeune femme qui avait arrangé avec grâce mes cheveux pour la soirée chez les Mountjoy. Elle me reconnut immédiatement et nous échangeâmes nos salutations. Je lui demandai si elle allait bientôt rentrer au domaine. Peters répondit qu'elle était partie faire une course à la poste. Je lui montrai le paquet, et elle me proposa de passer le prendre sur le chemin du retour. Je sautai sur l'occasion. Cela m'évitait d'aller à *Hollyfield*. Je lui donnai mon adresse et rentrai chez moi pour l'attendre. Elle ne voulait pas s'attarder, mais quelques mots persuasifs la firent entrer pour partager un thé.

— C'est très gentil de votre part, Miss Jillian.

Me dit-t-elle, rayonnante, en prenant un autre biscuit.

— C'est le moins que je puisse faire, Peters. Personne n'avait jamais arrangé mes cheveux de cette façon. C'était un plaisir, et j'apprécie votre travail.

— Eh bien, laissez-moi vous dire que vous étiez très jolie dans votre robe, Mademoiselle. Je crois que Mademoiselle Evergreen était un peu déçue. Elle n'aime pas la concurrence.

— Je doute fort que quelqu'un puisse éclipser votre patronne. Elle était éblouissante dans son sari.

— Elle a un faible pour les vêtements, celle-là. Poursuivit Peters.

...Je n'ai jamais vu une femme porter autant de robes. Mais elle est généreuse et donne les anciennes à celles d'entre nous qui travaillent à la maison.

— C'est gentil.

Dis-je sans émotion.

...Je suis sûre que vous lui en êtes toutes très reconnaissantes.

— Bien sûr !

Répondit-elle d'un air penaud.

...Je pense qu'elle fait ça parce qu'elle se sent coupable.

— Coupable ? Que voulez-vous dire ?

— Mademoiselle Evergreen peut se montrer parfois difficile. Elle a une langue acérée, si vous voyez ce que je veux dire…

— Oh, oui. Je comprends. J'en ai fait les frais moi-même. C'est comme se faire piquer par un rouet.

Peters hocha la tête.

— Beaucoup de filles de la maison ne l'aiment pas. Elles aiment bien les hommes, mais Mademoiselle Evergreen peut être très exigeante.

C'était un euphémisme.

— Depuis combien de temps êtes-vous au service de Mademoiselle Evergreen, Peters ?

— Environ un mois maintenant.

Elle saisit un autre biscuit.

— Seulement ?

J'étais surprise.

— Oui, Mademoiselle. La dernière est partie après l'une des « crises » de Madame. Je m'attendais à ce que le poste soit difficile, mais la paie est plus que correcte, alors j'ai accepté. Juste après mon arrivée à *Hollyfield,* Mademoiselle Marabelle est morte. Je ne savais pas grand-chose d'elle, mais le personnel disait qu'elle n'avait jamais eu besoin de domestique. Au dire de tous, c'était une personne très malheureuse. Elle et Mademoiselle Evergreen n'étaient jamais sur la même longueur d'ondes.

— J'ai remarqué qu'elles n'étaient pas proches.

Glissai-je pour l'inciter à en dire plus.

— C'est vraiment le cas de le dire. Le soir de la conférence, il y avait eu de vrais tracas. C'était la première fois que j'habillais Mademoiselle Evergreen pour une soirée officielle, et elle était d'une humeur massacrante. Mademoiselle Marabelle a fait irruption dans la chambre et elles se sont disputées.

— Comment ça ?

Demandai-je.

— Je ne sais pas, parce qu'elles m'ont demandé de partir. Mais c'était quelque chose à propos de Monsieur Perry et de son ami étranger. Lorsque je suis revenue, j'ai à peine eu le temps de préparer Madame.

— Eh bien, vous avez fait un excellent travail, Peters. Je me souviens combien elle était à son avantage ce soir-là.

Puis je me rappelai que Marabelle avait aussi perdu la vie…

On passa à d'autres sujets jusqu'à ce que Peters me remercie pour le rafraîchissement, prenne le paquet contenant la robe d'Evergreen et continue son chemin.

Après son départ, je sortis dans le jardin de derrière et m'assis sur le seuil de la cuisine pour réfléchir. Je me creusai la tête pour trouver l'information manquante qui, je le savais, devait se trouver quelque part...

Je commençai par le début, le jour où j'avais été renversée au village par la calèche des LaVelle. Lentement, je retraçai en pensée tous les événements qui s'étaient déroulés depuis la mort de Jareth Flynn – l'arrestation de Billy, sa filiation choquante, la chute de Marabelle, la confession de Louisa, la relation d'Evergreen avec Flynn, et enfin la liaison secrète de Perry et Marik. Evergreen semblait être le lien qui reliait tout le monde. Sa relation avec Flynn était plus qu'un flirt, si l'on en croyait les récits de Billy et Jem. Et qu'en était-il du hangar à bateaux ? Evergreen y avait été vue avec Flynn par les enfants, et c'est là que nous avions trouvé la montre. Avec sa réputation passée, il ne faisait aucun doute que son implication avec le forgeron était plus importante que ce qu'elle voulait bien admettre. Mais Evergreen avait-elle l'étoffe d'une meurtrière ? J'en doutais fortement. Sa nature rancunière ne faisait aucun doute, mais il y avait un grand pas à franchir entre cruauté et meurtre de sang-froid. Mais alors, qui avait tué Jareth Flynn ? Et Marabelle avait-elle fait une chute mortelle, ou avait-elle été poussée ? Tout cela me ramena à Dominic. Il avait été consterné le jour où nous étions allés au hangar à bateaux. Je me souvenais très bien de l'expression de son visage quand il avait réalisé que l'endroit était utilisé pour un rendez-vous amoureux. Alors que je revoyais en pensée Evergreen embrassant l'homme que j'aimais, le dégoût me saisit et je sentis poindre la rage.

Oncle Jasper s'apprêtait à faire une promenade sur les collines et Madame Stackpoole m'expliqua qu'elle l'accompagnerait. Elle était occupée à préparer des sandwichs qu'elle emballait dans un petit panier de pique-nique. Je constatai que leur amitié se renforçait de jour en jour. Dès que le couple quitta joyeusement la maison, j'attendis quelques minutes et me préparai à sortir. J'avais ruminé toute la nuit : comment me dépêtrer des nombreuses émotions contradictoires que m'inspirait Dominic ? Je ne pouvais en aucun cas laisser mes sentiments personnels m'empêcher de faire ce qui me semblait juste. Je me mis en route pour *Hollyfield,* et cette fois je n'eus pas un regard pour les agneaux dans les prés et n'entendis pas le chant des oiseaux. J'étais trop préoccupée par ce que je voulais dire à Evergreen LaVelle. À sa demande, je l'attendis dans le jardin d'hiver. Je m'assis sur le même fauteuil en osier que la fois précédente et repensai à ma première visite ici, lorsque Dominic peignait son portrait. À l'époque, je me sentais tellement différente ! Je me souvins de la conversation intéressante que j'avais eue avec Marik et combien j'avais apprécié sa compagnie. C'était maintenant étrange de penser à sa relation avec Perry ! Ils couraient un tel risque d'être surpris et punis ! Je n'arrivais pas à imaginer le fait d'aimer quelqu'un et de ne pas avoir la liberté de l'exprimer publiquement.

— Je suis surprise de vous voir ici si tôt dans la journée, Jillian. Ce doit être important !

Elle se présenta à moi dans une autre jolie robe, couleur noisette. Comme toujours, je fus surprise par sa prestance. Evergreen était une belle femme, du moins en apparence. Elle s'assit sur la chaise en face de la mienne et haussa un sourcil.

— Alors ?

— Je souhaite vous parler d'une affaire personnelle. Déclarai-je sans ambages.

— Je vois.

Elle me fixait de ses jolis yeux, sans aucune cordialité.

— Qui était vraiment Jareth Flynn pour vous ?

Elle ouvrit la bouche pour répondre, mais je continuai. ...Et avant que vous ne disiez quoi que ce soit, je voudrais que vous sachiez que vous avez été vue avec lui, Evergreen, par plus d'une personne. Alors s'il vous plaît, dites-moi la vérité !

Elle se leva et fit les cent pas devant son siège.

— Je ne vois pas en quoi cela vous regarde, Jillian. Je fais ce que je veux avec qui je veux et je n'ai pas de comptes à vous rendre.

— Peut-être…

Acquiesçai-je.

...Mais cette personne a été sauvagement assassinée et retrouvée près de chez vous. La vie d'un garçon est en jeu, s'il est condamné. J'estime qu'il est de mon devoir d'apporter mon aide là où je peux. Et puis...

Cette fois, je haussai un sourcil.

...Pourquoi vous en préoccuper, si vous n'avez rien fait de mal ? À moins que vous n'ayez quelque chose à cacher !...

Elle se rassit et me lança un regard noir.

— Vous avez un culot monstre, Jillian. Mais c'est probablement ce que j'admire le plus chez vous.

Elle soupira.

...Jareth Flynn et moi étions amants.

Elle fit une pause et me jeta un regard, s'attendant sans doute à ce que je sois choquée, ce qui lui aurait fait plaisir. Elle fut désappointée car je ne cillai même pas. Elle sourit.

...C'était un beau garçon. Un homme très apprécié des dames à *Ambleside*. Demandez donc à Louisa...

Une fois encore, elle s'arrêta pour observer ma réaction et resta sur sa faim. Je décidai de tenter ma chance.

— Je sais tout sur Louisa.

Dis-je avec assurance.

...Monsieur Flynn avait beaucoup de secrets.

Je faisais allusion à ses habitudes de maître-chanteur, car j'étais maintenant convaincue qu'il devait aussi faire chanter Perry ou Marik. Je m'enhardis.

...Jareth Flynn vous faisait-il chanter à cause de votre liaison ?

Sa respiration s'accéléra nettement.

— Bon sang, Jillian, comment osez-vous suggérer...

— Je pense que c'est probable, en fait.

Répondis-je.

...Je suis au courant de vos frasques londoniennes et de la raison pour laquelle Victor vous a envoyée à la campagne, puisque vous m'en avez parlé. Mais si votre père apprenait que vous avez eu une liaison avec quelqu'un de bien inférieur à votre rang, il serait sûrement furieux. Peut-être même pourrait-il vous déshériter ?

Son visage était livide. Je crois que si elle l'avait pu, Evergreen m'aurait giflée. Elle était hors d'elle et ses joues commençaient à rougir. C'était tout ce que j'avais besoin de savoir. Elle n'avait nul besoin de démentir mon accusation, la culpabilité se lisait sur son joli visage.

Je me levai et quittai la véranda sans un mot. Tandis que la domestique refermait la porte derrière moi, je quittai *Hollyfield* en respirant enfin librement, tant j'avais l'impression d'avoir retenu mon souffle pendant toute la conversation. Evergreen ne se laissait pas faire. Il m'avait fallu toute ma détermination pour camper sur mes positions et ne pas me laisser intimider par son caractère très affirmé. Je souris, un peu de ma fierté retrouvée. J'avais réussi.

Je comprenais maintenant pourquoi les gens étaient victimes du chantage de Jareth. Evergreen, Louisa, Marik et Perry. Quel individu sournois le forgeron avait-il été ! D'une certaine façon, il était compréhensible que quelqu'un veuille sa mort et le tue. Mais ça n'avait jamais été Billy Wolfe ! On pouvait en partie comprendre le responsable du meurtre de Flynn, car il avait certainement un mobile – Flynn était un mécréant et un maître-chanteur méprisable. Pourtant, le meurtrier avait volé le couteau de Billy dans l'unique intention de tuer Flynn et de faire accuser un jeune homme innocent. C'était indigne d'incriminer un garçon qui pouvait être condamné et ensuite pendu pour quelque chose qu'il n'avait pas fait ! C'était impardonnable !

Mais qui était la personne que je cherchais ? Et qu'en était-il de Marabelle ? Je n'avais toujours pas accepté que sa mort soit due à une chute accidentelle. Comment avait-elle pu se retrouver mêlée à cet imbroglio ? Et qui voulait sa mort ?

Je retournai à *Ambleside* en ruminant ce que je savais déjà. Il y avait encore beaucoup de zones d'ombre, mais quelque chose me disait que je m'approchais de la vérité.

Quand je tournai le coin de notre rue, quelqu'un attendait devant la porte d'entrée. Je me rendis compte trop tard que c'était Dominic.

XXVII

Il m'aperçut aussitôt et se dirigea vers moi d'un pas décidé. J'hésitai un instant à m'enfuir – je n'étais pas encore prête à lui parler, car j'étais toujours blessée. Mais il m'appela, et je fus bien obligée d'attendre qu'il s'approche.

— Jillian. Où étais-tu passée ? J'espère que tu te sens mieux ?

— Qu'est-ce que tu veux dire ?

Je n'avais aucune idée de ce à quoi il faisait référence, puis je me souvins de l'excuse que j'avais donné la veille pour l'éviter.

...Ça va bien. Pourquoi veux-tu me voir ?

— Pour te demander si tu veux bien te joindre à moi pour une petite promenade. C'est une belle matinée, et nous avons beaucoup de choses à nous dire. Tu viens ?

En vérité, je n'avais pas envie de me promener avec lui. J'étais encore dégoûtée et emplie de regrets. J'avais envie de lui cracher mes accusations au visage, lui dire que je n'étais pas dupe et le réprimander de m'avoir donné de faux espoirs. Des larmes me piquèrent les yeux, instantanément séchées par ma fureur.

— Bien !

Consentis-je.

...Je marcherai avec toi, mais pas loin. J'ai beaucoup de choses à faire avant le retour de mon oncle.

J'évitai de le regarder, c'était au-dessus de mes forces.

S'il nota ma voix distante, il ne fit aucun commentaire. Il vint à mes côtés et nous descendîmes la rue en direction du village.

— Jillian...

Commença-il.

...Je voudrais mettre les choses au clair entre nous. Je sais que tu es en colère contre moi à cause de mon comportement chez les Mountjoy. Mais tu dois me laisser t'expliquer ce qui s'est passé avant de me condamner et de me rejeter.

Il avait plus d'intuition que je ne l'aurais cru. Par conséquent, il attira mon attention. J'étais extrêmement avide de savoir ce qu'il allait dire et comment il allait pouvoir s'en sortir. Je lui jetai un regard peu amical.

— Je t'écoute. J'ai hâte d'entendre ça !

Il eut un regard méfiant.

— Jusqu'à preuve du contraire, je suis innocent, ne l'oublie pas.

Je hochai la tête en signe d'acquiescement.

...Ces dernières semaines ont été éprouvantes et j'ai souvent été au bord du désespoir. Le cauchemar qui a débuté par l'arrestation de Billy s'est répandu comme un épais brouillard, saturant mon esprit jusqu'à ce que je ne sache plus qui j'étais.

Il passa ses doigts dans ses boucles noires.

...À chaque tournant surgit un conflit. Accuser l'un, c'est dévaster un autre. Ma tête a tellement tourné que j'en ai le vertige.

— Peux-tu être plus précis ?

Demandai-je sans détour, sans lui céder un pouce – après tout, il le méritait !

— Lorsque nous avons trouvé des preuves dans le hangar à bateaux, ce jour-là, j'ai été étonné. Je savais que si Victor apprenait le comportement de sa fille, il serait dévasté. J'ai donc demandé une entrevue à Evergreen et je lui ai fait part de mes soupçons. Elle était furieuse et a d'abord tout nié, mais a fini par avouer avoir rencontré l'homme une ou deux fois.

— Elle ment !

Affirmai-je sans pouvoir m'en empêcher.

Dominic me regarda.

— Je sais.

Il poursuivit.

...Au fur et à mesure que tu découvrais les autres liaisons de Flynn, j'ai pensé que le rôle d'Evergreen dans cette affaire devait être plus important que je ne l'avais imaginé. J'étais inquiet et partagé. J'ai un frère en prison alors que sa demi-sœur dissimule le fait qu'elle a été en relation avec la victime du meurtre. J'étais déchiré, mais aussi inquiet pour Victor qui devrait faire face à cette vérité. J'ai à nouveau confronté Evergreen à ses contradictions, mais cette fois elle a décidé d'utiliser une autre approche, elle a commencé à flirter avec moi.

Je me raidis, et Dominic me jeta un regard rapide. Il continua.

...Quand j'étais très jeune, Evergreen m'a donné mon tout premier baiser. Pour un pauvre jeune garçon de ferme, c'était une princesse. À partir de cet instant-là, j'ai été complètement épris d'elle, même si de son côté elle souhaitait juste que je lui rende hommage. Cependant, les années passant, et mon enfance se terminant, j'ai fini par comprendre quel genre de femme était Evergreen. Toute sa vie repose sur son sexe et sa beauté. En cours de route, elle a cueilli sans effort de jeunes idiots comme moi, mais elle n'a aucune morale, elle ne se soucie que d'elle-même. Quand elle a décidé de me séduire, il m'a été très facile d'ignorer ses avances – j'avais compris ses intentions. Elle cherchait à me contrôler par la séduction. Jillian, je ne suis plus le jeune garçon stupide que j'ai pu être. Je n'ai aucun autre intérêt pour cette femme que l'amitié. D'ailleurs...

Il s'arrêta et voulut prendre ma main.

...Mon cœur est déjà pris.

Même si je pus lire dans ses yeux une profonde tendresse, je retirai ma main brusquement.

— J'ai vu combien elle te touche, Dominic. J'ai vu ton expression changer quand elle entre dans une pièce. Elle est charmante, et je ne peux pas la blâmer de te tourner la tête...

— Non, Jilly !

Il poussa un profond soupir.

...Tu te trompes. J'admets que mes sentiments envers Evergreen sont compliqués, mais seulement parce que j'ai percé à jour son caractère. J'ai été troublé, et je me rends compte que j'aurais dû t'expliquer mes sentiments. Mais par où commencer ? Depuis que nous nous sommes rencontrés, j'ai travaillé à la ferme, j'ai vu Billy à chaque fois que j'en ai eu l'occasion, tout en ayant une relation avec toi et en essayant de protéger Victor. Je n'arrive pas à jongler avec tout ça dans ma tête. J'ai essayé de me comporter comme si tout allait bien, surtout en ta présence. Le temps que nous ayons passé ensemble a été la seule chose qui m'ait empêché de devenir fou – tu dois me croire.

— Je n'en crois rien.

Dis-je platement.

Il resta imperturbable.

Nous arrivâmes à l'église, et il me demanda de m'asseoir sur le banc. Je m'exécutai mais pris soin de garder une grande distance entre nous.

— Le jour du dîner des Mountjoy, Evergreen m'a dit qu'elle avait quelque chose d'important à me dire. Elle est venue à la ferme et m'a dit que la raison pour laquelle elle détestait mon frère était qu'il l'avait molestée à plusieurs reprises.

Je restais bouche bée.

— Mais voyons, c'est ridicule !

— Oui.

Dit-il avec tristesse.

...Je suis d'accord.

Il se tourna vers moi.

...Et contrairement à ce que je pensais, elle avait l'intention de le dire à Victor, puis au gendarme. Si elle l'avait fait, le sort de Billy aurait été scellé.

— C'est une fille manipulatrice et méchante.

Dis-je.

Je commençais maintenant à mieux comprendre le comportement étrange de Dominic le soir du dîner. Il avait été distant, et si froid. Et j'avais immédiatement supposé que j'en étais la cause.

— Evergreen m'a tourmenté avec ses menaces toute la soirée. J'étais distrait et en colère, incapable de savoir ce que je devais faire. Quand je t'ai cherchée et que tu étais déjà partie, j'ai compris que je t'avais offensée. Mais, Jillian, je n'étais pas en état de m'inquiéter pour ça. J'étais consumé de peur pour mon frère. Le soir suivant, Evergreen est venue à la ferme. Elle m'a dit qu'elle prévoyait de le dire très bientôt à Victor et qu'il cesserait alors de m'aider dans l'affaire de Billy. Je me suis disputé avec elle. Je l'ai traitée de tous les noms imaginables. Sa seule réponse a été d'essayer de m'embrasser. C'était comme si la colère augmentait d'autant son désir. J'étais révolté.

Je lui fis face. Son teint blafard avait encore pâli, et ses yeux étaient tristes.

Je pris sa main.

— Dominic, j'étais présente…

Il me regarda d'un air perplexe.

— Où ça ?

— À la ferme. Je suis venue te voir parce que j'étais inquiète. Tu avais été si indifférent à mon égard au dîner des Mountjoy… et j'étais bouleversée. Le lendemain, je t'ai cherché pour avoir une discussion avec toi, pour te demander si c'était fini. Je t'ai vu avec Evergreen, et j'ai assisté à votre baiser.

J'observai attentivement son visage. Il eut l'air infiniment soulagé.

— Donc tu as aussi vu son comportement étrange et la façon dont je l'ai repoussée. C'était trop bizarre, Jillian. Et maintenant je ne sais pas ce que je dois faire de tout ça.

Je tus à Dominic la réaction qui avait été la mienne suite au baiser et la façon dont je m'étais misérablement enfuie de la ferme. J'étais contente qu'il pense que j'avais tout vu et qu'il se comporte comme s'il n'avait rien à cacher. Cela me fut d'un grand réconfort. Ce n'était qu'un malentendu, mais j'avais beaucoup appris.

— Je viens de rendre visite à Evergreen.

Dis-je.

…Et je lui ai dit que je connaissais la relation qu'elle entretenait avec Jareth, et que d'autres l'avaient vue avec lui. Elle est très en colère contre moi, mais je m'en moque. Evergreen en sait beaucoup plus qu'elle ne le laisse croire, Dominic. Je crains que son rôle dans la disparition de Flynn soit plus important que nous ne le pensions.

— Que veux-tu dire ?

Il fronça les sourcils.

— Je crois qu'Evergreen sait qui l'a tué.

XXVIII

Dominic et moi passâmes le reste de la journée ensemble à la ferme Wolfe, où je l'aidai à nettoyer le poulailler, les écuries et la grange. Le travail physique avait dû me faire du bien, car le lendemain matin mon état d'esprit s'était considérablement amélioré. Certes, notre désaccord avait un peu terni la relation que nous avions entamée si récemment, mais le fait de dépasser notre mésentente nous permettrait, je l'espérais, de repartir sur des bases plus solides.

Ce jour-là, nous avions prévu de voir Victor et de lui dire tout ce que nous savions. Dominic avait encore beaucoup de doutes, notamment sur ce qu'Evergreen allait faire de son histoire sur Billy. Mais j'avais convaincu Dominic qu'à ce stade il valait mieux être honnête avec Victor. Même si c'était une très mauvaise nouvelle et que l'homme serait peiné de l'apprendre, il était beaucoup plus robuste que Dominic ne le pensait. Sa brillante carrière pouvait en témoigner. Nous nous rencontrâmes sur *Lake Road*. Nos humeurs respectives étaient sombres, ce qui n'était pas très étonnant au vu de la solennité du moment. Nous marchions ensemble, chacun perdu dans ses pensées, alors que nous approchions de la maison. Dominic avait prévu que notre arrivée coïnciderait avec le petit déjeuner de Victor. En règle générale, il était le premier à se lever, et nous avions une chance de le voir seul.

Victor fut surpris de nous voir ensemble de si bon matin. Nous prîmes place rapidement à sa table pendant qu'il finissait ses œufs et son *kedgeree*. Il accepta une tasse de thé que lui proposait le valet de pied, qui quitta aussitôt la pièce.

Lorsque la porte se referma derrière l'homme en livrée, Dominic se racla la gorge.

— Victor… Bien que je déteste faire ça, j'ai beaucoup de choses à te dire, et ce ne sont pas de bonnes nouvelles.

Le vieil homme s'arrêta de manger et ses yeux verts se rétrécirent. On aurait dit un tigre prêt à bondir.

— Alors tu ferais bien de t'y mettre !

Dominic lui rapporta tout ce que nous avions appris, de manière précise et ordonnée. J'étais impressionné par sa capacité à donner un sens à tout cela, et il garda un calme parfait pendant toute la durée de l'épreuve. Il rapporta chacune de nos découvertes. Sa seule omission fut qu'il ne révéla pas pourquoi Marik était victime de chantage. Nous étions convenus que la relation de Marik et Perry ne devait être évoquée que par eux, et eux seuls. Ce fut un long exposé, et Victor ne l'interrompit heureusement pas une seule fois. Son impassibilité semblait naturelle, mais je savais que l'homme devait se sentir dévasté, voire en colère. Lorsque Dominic eut terminé, Victor se leva et se dirigea vers le buffet où il se versa une autre tasse de thé. Il nous rejoignit ensuite à table où nous étions assis tous les deux en silence.

— Eh bien, Dom…

Dit-il après un instant.

…Cela fait en effet beaucoup de choses à assimiler. Je suis assez stupéfait et impressionné que Jillian et toi soyez arrivés à ces conclusions. Il semble que vous en fassiez plus que notre police locale.

Nous restâmes silencieux. Ce fut au tour de Victor de

parler.

...Comme vous le savez, la création de mon entreprise m'a demandé beaucoup d'efforts pendant toutes ces années. C'est un travail difficile, et j'admets volontiers que je n'aurais pas réussi tout seul. De nombreuses personnes m'ont aidé, mais j'ai dû faire de grands sacrifices.

Il but une gorgée de thé.

...J'ai travaillé de longues heures et donné la priorité à ma carrière et à mon ambition. J'ai enterré une femme et deux enfants en bas âge, et maintenant il est évident que j'ai négligé mon fils et ma fille. J'ai ramené ma famille en Angleterre après la perte d'Emma, car rester en Inde sans mère s'avérait trop douloureux pour les jumeaux, surtout pour Evergreen. J'espérais que la stabilité et l'influence de notre famille britannique aideraient mes enfants, après avoir perdu leur mère si jeune. Pourtant, je crois que mon absence a fait que j'ai ignoré les signes montrant que tout n'allait pas comme il faut.

Il soupira, et je ressentis pour lui une empathie infinie.

Il poursuivit :

...Quand Evergreen a eu son premier écart de conduite – même si ce ne devait pas être le dernier – j'ai pensé qu'il valait mieux l'amener ici, loin des tentations londoniennes, sous la vigilance de Marabelle, la cousine de ma femme. Je savais que ce n'était pas une situation idéale, mais au moins cela lui offrait un certain cadre, et je ne voulais pas avoir à renvoyer ma propre fille. Mais au fil du temps, je me suis rendu compte qu'Evergreen avait...

Il eut du mal à trouver ses mots.

...Des difficultés à respecter les règles, surtout celles

dictées par sa classe sociale. J'ai longtemps négligé ses problèmes car, en vérité, j'ai toujours craint qu'elle ne ressemble plus à sa mère que je ne le soupçonnais. Dominic et moi nous nous regardâmes. Je le savais aussi perplexe que moi.

...La mère d'Evergreen était d'un tempérament nerveux. Je crois qu'il y avait des traces de ce caractère dans sa famille, mais la plupart des gens ne le remarquaient pas. Emma a lutté contre beaucoup de choses dans la vie. Elle était timide avec les étrangers, mais également trop directe avec les autres. Elle était sujette à des crises de colère et pouvait ensuite pleurer pendant des jours. Emma était une sorte d'énigme. Mais j'ai fait fi de tous mes doutes et je me suis plongé dans le travail.

Durant nos trois premières années de mariage, nous avons perdu deux fils à cause du choléra. Je crois qu'Emma n'a pas eu le temps de s'en remettre émotionnellement avant d'être à nouveau enceinte. Cette fois, elle a donné naissance à des jumeaux, Perry et Evergreen. Après leur arrivée, la dépression d'Emma est devenue galopante. Elle ne s'intéressait absolument pas aux enfants. Ce fut une période très éprouvante pour tous, et elle est morte d'une surdose de laudanum avant le deuxième anniversaire des jumeaux.

Il s'arrêta un instant, et je supposai qu'il voyageait par la pensée. Son histoire était tellement triste ! Je pensais à sa jeune femme, Emma. Comme elle avait dû être désespérée, pour que le seul choix possible soit de s'ôter la vie.

...Perry et moi nous sommes très bien adaptés au retour. Nous avons amené Marik avec nous, je suis donc sûr que cela a aidé mon fils, d'avoir une sorte de frère avec qui partager. Mais pour Evergreen, eh bien, c'était un vrai défi. Une foule d'amis sont entrés puis sortis de sa vie, mais aucun n'est resté longtemps – je crains qu'ils aient vu en elle ce que je me refusais à réaliser.

On entendit un bruit de conversation et il s'arrêta net. La porte de la salle à manger s'ouvrit, et Perry et Marik entrèrent, refermant la porte derrière eux.

— Dom... Mademoiselle Farraday...

Lança agréablement Perry.

...Qu'est-ce qui vous amène ici si tôt ?

Il dut saisir l'atmosphère qui régnait dans la pièce et prit conscience de nos mines sérieuses.

— Quelque chose ne va pas ?

Demanda-t-il à son père.

...Qu'y a-t-il ?

— Veux-tu te joindre à nous avec Marik, s'il te plaît, Perry ?

Demanda Victor.

Perry jeta un regard rapide au froncement de sourcils inquiet de Marik. Ils s'assirent en face de Dominic et moi, puis jetèrent un coup d'œil interrogateur à Victor.

...Mon garçon... pourquoi Jareth Flynn te faisait-il chanter ?

Ces mots furent prononcés à voix basse, mais ils résonnèrent par leur intensité.

— Flynn ?

Perry semblait perplexe.

...Que diable voulez-vous dire, Père ? Je connaissais à peine cet homme. Je ne pense pas lui avoir parlé plus d'une fois. Pourquoi pensez-vous qu'il me faisait chanter ?

La voix de Perry trahissait l'incrédulité. Il disait la vérité.

...De quoi s'agit-il ?

Victor soupira.

— Nous avons des preuves et des informations qui prouvent que Flynn faisait chanter plusieurs personnes dans la région, et tu en fais partie.

— C'est ridicule !

Perry était outré.

...Je n'ai jamais entendu quelque chose d'aussi absurde. Vous pensez que je mens ?

Il se leva, le visage rouge d'indignation.

— Ton père a raison...

Dit doucement Marik.

Perry le regarda fixement.

— Qu'est-ce que tu veux dire ?

Il se rassit.

Marik se tourna vers le bout de la table.

— Victor... Perry n'a aucune connaissance de ceci, je vous le promets. Jareth Flynn avait prévu de l'approcher, mais je l'ai intercepté et lui ai dit qu'il aurait affaire à moi à la place.

Perry était horrifié.

— Tu ne m'as jamais dit...

— Je ne voulais pas t'inquiéter.

— Pourquoi vous faisait-il chanter ?

Leur demanda Victor à tous les deux.

Les yeux noirs de Marik s'attardèrent un instant sur Perry, dont le visage s'éclaircit – ses yeux bleus, si semblables à ceux de sa sœur brillaient d'émotion. Aucun des deux ne répondit.

...Flynn avait-il découvert que vous étiez amants ? Demanda Victor...

Et la pièce sembla se figer !

Je n'arrivais pas à les regarder. J'étais une intruse au milieu d'une affaire trop personnelle, trop privée. Je gardai les yeux baissés et émis le souhait d'être quelque part au loin. Je n'avais aucune envie d'embarrasser Perry ou Marik.

...Allez, Perry. Pour une fois, ma famille ne peut-elle pas être honnête avec moi ?

Perry leva les yeux vers son père, son visage reflétant un mélange de tristesse et de défi.

— Depuis quand êtes-vous au courant pour nous ?

Dit-il doucement.

Victor secoua la tête.

— Des années. J'attendais seulement que tu me le dises.

Je jetai un coup d'œil à Marik. Il gardait la tête haute et ne broncha pas lorsque Victor lança un regard de chat dans sa direction.

...Et qu'en est-il de toi, Marik. Tu n'as rien à dire ?

— J'aime votre fils, Victor, de tout mon cœur. C'est pourquoi j'ai essayé de le protéger de Flynn. Rien n'aurait pu arrêter cet homme méprisable, et j'ai donc payé pour son silence. Je voulais juste gagner du temps afin de pouvoir déterminer le meilleur plan d'action. Mais ensuite il a été tué. Je mentirais si je disais que je n'ai pas ressenti un immense soulagement quand j'ai appris sa mort. Je pensais que nos problèmes étaient enfin derrière nous.

— Pas si vous êtes la personne qui l'a tué !

Grogna Dominic.

...Parce que ce n'était pas mon frère !

— Je n'ai tué personne ! Cria Marik.

— Vous n'avez pas d'alibi...

Répondit Dominic en voyant le visage interdit de l'Indien.

...On vous a entendu parler à Evergreen de vos craintes

d'être soupçonné de quelque chose.

Expliqua Dominic.

…Vous aviez certainement un motif !

— J'avais sans doute de bonnes raisons de vouloir la mort de cet homme.

Dit Marik d'un ton glacial.

…Mais je n'ai pas tué Flynn, même si je suis prêt à remercier la personne qui l'a fait. Flynn était une ordure. Il se régalait des secrets des autres comme un rat rongeant une carcasse. Le jour de sa mort, Perry et moi étions à *Hawkshead,* avec quelques-uns de nos amis.

— Alors vous avez un alibi ! Observa Victor.

— Pas un que nous puissions partager avec un agent de police…

Ajouta Marik.

…À moins que nous ne voulions reconnaître notre relation.

— Et être emprisonnés ?

Ajoutai-je.

Ils se retournèrent pour me regarder, comme s'ils venaient de se rendre compte que j'étais là.

…C'est un terrible dilemme pour eux deux.

Poursuivis-je.

…Échapper à la condamnation d'un crime conduirait à la punition d'un autre.

— C'est ainsi !

Marik soupira.

…Mais je suis heureux d'avoir enfin pu me libérer de ce secret. Depuis que ce goujat a été retrouvé mort, je me fais un sang d'encre à cause de tout ça.

— Evergreen est au courant de votre relation, n'est-ce pas ? Leur demandai-je à tous les deux.

Ils hochèrent la tête, bien que Perry se montrât réticent.

— Ne soyez pas fâché contre elle, papa.

Supplia-t-il.

...Elle a été très gentille depuis le début.

— Savait-elle aussi que Jareth vous faisait chanter, Marik ?

Il fallait que j'en aie le cœur net.

— Oui.

Admit-il.

Perry le regarda avec surprise.

— Tu le lui as dit, mais pas à moi ?

Il y avait de la douleur dans sa voix.

— Elle voulait bien faire. Evergreen t'aime, Perry.

Expliqua-t-il.

Je me tournai vers Dominic.

— Nous devrions prendre congé maintenant, et laisser ces braves gens finir leur conversation.

Je me levai.

Dominic se leva également et jeta un coup d'œil à Victor.

— Je serai à la ferme pour le reste de la journée. N'hésitez pas à venir si vous avez besoin de quoi que ce soit. Nous n'en avons pas terminé.

Il n'obtint aucune réponse.

Je ne dis rien, mais suivis lentement Dominic hors de la pièce.

— Pauvre Victor...

Dit Dominic, en mettant la bouilloire sur le feu.

J'enlevai mon manteau et le suspendis à une patère avant de le rejoindre. Je passai à Dominic la théière vide.

— Je suis soulagée que Victor ait déjà été au courant

pour Perry et Marik. Cela lui a épargné un choc. Mais ce qu'il nous a confié au sujet de sa femme était très triste.

— Cela explique pourtant beaucoup de choses à propos d'Evergreen, n'est-ce pas ?

Dit-il en plaçant des feuilles de thé dans la théière.

...Penses-tu qu'elle puisse être atteinte de la même maladie que sa mère ?

— Cela semble probable, étant donné la fréquence avec laquelle elle change d'humeur. Victor devrait peut-être demander l'aide d'un médecin. Il existe sûrement des méthodes ou des médicaments qui peuvent aider une personne atteinte de ce type d'affection.

Suggérai-je.

— Victor a les moyens et les ressources pour le savoir.

Dit Dominic.

...Tu sais, bien que leurs visites aient été peu fréquentes au fil des ans, j'ai souvent pensé qu'Evergreen était une personne complexe. Elle a beaucoup de qualités merveilleuses, mais celles-ci cachent quelque chose d'immoral.

Il termina de préparer le thé, et nous nous assîmes à table.

— Que penses-tu qu'il va se passer maintenant ?

Demandai-je.

— Victor a besoin de temps pour réfléchir à tout ce que nous lui avons dit. Puis j'imagine qu'il viendra me parler, et ensuite il ira voir l'avocat, Maître Kemp.

— J'aurais pensé que la preuve du chantage donnerait plus de crédit à l'affaire de Billy. Tu ne penses pas ?

— Oui, reconnut Dominic.

...Le problème est que Louisa Mountjoy n'admettra jamais son secret, et si Victor révèle que Flynn faisait chanter Perry et Marik, il court le risque que les deux hommes aillent en prison. S'il mentionne Evergreen, sa réputation est perdue à jamais. Il a très peu de choix, et aucun d'entre eux n'est le bon.

— C'est injuste !

Déclarai-je.

…Nous avons appris tellement de choses, Dominic, et pourtant nous ne sommes pas plus près de faire libérer Billy que nous ne l'étions au début. Si Victor ne dit rien à Maître Kemp, que feras-tu ?

— Je ne peux rester silencieux.

La voix de Dominic était grave.

…Victor doit choisir sa propre voie – mais je ne laisserai pas mon frère être pendu pour la réputation des LaVelle.

XXIX

Je n'avais encore rien révélé à l'oncle Jasper. Heureusement, il ignorait tout des enquêtes de Dominic et de moi-même, et je préférais que cela reste ainsi. Aussi, lorsque la calèche des LaVelle s'arrêta chez nous le lendemain matin, avec un mot de Victor demandant ma présence immédiate, cela attisa sa curiosité. Je lui racontai rapidement que j'avais offert à Victor mon avis sur l'organisation de la bibliothèque de *Hollyfield*. Cela sembla apaiser le cher homme, mais seulement après que je lui eus assuré que je n'allais pas travailler pour les LaVelle.

Alors que la calèche tournait dans l'allée de la maison, j'espérai que tout allait bien. La conversation de la veille avec le chef de la famille LaVelle avait été si intime que je me sentais encore mal à l'aise d'en avoir été témoin. Qu'est-ce que Victor me voulait ? Peut-être Dominic était-il là aussi !

Lorsque l'on me fit entrer dans le bureau, je fus troublée de voir Evergreen assise dans l'un des fauteuils en cuir. Elle se leva rapidement et m'adressa un sourire radieux.

— Jillian. Je suis si heureuse que vous soyez venue.

Il n'y avait aucune trace d'animosité dans sa voix. C'était comme si notre dernière discussion animée n'avait jamais eu lieu.

Je tins bon.

— Je ne suis pas venue pour vous voir, Evergreen. C'est votre père qui m'a envoyée chercher.

— Mais pas du tout !

Elle souriait encore.

— C'est moi. J'ai pris la liberté de signer de son nom. Je savais que vous ne viendriez pas si c'était moi qui vous le demandais.

Je lui lançai un regard furieux, me moquant qu'elle remarque mon agacement.

— C'est une tromperie, Evergreen ! Je ne suis pas à votre disposition chaque fois que vous avez envie d'avoir de la compagnie !

Elle haussa un sourcil.

— C'est vrai, Jillian ? Pourtant, vous êtes assez heureuse d'être chez mon père !

C'était un coup bien ajusté, qui eut l'effet escompté.

— Que voulez-vous ?

— Je souhaite m'entretenir avec vous sur une foule de sujets. Je crois que vous avez mal compris de nombreux événements qui me concernent. Je nous considérais comme des amies et je serais heureuse d'avoir l'occasion de clarifier les points sur lesquels il pourrait subsister un malentendu.

Je me mordis l'intérieur de la joue. Que devais-je faire ? Encourager des concessions et l'écouter ? Je pensais aux révélations de Victor. Ma propre mère avait été le centre de mon monde. C'est grâce à elle que j'avais appris à gérer ma vie. Evergreen avait eu beaucoup moins de chance. Orpheline de mère, avec un père voué à une brillante carrière, elle avait peut-être beaucoup de ressources financières à sa disposition, mais avait manqué du soutien affectif dont tout enfant a besoin.

— Très bien !

Concédai-je.

...Qu'est que vous avez à me dire ?

Elle regarda par-dessus mon épaule en direction du hall.

— Pas ici. Il y a trop d'yeux et d'oreilles indiscrets. Ce dont je veux parler est de nature délicate. Allons faire un tour dehors. Ce sera plus intime.

La journée était déjà chaude et le temps parfait pour une promenade. Evergreen me conduisit loin de la maison, le long du chemin menant au hangar à bateaux et au lac. Les jardins étaient couverts de fleurs en ce début d'été, de dahlias, d'asters et de roses. Leur parfum flottait dans l'air.

...Grâce à Dom et à vous, le secret de Perry et Marik est enfin révélé au grand jour.

Commença-t-elle.

...Si vous voulez mon avis, c'est un soulagement. Les garçons sont fous l'un de l'autre depuis qu'ils sont en âge de lire. Père est plutôt compréhensif à ce sujet. Dommage qu'il n'ait pas admis plus tôt savoir quelque chose. Cela aurait évité bien des soucis, et cet idiot de forgeron aurait pu être renvoyé.

— Permettez-moi d'en douter.

Répondis-je.

...Votre père n'aurait pas été en mesure de les protéger. Flynn l'aurait dit aux autorités, et Perry et Marik auraient été arrêtés.

— Vous avez raison, bien sûr...

Nous étions arrivées au hangar à bateaux. Evergreen fit le tour de l'endroit où le bateau était amarré.

...Mais vous avez eu raison sur tant de choses, chère Jillian. Venez.

Elle fit un geste vers le bateau.

...Montez. Allons faire un tour sur le lac.

Je fronçai les sourcils.

— Je ne suis pas d'humeur à faire de la voile, Evergreen.

— Ne soyez pas ridicule !

Répondit-elle.

C'était l'Evergreen que je connaissais le mieux.

— Je dois aller voir Peggy Nash. Vous la connaissez sûrement maintenant ! La vieille bique m'a demandé de venir. Elle insiste sur le fait qu'elle a des informations importantes à me communiquer.

— C'est très énigmatique !

M'exclamai-je.

…Mais qu'est-ce que ça a à voir avec moi ?

— Dominic !

Articula-t-elle en souriant.

…Peggy veut me dire quelque chose sur Dominic et Jareth Flynn.

Je devins méfiante :

— Alors pourquoi ne lui dites-vous pas de venir ici, à *Hollyfield* ?

— Elle refuse de s'approcher de la maison.

Dit Evergreen avec impatience.

…Elle exige que j'aille la voir. Elle dit qu'elle sait aussi quelque chose au sujet du couteau de Billy.

Que pouvait bien savoir la vieille femme ? Elle m'avait déjà parlé de l'innocence de Billy, bien qu'elle n'ait pas été capable de lui procurer un alibi assez solide. Mais Peggy avait-elle trouvé d'autres preuves ? Mon instinct me disait de laisser Evergreen continuer seule, mais une partie de moi se méfiait de ce qu'elle ferait si Peggy savait quelque chose susceptible d'aider Billy.

— Nous devrions prévenir l'agent Bloom.

Déclarai-je.

…Laissons-le s'occuper de ça.

— Non !

Cracha-t-elle.

...La vielle mégère ne veut parler à personne d'autre que moi. Je suis sûre qu'elle s'attend à ce que je la récompense avec une pièce ou deux. Maintenant...

Dit-elle en détachant l'amarre,

...Vous vous joignez à moi, ou pas ?

Evergreen monta dans le bateau et tendit la main.

...Peggy campe dans une petite baie, et bien que nous puissions y aller à pied, cela prendrait toute la matinée.

— Comment vous a-t-elle contactée ? Et pourquoi voulez-vous soudainement aider Billy ? Vous vous êtes pourtant réjouie qu'il soit mis en prison !

— C'est vrai !

Admit-elle en haussant les épaules.

...Je le trouve simplet, et je n'ai jamais aimé ce morveux. Mais après la longue conversation que j'ai eue avec papa hier soir, disons qu'il m'a persuadée de penser un peu différemment. S'il peut faire preuve de compassion envers mon frère, alors je peux fournir un effort pour faire de même avec Billy. Un des jardiniers m'a dit tôt ce matin que Peggy était passée par le jardin hier. Apparemment, c'est à ce moment-là qu'elle lui a demandé de me transmettre le message.

Elle souffla un peu.

...Écoutez, Jillian, je vais y aller, que vous veniez ou non. C'est peut-être une totale perte de temps, mais je ne découvrirai rien en ne faisant rien.

Je n'étais pas entièrement convaincue, mais je décidai de lui accorder le bénéfice du doute. Après tout, qu'est-ce que ça pouvait faire ? Je pris sa main et montai dans le bateau. Evergreen me fit signe de m'asseoir sur une banquette tandis qu'elle prenait celle qui me faisait face. Elle poussa contre le rebord du quai et le courant nous fit sortir lentement du hangar à bateaux. Evergreen saisit les rames et, une fois que nous fûmes à l'air libre, elle commença à ramer.

— Vous n'avez pas le mal de mer, j'espère ? Je n'ai pas pensé à vous poser la question.

— Non.

Répondis-je.

…Je suis une fille du *Devonshire*. J'ai grandi au bord de la mer.

— Ça vous manque de vivre là-bas ?

Demanda-t-elle.

— Parfois. Mais après la mort de ma mère, rien ne m'attachait plus là-bas.

— Un peu comme moi et l'Inde.

Répondit-t-elle.

…J'ai adoré y vivre. Mais une fois maman morte, il n'y avait plus aucune raison de rester.

Elle poussa un gros soupir.

…Je n'ai jamais été heureuse en Angleterre.

— Je suis désolée de l'entendre.

Dis-je gentiment.

Et je le pensais vraiment.

— Oh, Jillian.

Gloussa-t-elle.

…Vous êtes une telle menteuse !

Je ne m'attendais vraiment pas à cette réponse et en fus stupéfaite.

Evergreen riait.

…Vous devriez voir votre visage ! C'est un sacré tableau !

Elle ne souriait plus et ses yeux étaient malveillants.

…Depuis votre arrivée à *Ambleside*, vous vous êtes bien amusée, Jillian, mais à mes dépens !

— De quoi parlez-vous ?

Mon pouls s'accéléra.

— J'aurais préféré que cette stupide calèche vous écrase le jour de notre rencontre, car vous n'avez fait qu'apporter la discorde depuis que vous avez mis le pied dans ma maison.

Elle tira fortement sur les rames, se dirigeant droit vers le centre du lac.

Et là, d'un seul coup, tout commença à prendre sens.

— Vous ne m'emmenez pas voir Peggy, n'est-ce pas, Evergreen ?

Ses jolis yeux brillèrent de malice.

— Bien sûr que non ! Vous êtes vraiment stupide, Jillian – ou peut-être « crédule » est-il un mot plus adapté !

— Et vous n'avez pas l'intention d'aider votre frère, Billy.

Son visage rougit d'indignation. Mon utilisation du mot « frère » fit mouche. Agitée, elle se renfrogna.

— En ce qui me concerne, cet imbécile peut bien être pendu. Vous imaginez avoir un frère qui soit un imbécile ?

Elle riait d'un rire hystérique.

— Lui hors du jeu, Dominic pourra retourner à Londres et à sa peinture. Nous pourrons être ensemble, et je vais l'introduire dans la société. Il va se faire un nom.

Je ne tombai pas dans son piège.

— Vous vous trompez complètement !

Répondis-je, forçant ma voix à rester calme malgré mon cœur qui cognait dans ma poitrine.

…S'il arrivait quelque chose à Billy Wolfe, Dominic ne quitterait jamais la ferme. Il serait trop désespéré.

Elle arrêta de ramer et me lança un regard noir.

— Et comment pouvez-vous le savoir ? Cela fait des

années que j'aime Dominic. Depuis que je suis enfant !
Vous n'avez passé qu'une poignée de semaines avec
lui. Cela ne veut pas dire que vous le connaissiez mieux
que moi. Dominic a toujours été amoureux de moi.

— Vous avez tort. Vous confondez l'engouement d'un
garçon avec la passion d'un homme ! La seule personne
que Dominic aime au-delà de toute mesure, c'est Billy.
Et n'oubliez pas qu'il sait ce que vous avez fait.
Pardonnerait-il à une femme qui a contribué à
l'incarcération de son frère ? Réfléchissez-y. Après
tout, ne ressentez-vous pas la même chose pour Perry ?
Vous feriez absolument tout pour lui, n'est-ce pas ?

À cet instant précis, tout s'éclaira. Le petit bout
d'information resté hors de ma portée surgit alors dans
la lumière. C'était l'amour ! Tout ce qui s'était passé
était dû à l'amour !

...Vous avez tué Flynn, n'est-ce pas, Evergreen ? Vous
avez découvert qu'il faisait chanter Marik et Perry, et
vous deviez protéger votre frère.

Son expression ne changea pas. Elle me fixait, alors que
nous voguions sans but au milieu du vaste lac.

Je continuai :

— Vous fréquentiez Flynn, vous le rencontriez au
hangar à bateaux. Mais lorsque Marik vous a confié que
Flynn le faisait chanter, menaçant de révéler son
homosexualité et celle de Perry, vous avez décidé de
vous débarrasser de lui. Comment y êtes-vous
parvenue ?

Son visage resta impassible, puis elle sourit. Ce n'était
pas le sourire de la personne qui m'avait offert du thé et
des *crumpets* quelques semaines plus tôt lors de notre
première rencontre, ni celui de la fille qui riait alors que
nous achetions des chapeaux à *Kendal*. La femme qui

me faisait face dans un petit bateau isolé sur les eaux du lac *Windemere,* me sourit comme la folle qu'elle était.

— Vous vous croyez intelligente, n'est-ce pas, Jillian ? Si intelligente, que vous êtes venue ici seule et que vous avez placé votre destin entre mes mains !

Elle fit une pause, comme si elle considérait les options qui s'offraient à elle.

Les pensées tourbillonnaient dans mon esprit, réfléchissant à ce qu'elle avait en tête et à ce que je pouvais faire. Même si j'étais effrayée, j'en avais pourtant assez de ses jeux. Il était temps qu'elle me dise la vérité.

— Pas aussi astucieuse que vous croyez l'être vous-même, Evergreen...

Me moquai-je.

...Vous vous croyez infaillible, mais au bout du compte vous avez été battue par un simple forgeron !

Elle comprit. Sa lèvre supérieure se retroussa et elle émit un grognement : j'avais réussi à atteindre son fragile ego.

— Flynn était un crétin fini !

Dit-elle.

...Mais c'était un amant merveilleux. Si passionné, si beau ! J'ai su que c'était une crapule quand il s'est empressé de me parler de Louisa. Elle était tombée amoureuse de cet homme, cette sotte. Mais j'admets que c'était délicieusement amusant de l'éloigner d'elle.

Evergreen haussa un sourcil.

...Je ne me souciais pas du tout de Jareth. Il ne représentait absolument rien pour moi, si ce n'est une distraction bienvenue dans mon existence ennuyeuse dans ce village perdu. C'était juste un passe-temps, quelqu'un avec qui jouer. Jusqu'à ce qu'il devienne un handicap.

Elle inclina son joli visage vers le soleil et soupira de plaisir.

...J'aime tellement être sur l'eau.

Elle regarda de nouveau dans ma direction.

...Quand j'ai mis fin à notre liaison, Flynn a menacé de parler à mon père de notre relation. Eh bien, je ne pouvais pas supporter ça, n'est-ce pas ? Surtout après Londres ! Mais c'était vraiment entièrement la faute de Marabelle. C'est elle qui a commencé à mettre son nez partout.

— Marabelle ?

Un frisson me traversa.

— Oui. L'imbécile bien-pensante ! Elle avait surpris Marik et Perry en flagrant délit et comptait le dire à Père. Elle a menacé Marik et a exigé de l'argent. Cette femme était obsédée par l'idée de devenir la matriarche de la famille. Marik m'a raconté ce qui s'était passé, alors j'ai eu une discussion avec elle. Je lui ai dit qu'en échange de son silence, je l'aiderais à se faire bien voir de mon père, que j'encouragerais ses attentions envers elle si elle gardait le secret des garçons.

...Tout aurait dû s'arrêter là, mais Jareth Flynn a repéré Marik et mon frère à la cascade un soir, alors qu'il venait me rejoindre. Il avait prévu de contacter Perry et de lui faire part de ses exigences, mais Marik l'a intercepté et s'est occupé de lui à la place. J'ai rencontré Marik dans les bois, c'est là qu'il m'a donné la lettre de chantage de Flynn. Je l'ai déchirée et jetée.

Il me revint en mémoire les morceaux de papier que Billy avait trouvés et cachés.

...Marabelle a respecté le marché. Mon seul problème était Flynn. Il pouvait révéler l'amour de Perry pour

Marik et parler à Père de sa relation avec moi.

Evergreen poussa un soupir et me sourit. Elle s'amusait. Maintenant qu'elle avait commencé, je voyais qu'elle ne pouvait plus s'arrêter. C'était comme si cela lui donnait le droit de se vanter. Elle était folle !

...J'ai fait venir Jareth. Je lui ai dit qu'il me manquait, que je ne pouvais pas supporter de vivre sans lui. Je suis même allée jusqu'à suggérer que je dirais à Père que je voulais l'épouser. Ce bâtard arrogant m'a cru !

Elle eut un rire désinvolte.

...Comme si j'allais tomber aussi bas ! Le jour où nous nous sommes vus, Billy Wolfe nous a vus ensemble dans les bois. J'ai dit à Jareth que nous avions été repérés, et bien sûr, il a poursuivi Billy pour le faire fuir.

— Et puis vous avez aussi essayé de l'effrayer, n'est-ce pas ? Vous êtes allée dans la remise pour lui faire peur, et c'est là que vous avez volé son couteau !

— Mon Dieu ! Vous êtes une petite maline, n'est-ce pas ? Pas étonnant que j'aie voulu être votre amie.

Elle avait l'air si contente d'elle !

...Oui, j'ai pris le couteau de Billy, et quand Flynn est venu me voir la fois suivante, je l'ai poignardé. C'était ridiculement facile. Je l'ai traîné jusqu'à l'eau et je l'ai laissé là.

— Saviez-vous que Peggy l'avait trouvé ?

— Bien sûr ! Cette vieille fouinarde... Je l'ai vue depuis le hangar à bateaux, mais elle ne m'a pas vu la regarder. Flynn était encore en vie, vous savez.

Elle haussa les épaules,

— Pas pour longtemps...

— Et le couteau ?

— Je l'ai gardé pendant quelques jours, puis je l'ai

caché dans les bois. J'ai emmené l'un des jardiniers avec moi à la recherche d'un mouchoir que j'avais prétexté avoir perdu. Je savais qu'il trouverait le couteau.

— C'était très astucieux. Et je suppose que vous avez également caché le portefeuille de Flynn dans la chambre de Billy à la ferme ?

— Oui.

Gloussa-t-elle.

— Vous pensiez avoir tout réglé, avoir sauvé Perry, Marik et vous-même de Flynn. Mais il y avait toujours quelqu'un qui savait la vérité sur votre frère…

— Sale petite fouine !

Cracha-t-elle.

…Marabelle était furieuse que Père ait été trop préoccupé par Billy pour lui accorder la moindre attention. Elle a commencé à être un peu trop imbue d'elle-même.

Je me rappelai alors ce qu'avait dit sa femme de chambre sur la dispute entre Marabelle et Evergreen.

— Marabelle a-t-elle menacé de dénoncer votre frère, le soir de la conférence ?

— Maintenant, qui fait la maline ?

Evergreen éclata de rire.

— Oh, Jillian, vous auriez dû voir sa tête quand je l'ai poussée du balcon ! C'est la seule fois où je l'ai trouvée drôle. Elle est tombée comme une pierre, et juste devant vous !

Et voilà ! Mes soupçons étaient confirmés. Mon Dieu ! Evergreen LaVelle était complètement folle ! Comment avais-je pu passer à côté ? En fait, comment avions-nous pu ne pas nous en rendre compte ?

Je voulus m'éloigner d'elle et alerter les autorités.

— Evergreen... Nous devrions retourner sur le rivage maintenant. Il faut aller chercher Victor et vous faire aider.

Le rire reprit de plus belle.

— Je n'ai pas besoin d'aide. Regardez ce que j'ai déjà accompli. Vous croyez vraiment que je vous aurais tout dit si j'avais prévu de vous laisser partir ?

— Evergreen...

Dis-je aussi fermement que possible, en essayant de dissimuler mon anxiété grandissante.

...Nous devons parler à votre père. Il peut essayer de régler ce problème. Vous avez déjà tué deux personnes.

Elle arrêta de rire, et son expression se mua en un regard diabolique.

— Deux personnes ? Mais, chère Jillian, j'ai l'intention d'en tuer trois !

En un éclair, elle leva une rame et la fit claquer avec force sur le côté de ma tête. Une immense douleur me traversa l'oreille. Evergreen émit un son guttural et leva la rame pour me frapper à nouveau. Mais cette fois, j'étais prête ! Lorsque la rame m'atteignit, je levai mon avant-bras et déviai sa course. Elle rebondit contre mon os, et une terrible douleur me transperça, mais au moins étais-je toujours consciente. Avec toute la force dont je disposais, je lui arrachai la rame des mains et la jetai à l'eau. Elle s'arrêta, surprise, puis rugit de colère et se jeta sur moi. Ma robe se déchira alors qu'elle me griffait. J'attrapai une poignée de ses cheveux et les tirai si fort que sa tête se renversa en arrière. Son regard fou me terrifia, mais mon désir de survivre l'emporta sur tout le reste. Je maintins sa tête en arrière, et de ma main droite je lui assénai un violent coup de poing sous le menton. Elle s'effondra sur son siège. Mais je savais

qu'elle n'allait pas lâcher prise. Au moment où sa tête
heurta le fond du bateau, je lâchai ses cheveux, passai
derrière elle et coinçai mon bras sous son menton,
emprisonnant son cou. Elle se débattit, essayant
désespérément de s'agripper à quelque chose, puis elle
griffa mon bras. J'étais à deux doigts de la lâcher,
quand je sus soudain ce que je devais faire pour garder
l'avantage. Avec le peu d'énergie qu'il me restait, je
plaçai mon autre bras autour de sa taille et nous
entraînai toutes les deux dans l'eau.

Elle disparut immédiatement sous la surface. Je la
laissai partir pendant que je luttais pour détacher ma
jupe et mes jupons et retirer mes chaussures avant que
mes vêtements ne m'entraînent au fond. Puis je nageai
sous l'eau pour la retrouver avant qu'il ne soit trop tard.

Le lac était profond, mais comme il faisait beau et que
le vent était calme, le courant n'était pas fort, même si
l'eau était trouble. J'arrivai à voir Evergreen
suffisamment bien. Elle était complètement paniquée.
Elle agitait bras et jambes mais le poids de sa robe
trempée l'entraînait au fond du lac comme une ancre.

Quand je l'atteignis, je lui attrapai les bras, et au début
elle se débattit. Puis elle se relâcha soudainement, et je
pus l'attraper et la tenir, en donnant de grands coups de
pieds pour nous faire remonter. Quand nous refîmes
surface, je crachai et toussai, plutôt à cause de l'effort
qu'autre chose. Evergreen était immobile, et je réalisai
qu'elle avait dû s'évanouir de peur, et par manque
d'oxygène. Je mis mon bras autour de son cou pour
maintenir sa tête hors de l'eau, et j'utilisai mes jambes
pour nous propulser vers le bateau. Je ne tentai pas de
remonter à bord, mais m'accrochai d'un bras à la paroi
du bateau tout en soutenant Evergreen de l'autre.

J'essayai désespérément de mobiliser mes jambes pour nous faire avancer en direction de la rive. C'était épuisant. Je priai pour avoir assez de forces pour regagner la terre ferme.

Je bataillai dur, mais notre progression était faible. Mes forces s'affaiblirent lentement, et il ne fallut pas longtemps pour que l'effort ait raison de moi. Mes jambes s'étaient transformées en plomb. Le bras que j'avais passé autour des épaules d'Evergreen s'était engourdi, et mes doigts arrivaient à peine à s'agripper à la paroi du bateau. La tête me lançait à cause des coups de rame qu'elle m'avait donnés, et j'avais l'impression que je pouvais défaillir à tout moment.

Que devais-je faire ? Si je libérais Evergreen, je pouvais essayer de remonter dans le bateau. Mais la jeune fille était encore inconsciente, et je savais que si elle sombrait, je n'aurais plus l'énergie nécessaire pour la sauver de la noyade.

Combien de temps s'écoula ? Je n'en ai aucune idée. Mais je m'accrochai, souhaitant désespérément voir un autre bateau, mais aucun ne se présenta. Il était encore tôt pour les marins de plaisance et trop tard pour les pêcheurs.

Puis j'eus la vague conscience d'une voix faible, au loin. Quelqu'un appelait-il mon nom ? Est-ce que je délirais ? Après tout, j'avais reçu un bon coup sur la tête !

Je l'entendis à nouveau, et cette fois, je regardai autour de moi et pleurai de joie. Dieu merci ! C'était un autre bateau, dans lequel se trouvaient Victor et Dominic, ramant frénétiquement pour nous rejoindre. J'essayai de les appeler mais je ne pus arriver à trouver suffisamment de souffle. Ma main relâcha sa prise, ma tête se mit à tourner, et toute force déserta mon corps.

XXX

— Comment te sens-tu ?

Dominic était assis près de mon lit, me tenant la main, les sourcils froncés d'inquiétude. Je fus surprise de le voir, mais il me dit qu'il avait dormi en bas sur le canapé du salon. Voilà donc pourquoi sa tignasse ressemblait à un nid de cigognes.

— Je vais bien. Arrête de t'inquiéter.

Le médecin m'avait déclarée suffisamment en forme pour retourner chez mon oncle la veille au soir. Victor avait proposé que je reste, mais je voulais par-dessus tout quitter *Hollyfield*.

Oncle Jasper fut saisi de panique en me voyant, mais cette chère Madame Stackpoole s'improvisa infirmière et le fit fuir. On me gava de boissons chaudes et de nourriture saine. Selon les ordres du médecin, je devais rester éveillée pendant les huit heures à venir pour éviter que je m'endorme sans jamais me réveiller. Je ne compris pas exactement pourquoi, mais cela devait avoir un rapport avec le coup que j'avais reçu à la tête. Après ce laps de temps, je serais alors hors de danger. Au milieu de la nuit, Madame Stackpoole avait finalement cessé de parler, éteint ma lampe et m'avait dit que je pouvais maintenant me reposer. J'étais aussitôt tombée dans un profond sommeil, épuisée, et ne me réveillai qu'en milieu d'après-midi en entendant Dominic et Madame Stackpoole entrer dans ma chambre. Je me redressai pour m'asseoir. Madame Stackpoole enroula un châle autour de mes épaules pour préserver ma pudeur, déclarant que ma porte devait rester ouverte, tandis qu'elle se retirait discrètement.

— Oh… j'ai mal à la tête.

Me plaignis-je.

…Evergreen a une sacrée force quand elle manie les rames.

J'eus un faible rire.

— Ce n'est pas drôle !

Me réprimanda Dominic.

…Elle aurait pu te tuer ! Dieu merci, tu es une femme forte et intelligente. N'importe qui d'autre aurait fait un malaise, serait tombé du bateau et se serait noyé. Je suis tellement fier de la belle résistance que tu lui as opposée. Je parie qu'Evergreen ne s'y attendait pas.

—Je l'avais pourtant prévenue que j'étais une fille du *Devonshire*.

Dis-je d'un air suffisant.

…Mon grand-père était pêcheur, et j'ai passé une grande partie de mon enfance sur son bateau.

Je réfléchis un instant.

…Je ne t'ai pas posé la question plus tôt, mais lorsque vous m'avez secourue, comment avez-vous compris que j'étais en danger ? Votre timing était impeccable !

— C'est grâce à Jasper. Victor et moi étions au village lorsque ton oncle et Madame Stackpoole nous ont vus. Jasper a demandé où tu étais et si tu étais rentrée chez toi. Victor ne savait pas à quoi le professeur faisait allusion. Lorsque Jasper lui a expliqué que la calèche LaVelle était venue te chercher avec un message émanant de lui-même. Il a nié avoir envoyé cette demande, et c'est comme ça que ton oncle a compris que quelque chose de louche avait dû se produire.

— C'est une chance, en effet.

Je me demandai comment j'aurais fait s'ils n'étaient pas

arrivés juste à temps.

— Où est Evergreen maintenant ?

— Dans une prison pour femmes, à Preston. Ils l'ont déclarée complètement folle. Je crois qu'elle décline depuis plusieurs années. Mais on s'occupera de ça plus tard. Ne t'inquiète pas, Jilly.

Il voyait que je compatissais, même si elle ne méritait rien de tout cela.

— Evergreen est la fille de Victor LaVelle, et Victor ne permettra pas qu'elle soit maltraitée.

Ses yeux s'assombrirent.

— Contrairement à Billy, elle ne risque pas la potence ! Mais pourquoi son état mental est-il excusé alors que celui de Billy ne l'est pas ! C'est injuste !

— Comment va Billy ?

Le sourire revint sur son visage.

— En extase. Il comprend qu'il va rentrer à la maison. Nous n'avons plus qu'à attendre que la grâce soit signée par le magistrat, un peu plus tard dans la soirée. Il sera de retour à la ferme demain.

Je soupirai. Billy allait enfin être libre ! Dieu merci, tout s'était bien passé pour les deux frères.

— Tu seras heureux de l'avoir à nouveau à la maison, je pense.

Je serrai la main de Dominic. Il se pencha vers moi et m'embrassa doucement sur les lèvres. Quand j'ouvris les yeux, ce fut pour plonger mon regard dans le sien. Dominic sourit.

— Tu es en sécurité, et une fois que mon frère sera de retour à la ferme, je ne manquerai plus jamais de rien.

En quelques jours, je parvins à me rétablir. Je faisais attention, car si j'en faisais trop, j'avais mal à la tête.

Cela s'atténuerait au fur et à mesure que la bosse diminuerait, *dixit* Oncle Jasper, me répétant les paroles du médecin. Jusque-là, je n'étais pas autorisée à travailler.

Dominic venait me voir tous les jours mais n'avait pas encore amené Billy. Il voulait attendre que je puisse aller à la ferme Wolfe. Il me promit aussi de préparer un excellent dîner, et que nous fêterions cela tous ensemble. Cela me sembla très bien. C'était merveilleux de voir qu'il n'était plus inquiet et d'entendre à nouveau du bonheur dans sa voix.

Aujourd'hui, Oncle Jasper était sorti pour sa première randonnée depuis mon accident, et m'avait laissée sous la surveillance de Madame Stackpoole, qui, je le remarquai, avait l'air extrêmement heureuse. Sa peau brillait, ses yeux étincelaient et son visage était constamment souriant. J'étais ravie qu'elle et mon oncle s'apportent un bonheur mutuel. Il était évident que cette femme était amoureuse. Je me disais que, même si l'amour avait embelli la vie d'Oncle Jasper et de Madame Stackpoole, et même celle de Dominic et la mienne, cette émotion avait créé une sacrée pagaille dans la famille LaVelle ! Cela avait poussé Evergreen à tuer, Perry et Marik avaient vécu de façon hypocrite pour cacher le leur et la pauvre Marabelle Pike en était morte.

Dans l'après-midi, Madame Stackpoole partit à la bibliothèque me prendre quelques livres, car je ne pouvais pas faire grand-chose d'autre que lire pendant ma convalescence. Elle me laissa à l'arrière de la maison, sur la pelouse, assise sur une épaisse couverture, profitant du soleil. Je regardai notre linge danser sur la corde, mû par la brise chaude de l'été, et je me laissai aller à sommeiller lorsque le clic de la porte me réveilla, et quelqu'un surgit devant moi. C'était Victor.

— Bonjour, Jillian. Puis-je me joindre à vous ?

Il descendit le chemin, et je fis un geste vers la couverture.

— Je vous en prie. Bien que je ne puisse garantir son confort, ni que l'herbe du dessous ne soit pas humide.

— Je vais tenter ma chance, dit-il.

Et il s'assit à côté de moi.

Je le regardai. D'une certaine manière, le fait d'être assise sur une couverture dans notre jardin diminuait la prestance physique de Victor – il semblait plus ordinaire, plus humain. Je remarquai que son visage était pâle et qu'il avait l'air épuisé. Mais était-ce si étonnant, après les événements récents qu'il avait dû affronter ?

Il me fit un sourire chaleureux.

— Dominic me dit que vous avez beaucoup récupéré.

— Oui, en effet. Entre lui, Oncle Jasper et Madame Stackpoole, ils m'ont tellement épuisée que je n'ai qu'une hâte : aller mieux pour avoir un peu de paix et de tranquillité.

Il hocha la tête.

— Eh bien, je suis heureux de voir que vous vous êtes épanouie grâce à eux.

Je l'examinai.

— Comment allez-vous, Victor ? Vous avez eu plus que votre part, ces dernières semaines !

— Je vais assez bien.

Affirma-t-il de manière peu convaincante.

Il tourna les yeux vers mon visage, et me regarda avec une grande attention.

...Jillian, je ne suis pas venu uniquement pour m'assurer que vous alliez bien. Il y a une question délicate dont j'aimerais discuter avec vous. Ce n'est peut-être pas le moment le plus approprié, mais en raison des nombreuses autres préoccupations que j'ai en ce moment, y consentiriez-vous ?

J'étais perplexe.

— Bien entendu, Victor.

Cet homme avait toujours été de la plus parfaite courtoisie depuis notre première rencontre.

— Tout d'abord, merci d'avoir sauvé la vie de ma fille.

J'ouvris la bouche pour parler, mais il leva la main.

...S'il vous plaît... Laissez-moi dire ce que j'ai à vous expliquer, et vous pourrez répondre une fois que j'aurai réussi à tout exprimer.

Il sourit afin que je ne me sente pas offensée.

...Après ce qu'Evergreen a fait à tant de gens, quel que soit son état mental, vous n'aviez pas besoin de la sauver de la noyade. Bien qu'elle vous ait mis en danger de mort et ait tenté de vous tuer, votre clémence a été remarquable. Vous auriez été dans votre droit de laisser Evergreen mourir. Mais vous ne l'avez pas fait. Vous avez fait preuve de compassion alors qu'elle ne vous en avait montré aucune, et je vous en serai à jamais reconnaissant.

Il soupira.

...Evergreen restera en détention jusqu'au mois prochain. À ce moment-là, elle sera emmenée à *Ticehurst House*, un asile privé dans le Sussex.

— Je suis désolée de l'apprendre.

— Ne le soyez pas. On a épargné à Evergreen les

horreurs de l'emprisonnement et du bourreau. Elle vivra dans un endroit réputé. Ce n'est pas un asile de fous comme *Bedlam*. J'ai de l'argent, donc Evergreen, contrairement à tant de malheureux, pourra vivre en étant bien soignée. Une fois qu'elle sera installée, j'aurai le droit de lui rendre visite. Vous voyez donc qu'elle est bien plus chanceuse que la plupart des gens. Mais vous n'aurez plus jamais rien à craindre d'elle, car elle ne sera jamais libérée.

Il fit une pause.

...Et maintenant, autre chose…

Je fronçai les sourcils.

— Oui ?

Il jeta un coup d'œil au pendentif que je portais depuis l'accident.

— Votre pierre de lune... puis-je la voir ?

Je passai le cordon par-dessus ma tête et le tendis à Victor.

Il le tint dans sa paume et l'étudia attentivement.

— Je reconnais cette pierre…

Dit-il avec douceur en la portant vers la lumière.

...Vous voyez ce petit défaut, juste là où la lumière se reflète ?

Il pointa son doigt.

...Vous le voyez ? Juste là !

Je dus loucher pour mieux me concentrer, et oui, il était bien là.

— Je le vois, mais je ne l'avais pas remarqué avant. Cela a-t-il une signification ?

— Cela ne diminue ni sa valeur ni sa beauté, mais cela en fait une pièce unique.

Il me la rendit et je la remis autour de mon cou.

...Il y a de nombreuses années, j'ai acheté ce pendentif à

un marchand qui l'avait importé d'Inde. C'était un cadeau d'adieu pour la femme qui avait volé mon cœur...

Il tourna son visage et fixa le mien. J'intégrai lentement ses paroles et commençai peu à peu à comprendre ce qu'il voulait dire.

— Vous…

Bégayai-je.

… vous connaissiez ma mère ?

— Si son nom était Gwen Jackson, alors oui. Gwen était une belle fille que j'avais rencontrée dans le *Devon*, peu de temps avant mon départ pour l'Inde.

Je me couvris la bouche pour retenir le sanglot qui menaçait de jaillir.

Victor me toucha l'épaule.

…J'étais là pour étudier avec l'un des plus éminents constructeurs de navires, et juste après mon arrivée, j'ai rencontré votre mère.

Je restai sans voix.

…J'ai été honnête avec elle. J'ai dit à Gwen que je ne pouvais pas rester dans le *Devon* car un rendez-vous m'attendait en Inde. J'étais fiancé à Emma Symington, et son père avait payé mes études dans le *Devon*, puis mon voyage en Inde. Mais malgré tous nos efforts, nous ne pouvions pas rester éloignés l'un de l'autre. Quand il a été temps pour moi de partir, j'ai donné à Gwen ce pendentif comme souvenir de ce que nous avions partagé.

— Oh Victor !... Comment avez-vous pu la quitter ?

Dis-je.

…Vous avez dû lui briser le cœur !

Il ferma les yeux, comme s'il ne pouvait supporter de me regarder.

—Oui, elle a eu le cœur brisé, et moi aussi. Mais j'avais un contrat signé avec les Symington, que je ne pouvais rompre par crainte d'une action en justice. La famille avait investi beaucoup d'argent dans mon éducation et ma formation. De l'argent que je n'aurais jamais été en mesure de rembourser. Après mon mariage, je devais prendre des parts de la société et créer une nouvelle branche, spécialisée dans les bateaux à vapeur.

Ses épaules s'affaissèrent. Ces souvenirs étaient difficiles pour lui.

…Jillian, j'étais jeune, j'avais de l'ambition, et la dernière chose à laquelle je m'attendais était de rencontrer une jeune fille du *Devonshire* et de tomber follement amoureux…

Ses doigts frottèrent ses tempes comme si cette pensée lui infligeait une douleur insupportable.

…Quand j'ai quitté le *Devon*, je me suis demandé si je pouvais revenir sur mon accord avec les Symington. J'ai résolu d'engager un avocat pour examiner mon contrat une fois que nous aurions touché terre et voir s'il y avait un moyen de m'en sortir. Mais pendant le voyage, je suis tombé malade du choléra. J'ai eu de la fièvre pendant de nombreux jours et, lorsque je suis arrivé en Inde, j'étais trop faible pour marcher. Il m'a fallu plusieurs mois pour retrouver des forces, et à ce moment-là, notre mariage était prévu, et tout était réglé.

Alors je n'ai rien dit…. Parfois, j'aime à penser que si je n'étais pas tombé aussi malade, j'aurais quitté le navire à l'un des ports et me serais précipité chez moi pour être avec Gwen.

Je clignai des yeux et sentis une larme rouler sur mon visage.

— Lui aviez-vous déjà écrit, à ma mère ?

Je le regardai, et il baissa la tête.

— Une fois, avant mon mariage. Mais elle n'a jamais répondu.

Je poussai un grand soupir. Ça faisait beaucoup à encaisser ! Mes émotions étaient si contradictoires ! J'en voulais à Victor, car il avait brisé le cœur de ma mère et l'avait quittée pour une autre femme. Une femme riche qui s'était finalement suicidée et avait légué sa maladie mentale à sa fille. C'était un véritable gâchis. Pourtant, une autre partie de moi comprenait ce à quoi la vie peut parfois contraindre. Nous n'étions pas toujours en mesure d'obtenir ce que nous désirions. Le bon moment, c'était crucial. S'ils s'étaient rencontrés un an plus tôt...

— Je ne vous en veux pas, Victor.

Admis-je calmement.

...J'ai de la peine pour vous deux. Et même si je sais que ma mère a eu une vie merveilleuse avec un homme bien, je suis sûre qu'il y a toujours eu une partie d'elle-même qui est restée vôtre.

Victor essuya ses yeux d'un revers de main et me sourit.

— Gwen a dû être très fière de vous avoir comme fille.

— Je l'espère.

Il poussa un long soupir, puis me regarda avec une expression étrange sur le visage.

— Jillian. Je dois encore vous dire une chose avant de vous laisser seule…

Tout en parlant, il desserra sa cravate et déboutonna les premiers boutons de sa chemise.

Instinctivement, je m'éloignai de lui.

— Victor, que diable faites-vous ?

Je me mis debout d'un bond.

Il se leva également, sans me quitter des yeux.

— Quand Dominic et moi vous avons sortie du lac, vos vêtements étaient trempés. Votre robe avait disparu, et le peu que vous portiez était déchiré…

Il ouvrit sa chemise et là, sur le côté gauche de sa poitrine, se trouvait une tache de naissance oblongue en forme de fraise.

Je la regardai fixement, figée sur place, perdue dans la contemplation de la marque que je portais moi-même.

Puis ses yeux verts croisèrent les miens, et je réalisai à travers mes larmes que je m'étais vue dans un miroir à chaque fois que j'avais regardé le visage de Victor…

Victor LaVelle était mon père !

ÉPILOGUE

C'était un jour splendide pour un mariage. Il n'y avait pas un nuage dans le ciel, et une brise légère réchauffait l'air. Je me tenais devant l'église, dans ma nouvelle robe vert pomme, Dominic à mes côtés. Je ne me souvenais pas avoir été aussi heureuse, même quand ma mère était en vie.

Alors que les cloches sonnaient joyeusement, les mariés franchirent les portes, un sourire radieux sur le visage. Tout le monde les acclama en criant et on jeta force poignée de riz pour bénir les mariés. Oncle Jasper était si beau dans son nouveau costume gris, et son épouse rougissante, Mademoiselle Prunella Stackpoole, devenue Madame Jasper Alexander, était radieuse dans une robe lilas, un bouquet de violettes à la main.

On les aida à monter dans la calèche ouverte des LaVelle, qui était ornée de guirlandes de fleurs pour l'occasion, et ils partirent pour *Hollyfield House* où un grand pique-nique était organisé en leur honneur.
— Dieu merci, Oncle Jasper a enfin trouvé quelque chose qu'il aime encore plus que les lichens.
Fis-je remarquer à Dominic alors que nous marchions de l'église vers *Lake Road*.
Nous n'étions pas seuls, car la plupart des habitants du village avaient été invités aux festivités. Des foules de gens se dirigeaient dans la même direction.
— Il a l'air ravi !
Observa Dominic.
— Attendez-moi !

Cria une voix derrière nous, et nous ralentîmes le pas jusqu'à ce que Billy nous rattrape. Il avait l'air joyeux, les yeux brillants à la perspective d'un pique-nique, et sans doute de jeux. Il prit mon bras resté libre, et je marchai entre les deux frères Wolfe.

—J'ai tellement faim…

Se plaignit Billy.

...Jilly, il y aura des gâteaux ?

— Des tonnes.

Répondis-je en gloussant.

...Et des *minces pies*, des roulés aux saucisses, toutes sortes de plats merveilleux.

— Elle ne sera pas là, n'est-ce pas ?

Demanda Billy, comme il le faisait souvent depuis qu'il était sorti de prison.

— Non, Billy.

Le rassura Dominic.

...Elle ne sera plus jamais là, alors tu n'as pas à avoir peur.

Victor avait rendu un bel hommage à mon oncle. Le jardin entier à l'arrière de *Hollyfield House* était couvert de tables chargées de pâtisseries, de fruits, de bières et de toutes sortes de délices. Un mât de cocagne se dressait au centre de la pelouse, et un petit groupe de musiciens divertissait les invités. Il y aurait un bal à la tombée de la nuit. C'était un geste merveilleux de la part des LaVelle et une excellente façon de réunir un village qui se remettait tout juste des tragédies des trois derniers mois. Dominic envoya Billy chercher une part de gâteau et me demanda si je voulais bien l'accompagner jusqu'à l'eau. Ce n'était pas la première fois que je retournais au hangar à bateaux depuis mon altercation avec Evergreen. J'avais pensé qu'il était sage de combattre cette peur tout de suite. Evergreen avait eu un impact si dévastateur sur tant de vies, au printemps et au début de l'été, que je ne voulais lui laisser aucun pouvoir. Mon avenir devait être à moi.

Nous nous promenâmes jusqu'au rivage, puis nous nous éloignâmes du hangar à bateaux jusqu'à ce que nous trouvions un petit banc. Sans parler, nous nous assîmes, et quelques secondes passèrent avant que Dominic ne rompe le silence.

— Eh bien, Jilly... Es-tu prête à commencer ce nouveau chapitre de ta vie ?

Il faisait référence au mariage de mon oncle avec Madame Stackpoole.

Je soupirai.

— Même si ce sera différent, oui, je suis prête. Tant de choses ont changé depuis que j'ai emménagé ici. Il semble que j'aie gagné beaucoup de parents d'un seul coup.

Je réfléchis un instant.

...Accepter Victor comme père m'est encore difficile, et je me demande si je m'habituerai un jour à cette idée.

Ma relation avec Victor dans son nouveau rôle de père en était à ses débuts. Celui-ci se faisait lentement à l'idée qu'il avait été ami avec mon oncle Jasper et qu'il n'avait jamais réalisé quel véritable lien les unissait. Cela s'expliquait facilement, car Oncle Jasper était l'oncle de ma mère et ils ne portaient pas le même nom de famille. Sans compter que, lorsque Victor avait séjourné dans le *Devon,* de nombreuses années auparavant, mon oncle avait quitté le comté depuis longtemps.

— Tu sais, Victor voudrait vraiment que tu vives à *Hollyfield House*.

Souligna Dominic.

...Il m'en a parlé plus d'une fois.

Je secouai la tête.

— Je ne pourrai jamais faire cela. Ce n'est pas ma maison, et ça ne le sera jamais.

Et c'était la pure vérité, parce que, dans mon cœur, ce cher Tom Farraday serait toujours mon vrai père. Car il m'avait nourrie, soignée et avait aimé ma mère de tout son cœur.

Toutefois, les modalités de ma nouvelle vie n'étaient toujours pas réglées. Oncle Jasper avait insisté sur le fait que j'aurais toujours une place chez lui. Il me rappelait chaque jour que je devais prendre mon temps pour m'habituer aux nouvelles prérogatives de Madame Stackpoole, que j'appelais désormais « Tante Pru », et à ma relation naissante avec Victor. C'était la bonne solution pour le moment – du moins jusqu'à ce que je sache ce que je voulais faire du reste de ma vie.

Dominic gloussa.

— Réfléchis, Jilly… Si j'avais été plus direct avec toi, j'aurais deviné ta véritable identité beaucoup plus tôt.

Il avait raison. Si Dominic m'avait vu en sous-vêtements, il aurait immédiatement reconnu sur ma peau la même tache de naissance que son frère Billy avait sur la poitrine. Apparemment, Perry portait lui aussi cette même marque. Rien d'étonnant à ce qu'Evergreen m'ait dévisagée étrangement au moment où j'essayais sa robe, avant le dîner des Mountjoy ! J'avais scellé mon propre destin sans même le savoir.

— C'est étrange d'avoir un père et deux demi-frères à

mon âge.

Remarquai-je.

Je reconnaissais Perry et Billy, mais je ne considèrerais jamais Evergreen comme une sœur. Pas après ce qu'elle avait fait.

— Ça me manque de voir Perry et Marik,

Ajouta Dominic

…bien que je sache que leur vie sera bien meilleure à Florence. Au moins, là-bas, ils ne seront pas persécutés pour leur amour.

— En effet. Peut-être un jour se sentiront-ils assez en sécurité pour venir nous rendre visite.

Dis-je avec nostalgie.

Dominic passa son bras autour de mes épaules et nous restâmes tous deux silencieux, perdus dans nos pensées. Le doux son de l'eau du lac clapotant sur le rivage était apaisant, et des bribes de musique arrivaient de temps à autre jusqu'à nous depuis les jardins.

Je pensais à mes parents, et à quel point ils auraient aimé Dominic, tout comme Billy. Je pensais à Victor, au fait qu'il avait perdu une femme à cause d'une maladie mentale, et maintenant aussi une fille, que son fils aîné devait vivre en exil dans un autre pays, tandis que son plus jeune fils souffrant ne pourrait jamais le rejoindre dans l'entreprise familiale. J'étais la seule qui lui restait. Quelle ironie de perdre une fille pour en gagner une autre ! La vie était parfois étrange et le destin bien capricieux.

Dominic me tira de mes pensées en glissant un doigt sous mon menton pour attirer mon visage vers le sien. L'or de ses pupilles ambrées me brûla les yeux et le simple fait de le regarder me coupa le souffle.

— Jilly, le jour où je t'ai rencontrée au bureau de poste

d'*Ambleside*, j'ai eu le sentiment que tu deviendrais quelqu'un de spécial.

Chuchota-t-il doucement.

...Mais je ne savais pas à quel point...

Je souris. Son pouce effleura mes lèvres.

...Merci, Jillian Farraday ! Merci d'être entrée dans ma vie et d'y être restée malgré toute cette tourmente. De m'avoir empêché d'abandonner et d'avoir sauvé la vie de mon frère. De notre frère... Je ne pourrai jamais te rendre la pareille, jamais.

Ses yeux s'embuèrent d'émotion. Il prit une profonde inspiration.

...Jilly, je suis très amoureux de toi.

Avant que je puisse répondre, il pencha sa tête vers la mienne et m'embrassa. Ses lèvres étaient fermes mais tendres. Un violent désir s'empara de moi et envahit la moindre parcelle de mon corps, jusqu'à ce que je sois consumée d'amour. Il mit fin au baiser et se retira sans trop s'éloigner. J'étais dans l'incapacité de parler. Mon esprit était encore en train d'assimiler sa déclaration tandis que mon cœur se remplissait de désir.

...Jillian, il y a une autre faveur que je voudrais te demander, bien que tu aies déjà tant fait pour moi.

Je fronçai les sourcils, puis je le vis sourire et je me détendis instantanément.

— Oui, Dominic, que puis-je pour toi ?

— C'est beaucoup demander !

Lança-t-il, les yeux brillants de gaieté.

Je gémis.

— Je ne souhaite pas que mon portrait soit peint, Dominic.

Il se mit à rire.

— Non Jilly. Ce n'est pas une faveur. C'est beaucoup

plus aventureux que cela. J'ai décidé de faire un voyage en Italie, et je veux que tu viennes avec moi.

Je haletai…

— L'Italie ? Voilà une nouvelle à laquelle je ne m'attendais pas. Quand as-tu décidé de partir ? …Comment peux-tu quitter la ferme ?

— Hou-là !

Dit-il en plaçant son doigt sur ma bouche. …Doucement ! Tu poses trop de questions à la fois.

Je m'excusai mais en posai quand même une autre.

— Tu vas aller à Florence voir Marik et Perry ?

— Oui. Cela fait longtemps que j'ai envie de visiter cette belle ville, car elle possède des collections d'art inégalées dans le monde. Quant à la ferme, une fois les récoltes faites, il n'y a aucune raison pour que je ne puisse pas m'absenter pour une courte période.

Je considérai sa proposition. Pourquoi aurais-je dû refuser ? Je n'avais jamais voyagé, si ce n'est du *Devon* au *Cumbria*. La perspective de partir à l'étranger était à la fois terrifiante et follement excitante.

…Alors ?

Insista-t-il.

…Qu'est-ce que tu en dis ? Tu veux bien venir avec moi ?

— Bien sûr !

Exultai-je.

…C'est une excellente idée. Ça fera du bien à Billy. Après tout ce qu'il a enduré, il…

— Non, Jilly…

M'arrêta Dominic sévèrement.

…Billy restera ici avec Victor. Je ne veux pas faire ce voyage si particulier avec notre frère.

Je ne comprenais pas.

— Dominic, c'est injuste. Comment peux-tu ne pas emmener Billy ?

— S'il te plaît, tais-toi juste un instant !

Dit Dominic avec un sourire.

Puis il me regarda avec un amour infini.

…Jillian Farraday LaVelle, je te demande de venir en Italie avec moi à l'occasion de notre lune de miel.

Et alors qu'il attendait ma réponse, une musique dansante et joyeuse ouvrit les festivités de la fête de mariage et il me sembla que c'était le bonheur tout entier qui nous enveloppait.

Je mis une main sur celle de Dominic, enserrai de l'autre la pierre de lune au creux de mon cou, et fixai ses beaux yeux.

— Je t'aime, Dominic Wolfe,

Chuchotai-je.

…Et j'irai partout dans le vaste monde, pourvu que ce soit avec toi.

Jude Bayton

À propos de l'auteur :

Jude Bayton est une Londonienne qui réside actuellement dans le Midwest américain. Photographe et voyageuse passionnée, Jude aime écrire sur les lieux qui lui tiennent à cœur. Pour suivre ses dernières publications et son blog mensuel, abonnez-vous à judebayton.com.

Retrouvez Jude Bayton sur :
judebayton.com
Facebook: Jude Bayton
Twitter: @judebayton
Courriel: author@judebayton.com

Autres livres
Par Jude Bayton
Le secret du Manoir de Mowbray
Titre original: The Secret of Mowbray Manor
Le Secret de l'île de Pendragon
Titre original: The Secret of Pendragon Island

Le Traducteur :

Christopher Bayton est né à Londres et a obtenu une licence en musicologie au *Royal Holloway College* de l'Université de Londres en 1978. Il vit et travaille en France depuis 1985. Après une carrière au plus haut niveau international dans le spectacle vivant, il décide de se consacrer à la traduction. Ses traductions de livrets d'opéras français du 17ème et18^{ème} siècle ont été publiées avec des enregistrements internationaux par les labels Little Tribeca (Alceste-Lully), et Château de

Versailles Spectacles (*L'Europe Galante*- Campra, *Le Devin du Village*, J-J Rousseau, *Les Arts Florissants* M-A Charpentier). Il traduit également pour plusieurs autres labels : Mirare, Harmonia Mundi... ainsi que pour la chaîne culturelle de télévision française Mezzo et le Festival International d'Opéra d'Aix-en-Provence, pour lequel il a récemment traduit un important document sur l'écoconception dans le théâtre lyrique...

Printed in Great Britain
by Amazon